Théorie d'ensemble

Tel Quel

Théorie d'ensemble

(choix)

Éditions du Seuil

ISBN 2-02-005708-5.
(ISBN 2-02-001945-0, 1re publication.)

PRÉFACE

Ce livre est le témoin d'une époque.

Dix ou douze ans, c'est peu, mais, dans ce cas, on a l'impression d'un abîme. Tout est allé très vite, et dans tous les sens.

L'heure était à la théorie, à la recherche d'une synthèse. Peut-être trop. C'est ce qu'on a beaucoup dit par la suite : pas de théorie, la vie! Halte au terrorisme intellectuel, et le reste.

La théorie reviendra, comme toutes choses, et on redécouvrira ses problèmes le jour où l'ignorance sera allée si loin qu'il n'en sortira plus que l'ennui. Le moment est peut-être proche. Encore un peu d'ignorance? Pourquoi pas?

L'essentiel de ce livre porte sur un rêve : unifier la réflexion et déclencher à partir de là une subversion généralisée. Cette « unification » venait d'une conscience aiguë des pouvoirs possibles de la littérature qu'un refoulement habituel s'attache à minimiser, à freiner, à subordonner.

Non pas : la littérature au service de la théorie (comme presque tout le monde semble l'avoir cru de Tel Quel*) mais très exactement le contraire. Les sciences du langage, la philosophie, la psychanalyse aidant à dégager un tissu de fiction à proprement parler infini. Restait le marxisme : le rêve s'en saisissait, à la suite des formalistes et des futuristes, et pensait que la révolution était en train de rentrer dans son vrai lit, dans son courant un instant dévoyé par la méconnaissance du registre symbolique. Vision d'ensemble exagérée, en effet, trop ambitieuse : la réalité s'est chargée de nous le faire savoir. D'où l'impression, aujourd'hui si fréquente, que chacun est retourné dans son coin, et y tourne en rond, le plus souvent, faut-il le dire, dans la régression. C'est dommage : ce recueil était inquiétant justement parce qu'il ne respectait pas les frontières, les institutions, les spécialités. Il choquait le bon sens scientifique, la prétention philosophique, la paresse (l'invraisemblable paresse) littéraire, la gestion du marché éditorial en cours de soumission de plus en plus active aux impératifs de trésorerie. Il interpellait l'Université (il peut encore le faire), démasquait les milliers de pages imprimées au passé dans la volonté de ne rien savoir,* *questionnait le savoir à partir d'une subjectivité effervescente. Bref, le programme était de confrontation et de débat permanent. On comprend que les différentes instances convoquées ici aient préféré assez vite rester avant tout elles-mêmes. Ce qui revient à remettre le point de vue d'ensemble au pouvoir politique : ce que cette tentative, précisément, contestait.*

De la théorie et pas d'œuvres, a-t-on dit. Mais les œuvres se préparaient en profondeur, on les verra peu à peu surgir dans un paysage bouleversé (pendant qu'évidemment se poursuit l'inlassable ronron de la petite histoire littéraire). Le creuset qu'on a ici entre les mains annonce donc un bouillonnement ultérieur. Il doit être aujourd'hui placé sous le signe de quelqu'un dont la complicité a tellement compté dans ces jours de mutation aventureuse, quelqu'un qui vient de nous quitter mais dont le style d'intervention, par son ampleur, sa justesse, sa mesure, nous aidait et nous aidera encore à aller plus loin : Roland Barthes. *Que sa voix soit ici saluée, nous disant de ne pas avoir peur de sortir, courageusement, du vieux monde.*

Philippe Sollers.
Mai 1980

DIVISION DE L'ENSEMBLE

> *Rien d'aisé comme de devancer, par voie d'abstraction, et purement, des verdicts inclus dans l'avenir, lequel n'est que la lenteur à concevoir de la foule.*
>
> Mallarmé.

> *Les idées ne sont pas transformées dans le langage de telle sorte que leur particularité s'y trouve dissoute ou que leur caractère social figure à côté d'elles dans le langage, comme les prix à côté des marchandises. Les idées n'existent pas séparées du langage.*
>
> Marx

Il est sans doute trop tôt, bien que déjà possible, de dater avec précision, l'efficacité et la force avec lesquelles une percée théorique générale se sera manifestée autour d'un certain nombre de concepts décisifs repris, redoublés ou construits dans le cours de ces dernières années. *Écriture*, *texte*, *inconscient*, *histoire*, *travail*, *trace*, *production*, *scène* : aucun de ces mots-carrefours n'est en lui-même une nouveauté théorique puisqu'il s'agit, dans la manière dont ils interviennent désormais dans des régions déterminées de notre recherche, non pas d'inventions destinées à s'ajouter au marché du savoir, mais d'une constellation réfléchie jouant à la fois un rôle de délimitation et de transformation. Il y a quelque temps, pouvait paraître une *Théorie de la littérature* qui, en rappelant l'acquis du " formalisme " lié à la naissance du " structuralisme " indiquait après-coup le lieu d'une rupture dans l'approche du texte " littéraire ". Les trois mots que l'on vient de lire entre guillemets se sont, depuis, singulièrement déportés par rapport à ceux qui se trouvent soulignés plus haut. Il ne faudrait pas en conclure qu'un " dépassement " du littéral, du formel, ou du structural se produit maintenant par une mutation simple. Plus profondément, il nous semble, pour marquer ici une opération vérifiable aussi bien dans l'histoire scientifique qu'*un remaniement de base se fait toujours, non sur le coup qui précède immédiatement celui de la refonte, mais sur le coup qui précède ce coup*. C'est ainsi que, pour préciser la dimension historique de ce qui " arrive ", il nous faut remonter au-delà d'effets situables dans les années 1920-1930 (surréalisme, formalisme, extension de la linguistique structurale) pour placer correctement une réserve plus radicale inscrite à la fin du siècle dernier (Lautréamont, Mallarmé, Marx, Freud). Ce principe de départ est pertinent si nous voulons tenir compte — sans les effacer — des champs par rapport auxquels ce volume acquiert sa fonction active et des divisions qui les font exister comme ensemble hétérogène et voulu comme tel. Alors seulement peut s'éclairer le nouveau coup qui ébranle et remet en jeu à la fois le coup et l'après-coup. Alors seulement peut se laisser calculer et prévoir de quel coup ce nouveau coup sera à son tour l'avant-coup [1].

Ce livre, donc, est une organisation de rappels et d'appels à l'autre côté d'une clôture dont le cercle serait apparu comme cercle, il y a une centaine d'années, et comme " autre côté " tout récemment. Il fallait à la fois éviter le piège métaphysique de la réunification et de la synthèse (retombée dans la clôture) et l'ignorance de l'après-coup structural ne faisant que déplacer le cercle (d'où nécessité d'interroger les fondements de plusieurs méthodes nées dans ce déplacement, par exemple l'idéologie linguistique). Voici quelles sont en somme les lignes de force de ce travail de rassemblement qui opère, quant à *Tel Quel*, de 1963 (date du colloque de Cerisy, cf. *Tel Quel* nº 17) à 1968 (date du colloque de Cluny, cf. *la Nouvelle Critique*, novembre 1968). Les noms de Foucault, de Barthes et de Derrida suffisent à souligner ce glissement temporel. Ceux de Lacan et d'Althusser seront retrouvés, dans leur position de *leviers*, à l'intérieur des différentes études.

Il s'agissait par conséquent :

— *de reconnaître un milieu spécifique* où s'exerce la pratique signifiante appelée, dans la clôture, " poésie " ou " fiction ", et qui comprend explicitement son propre miroir. C'est ce que Foucault reconnaît très vite sous la figure du *réseau* (dehors de la bibliothèque) faisant surgir, dans sa distance, des " plis intérieurs au langage ", un " volume en perpétuelle désinsertion ", un " trajet

1. Nous appellerons *après après-coup* les retombées culturelles que sont, par exemple, la phénoménologie " existentialiste ", le " nouveau roman ", etc.

de flèche " dont les effets d'isomorphisme sont constitutifs d'un espace et d'une limite relevant d'une topologie du fictif définie ainsi par Foucault : " la nervure verbale de ce qui n'existe pas, tel qu'il est ". L'ÉCRITURE DANS SON FONCTIONNEMENT PRODUCTEUR N'EST PAS REPRÉSENTATION;

— *de régler une analyse* dont l'exemple est donné ici par Barthes dans un texte inaugural pour l'approche de la pratique des nouvelles écritures du réseau, de leurs conséquences de décentrement non seulement par rapport au " sujet " mais aussi, et sans doute surtout, à l'histoire : " L'Histoire elle-même est de moins en moins conçue comme un système monolithique de déterminations; on sait bien, on sait de plus en plus, qu'elle est, tout comme le langage, un jeu de structures, dont l'indépendance respective peut être poussée beaucoup plus loin qu'on ne croyait : l'Histoire elle aussi est une écriture " ... " Ce qui est en cause, c'est d'agrandir la déchirure du système symbolique dans lequel vient de vivre et vit encore l'Occident moderne ... pour le décentrer, lui retirer ses privilèges millénaires, faire apparaître une écriture nouvelle (et non un style nouveau) une pratique fondée en théorie est nécessaire. " A ce niveau, il convient de brancher l'analyse sur un débordement qui est précisément celui du *texte* où fonctionnerait le " creux de toutes les langues ". Comme l'écrit encore Barthes à propos du japonais, le " sujet " (élément classique substantifié de la réflexion occidentale clôturée sur le langage) devient " non l'agent tout-puissant du discours, mais plutôt un grand espace obstiné qui enveloppe l'énoncé et se déplace en lui ". L'ÉCRITURE SCANDE L'HISTOIRE;

— *d'inscrire un " saut "* théorique dont *la Différance* de Derrida situe la position de refonte. Le texte que nous reproduisons ici indique de façon aiguë le lieu et l'objet de ce bouleversement théorique s'annonçant dans sa discrétion — lieu critique de tous les sédiments métaphysiques déposés dans les " sciences humaines " —, lieu d'apparition du texte par le détour du " silence pyramidal de la différence graphique " qui redistribue les rapports écriture / parole, espace / représentation. Texte : " Chiffre sans vérité, ou du moins système de chiffres non dominé par la valeur de vérité qui en devient alors seulement une fonction comprise, inscrite, circonscrite. " L'ÉCRITURE NE FAIT PLUS SIGNE DANS LA VÉRITÉ;

— *de déclencher un mouvement* qui déplace les axes de références d'une histoire discontinue repérée au niveau des textes, de leurs différences et de leurs jonctions. Processus de réécriture susceptible de cribler l'amoncellement culturel;

— *d'élaborer des concepts* capables de régler cet espace (" pratique signifiante ", " paragramme ", " intertextualité ", " idéologème " — Kristeva), ainsi que les méthodes permettant d'en figurer la doublure transformatrice;

— *de déployer une histoire* (*s*) — une histoire plurielle — formée par les différences d'écritures faisant communiquer théorie et fiction à travers une série de coupures précisément repérables en leurs temps;

— *d'articuler une politique* liée logiquement à une dynamique non-représentative de l'écriture, c'est-à-dire : analyse des malentendus provoqués par cette position, explication de leurs caractères sociaux et économiques, construction des rapports de cette écriture avec le matérialisme historique et le matérialisme dialectique.

Un tel projet, dont nous esquissons ici simplement le schéma, se dégage nettement des textes coordonnés dans ce volume. Il faut ajouter qu'un travail aussi marginal et aussi risqué — dont le *Groupe d'études théoriques* formé par *Tel Quel* est la matérialisation sociale — n'aurait pas été pensable sans une réalité anonyme à l'œuvre entre quelques individus dont toute l'ambition est de disparaître le plus possible dans les transferts d'énergie provoqués par la poursuite d'une pratique sans repos et sans garanties. Pour l'instant, voici où en est l'expérience : nous la laissons se formuler seule, d'un plan à un autre, d'un fond à un autre fond, avec la nécessité mais aussi la chance toujours suspendue d'un jeu.

Octobre 1968.

DISTANCE, ASPECT, ORIGINE [1]

L'importance de Robbe-Grillet, on la mesure à la question que son œuvre pose à toute œuvre qui lui est contemporaine. Question profondément *critique*, touchant des possibilités du langage; question que le loisir des critiques, souvent, détourne en interrogation maligne sur le droit à utiliser un langage autre, — ou proche. Aux écrivains de *Tel Quel* (l'existence de cette revue a changé quelque chose dans la région où on parle, mais quoi ?), on a l'habitude d'objecter (de mettre en avant et avant eux) Robbe-Grillet : non peut-être pour leur faire un reproche ou montrer une démesure, mais pour suggérer qu'en ce langage souverain, si obsédant, plus d'un, qui pensait pouvoir échapper, a trouvé son labyrinthe; en ce père, un piège où il demeure captif, captivé. Et puisqu'eux-mêmes, après tout, ne parlent guère à la première personne sans prendre référence et appui à cet Il majeur...

Aux sept propositions que Sollers a avancées sur Robbe-Grillet (les plaçant presque en tête de la revue, comme une seconde " déclaration ", proche de la première et imperceptiblement décalée), je ne veux pas, bien sûr, en ajouter une huitième, dernière ou non, qui justifierait, bien ou mal, les sept autres; mais essayer de rendre lisible, dans la clarté de ces propositions, de ce langage posé de front, un rapport qui soit un peu en retrait, intérieur à ce qu'elles disent, et comme diagonal à leur direction.

On dit : il y a chez Sollers (ou chez Thibaudeau, etc.) des figures, un langage et un style, des thèmes descriptifs qui sont imités de, ou empruntés à, Robbe-Grillet. Je dirais plus volontiers : il y a chez eux, tissés dans la trame de leurs mots et présents sous leurs yeux, des objets qui ne doivent leur existence et leur possibilité d'existence qu'à Robbe-Grillet. Je pense à cette balustrade de fer dont les formes noires, arrondies (" les tiges symétriques, courbes,

1. Paru dans *Critique*, novembre 1963.

rondes, recourbées, noires ") limitent le balcon du *Parc*[2] et l'ouvrent comme à claire-voie sur la rue, la ville, les arbres, les maisons : objet de Robbe-Grillet qui se découpe en sombre sur le soir encore lumineux, — objet vu sans cesse, qui articule le spectacle, mais objet négatif à partir duquel on tend le regard vers cette profondeur un peu flottante, grise et bleue, ces feuilles et ces figures sans tige, qui restent à voir, un peu au-delà, dans la nuit qui vient. Et il n'est peut-être pas indifférent que *le Parc* déploie au-delà de cette balustrade une distance qui lui est propre; ni qu'il s'ouvre sur un paysage nocturne où s'inversent dans un scintillement lointain les valeurs d'ombre et de lumière qui, chez Robbe-Grillet, découpent les formes au milieu du plein jour : de l'autre côté de la rue, à une distance qui n'est pas certaine et que l'obscurité rend plus douteuse encore, " un vaste appartement très clair " creuse une galerie lumineuse, muette, accidentée, inégale — grotte de théâtre et d'énigme au-delà des arabesques de fer obstinées en leur présence négative. Il y a peut-être là, d'une œuvre à l'autre, l'image, non d'une mutation, non d'un développement, mais d'une articulation discursive; et il faudra bien un jour analyser les phénomènes de ce genre dans un vocabulaire qui ne soit pas celui, familier aux critiques et curieusement ensorcelé, des influences et des exorcismes.

Avant de revenir sur ce thème (dont j'avoue qu'il forme l'essentiel de mon propos), je voudrais dire deux ou trois choses sur les cohérences de ce langage commun, jusqu'à un certain point, à Sollers, à Thibaudeau, à Baudry, à d'autres peut-être aussi. Je n'ignore pas ce qu'il y a d'injuste à parler de façon si générale, et qu'on est pris aussitôt dans le dilemme : l'auteur ou l'école. Il me semble pourtant que les possibilités du langage à une époque donnée ne sont pas si nombreuses qu'on ne puisse trouver des isomorphismes (donc des possibilités de lire plusieurs textes en abîme) et qu'on ne doive en laisser le tableau ouvert pour d'autres qui n'ont pas encore écrit ou d'autres qu'on n'a pas encore lus. Car de tels isomorphismes, ce ne sont pas des " visions du monde ", ce sont des plis intérieurs au langage; les mots prononcés, les phrases écrites passent par eux, même s'ils ajoutent des rides singulières.

1. Sans doute, certaines figures (ou toutes peut-être) du *Parc*, d'*Une cérémonie royale*[3] ou des *Images*[4] sont-elles sans volume intérieur, allégées de ce noyau sombre, lyrique, de ce centre retiré

2. Philippe Sollers, *le Parc*, Ed. du Seuil, 1961.
3. Jean Thibaudeau, *Une cérémonie royale*, Ed. de Minuit, 1960.
4. Jean-Louis Baudry, *Les Images*, Ed. du Seuil, Coll. " Tel Quel " 1963.

mais insistant dont Robbe-Grillet déjà avait conjuré la présence. Mais d'une manière assez étrange, elles ont un volume, — leur volume, — à côté d'elles, au-dessus et au-dessous, tout autour : un volume en perpétuelle désinsertion, qui flotte ou vibre autour d'une figure désignée, mais jamais fixée, un volume qui s'avance ou se dérobe creuse son propre lointain et bondit jusqu'aux yeux. A vrai dire ces volumes satellites et comme en errance ne manifestent de la chose ni sa présence ni son absence, mais plutôt une distance qui tout à la fois la maintient loin au fond du regard et la sépare incorrigiblement d'elle-même; distance qui appartient au regard (et semble donc s'imposer de l'extérieur aux objets) mais qui à chaque instant se renouvelle au cœur le plus secret des choses. Or ces volumes, qui sont l'intérieur des objets à l'extérieur d'eux-mêmes, se croisent, interfèrent les uns avec les autres, dessinent des formes composites qui n'ont qu'un visage et s'esquivent à tour de rôle : ainsi, dans *le Parc*, sous les yeux du narrateur, sa chambre (il vient de la quitter pour aller sur le balcon et elle flotte ainsi à côté de lui, en dehors, sur un versant irréel et intérieur) communique son espace à un petit tableau qui est pendu sur un des murs; celui-ci s'ouvre à son tour derrière la toile, épanchant son espace intérieur vers un paysage de mer, vers la mâture d'un bateau, vers un groupe de personnages dont les vêtements, les physionomies, les gestes un peu théâtraux se déploient selon des grandeurs si démesurées, si peu mesurées en tout cas au cadre qui les enclôt que l'un de ces gestes ramène impérieusement à l'actuelle position du narrateur sur le balcon. Ou d'un autre peut-être faisant le même geste. Car ce monde de la distance n'est aucunement celui de l'isolement, mais de l'identité buissonnante, du Même au point de sa bifurcation, ou dans la courbe de son retour.

2. Ce milieu, bien sûr, fait penser au miroir, — au miroir qui donne aux choses un espace hors d'elles et transplanté, qui multiplie les identités et mêle les différences en un lien impalpable que nul ne peut dénouer. Rappelez-vous justement la définition du Parc, ce « composé de lieux très beaux et très pittoresques » : chacun a été prélevé dans un paysage différent, décalé hors de son lieu natal, transporté lui-même ou presque lui-même, en cette disposition où « tout paraît naturel excepté l'assemblage ». Parc, miroir des volumes incompatibles. Miroir, parc subtil où les arbres distants s'entrecroisent. Sous ces deux figures provisoires, c'est un espace difficile (malgré sa légèreté), régulier (sous son illégalité d'apparence) qui est en train de s'ouvrir. Mais quel est-il, s'il n'est

tout à fait ni de reflet ni de rêve, ni d'imitation ni de songerie ? De fiction, dirait Sollers, mais laissons pour l'instant ce mot si lourd et si mince.

J'aimerais mieux pour l'instant emprunter à Klossowski un mot très beau : celui de simulacre. On pourrait dire que si, chez Robbe-Grillet, les choses s'entêtent et s'obstinent, chez Sollers elles se simulent; c'est-à-dire, en suivant le dictionnaire, qu'elles sont d'elles-mêmes l'image (la vaine image), le spectre inconsistant, la pensée mensongère; elles se représentent hors de leur présence divine, mais lui faisant signe pourtant, — objets d'une piété qui s'adresse au lointain. Mais peut-être faudrait-il écouter l'étymologie avec plus d'attention : simuler n'est-il pas " venir ensemble ", être en même temps que soi, et décalé de soi ? être soi-même en cet autre lieu, qui n'est pas l'emplacement de naissance, le sol natif de la perception, mais à une distance sans mesure, à l'extérieur le plus proche ? Être hors de soi, avec soi, dans un avec où se croisent les lointains. Je pense au simulacre sans fond et parfaitement circulaire de la *Cérémonie royale*, ou à celui, ordonné encore par Thibaudeau, du *Match de football* : la partie de ballon à peine décollée d'elle-même par la voix des reporters trouve en ce parc sonore, en ce bruyant miroir son lieu de rencontre avec tant d'autres paroles reflétées. C'est peut-être dans cette direction qu'il faut entendre ce que dit le même Thibaudeau lorsqu'il oppose au théâtre du temps, un autre, de l'espace, à peine dessiné jusqu'ici par Appia ou Meyerhold.

3. On a donc affaire à un espace décalé, à la fois en retrait et en avant, jamais tout à fait de plain-pied; et à vrai dire aucune intrusion n'y est possible. Les spectateurs chez Robbe-Grillet sont des hommes debout et en marche, ou encore à l'affût, guettant les ombres, les traces, les accrocs, les déplacements; ils pénètrent, ils ont déjà pénétré au milieu de ces choses qui se présentent à eux de profil, tournant à mesure qu'ils les contournent. Les personnages du *Parc*, des *Images* sont assis, immobiles, en des régions un peu décrochées de l'espace, comme suspendues, terrasses de café, balcons. Régions séparées, mais par quoi ? Par rien d'autre sans doute qu'une distance, leur distance; un vide imperceptible, mais que rien ne peut résorber, ni meubler, une ligne qu'on ne cesse de franchir sans qu'elle s'efface, comme si, au contraire, c'était en la croisant sans arrêt qu'on la marquait davantage. Car cette limite, elle n'isole pas deux parts du monde : un sujet et un objet ou les choses en face de la pensée; elle est plutôt l'universel

rapport, le muet, laborieux et instantané rapport par lequel tout se noue et se dénoue, par lequel tout apparaît, scintille et s'éteint, par lequel dans le même mouvement les choses se donnent et échappent. C'est ce rôle sans doute que joue, dans les romans de J. P. Faye, la forme obstinément présente de la coupure (lobotomie, frontière à l'intérieur d'un pays) ou dans *les Images* de Baudry la transparence infranchissable des vitres. Mais l'essentiel dans cette distance millimétrique comme une ligne ce n'est pas qu'elle exclut, c'est plus fondamentalement qu'elle ouvre; elle libère, de part et d'autre de sa lance, deux espaces qui ont ce secret d'être le même, d'être tout entiers ici et là; d'être où ils sont à distance; d'offrir leur intériorité, leur tiède caverne, leur visage de nuit hors d'eux-mêmes et pourtant dans le plus proche voisinage. Autour de cet invisible couteau tous les êtres pivotent.

4. Cette torsion a la propriété merveilleuse de ramener le temps : non pour en faire cohabiter les formes successives en un espace de parcours (comme chez Robbe-Grillet) mais pour les laisser venir plutôt dans une dimension sagittale, — flèches qui traversent l'épaisseur devant nous. Ou encore elles viennent en surplomb, le passé n'étant plus le sol sur lequel nous sommes ni une montée vers nous sous les espèces du souvenir, mais au contraire *survenant* en dépit des plus vieilles métaphores de la mémoire, arrivant du fond de la si proche distance et avec elle : il prend une stature verticale de superposition où le plus ancien est paradoxalement le plus voisin du sommet, ligne de faîte et ligne de fuite, haut lieu du renversement. On a de cette curieuse structure le dessin précis et complexe au début des *Images* : une femme est assise à une terrase de café, avec devant elle les grandes baies vitrées d'un immeuble qui la domine; et à travers ces pans de glace lui viennent sans discontinuer des images qui se superposent, tandis que sur la table est posé un livre dont elle fait rapidement glisser les pages entre pouce et index (de bas en haut, donc à l'envers) : apparition, effacement, superposition qui répond sur un mode énigmatique, quand elle a les yeux baissés, aux images vitrées qui s'accumulent au-dessus d'elle lorsqu'elle lève les yeux.

5. Étalé à côté de lui-même, le temps de *la Jalousie* et du *Voyeur* laisse des traces qui sont des différences, donc finalement un système de signes. Mais le temps qui survient et se superpose fait clignoter les analogies, ne manifestant rien d'autre que les figures du Même. Si bien que chez Robbe-Grillet la différence entre ce

qui a eu lieu et ce qui n'a pas eu lieu, même (et dans la mesure où) elle est difficile à établir, demeure au centre du texte (au moins sous forme de lacune, de page blanche ou de répétition) : elle en est la limite et l'énigme; dans *la Chambre secrète*, la descente et la remontée de l'homme le long de l'escalier jusqu'au corps de la victime (morte, blessée, saignant, se débattant, morte à nouveau) est après tout la lecture d'un événement. Thibaudeau, dans la séquence de l'attentat, semble suivre un dessin semblable : en fait, il s'agit, dans ce défilé circulaire de chevaux et de carrosses, de déployer une série d'événements virtuels (de mouvements, de gestes, d'acclamations, de hurlements qui se produisent peut-être ou ne se produisent pas) et qui ont la même densité que la " réalité ", ni plus ni moins qu'elle, puisqu'avec elle ils sont emportés, lorsqu'au dernier moment de la parade, dans la poussière, le soleil, la musique, les cris, les derniers chevaux disparaissent avec la grille qui se referme. On ne déchiffre pas de signes à travers un système de différences; on suit des isomorphismes, à travers une épaisseur d'analogies. Non pas lecture, mais plutôt recueillement de l'identique, avancée immobile vers ce qui n'a pas de différence. Là, les partages entre réel et virtuel, perception et songe, passé et fantasme (qu'ils demeurent ou qu'on les traverse) n'ont plus d'autre valeur que d'être moments du passage, relais plus que signes, traces de pas, plages vides où ne s'attarde pas mais par où s'annonce de loin, et s'insinue déjà ce qui d'entrée de jeu était le même (renversant à l'horizon, mais ici-même également en chaque instant, le temps, le regard, le partage des choses et ne cessant d'en faire paraître l'autre côté). L'intermédiaire, c'est cela, précisément. Écoutons Sollers : " On trouvera ici quelques textes d'apparence contradictoire, mais dont le sujet, en définitive, se montrait *le même*. Qu'il s'agisse de peintures ou d'événements fortement réels (cependant à la limite du rêve), de réflexions ou de descriptions glissantes, c'est toujours l'état intermédiaire vers un lieu de renversement qui est provoqué, subi, poursuivi. "[5] Ce mouvement presque sur place, cette attention recueillie à l'Identique, cette cérémonie dans la dimension suspendue de l'Intermédiaire découvrent non pas un espace, non pas une région ou une structure (mots trop engagés dans un mode de lecture qui ne convient plus) mais un rapport constant, mobile, intérieur au langage lui-même, et que Sollers appelle du mot décisif de " fiction "[6].

5. *L'Intermédiaire*, Ed. du Seuil, Coll. " Tel Quel ", 1963.
6. " Logique de la fiction ", in *Logiques*, Ed. du Seuil, Coll. " Tel Quel ", 1968.

Si j'ai tenu à ces références à Robbe-Grillet, un peu méticuleuses, c'est qu'il ne s'agissait pas de faire la part des originalités, mais d'établir, d'une œuvre à l'autre, un rapport visible et nommable en chacun de ses éléments et qui ne soit ni de l'ordre de la ressemblance (avec toute la série de notions mal pensées, et à vrai dire impensables, d'influences, d'imitation) ni de l'ordre du remplacement (de la succession, du développement, des écoles) : un rapport tel que les œuvres puissent s'y définir les unes en face, à côté et à distance des autres, prenant appui à la fois sur leur différence et leur simultanéité, et définissant, sans privilège ni culmination, l'étendue d'un *réseau*. Ce réseau, même si l'histoire en fait apparaître successivement les trajets, les croisements et les nœuds peut et doit être parcouru par la critique selon un mouvement réversible (cette réversion change certaines propriétés; mais elle ne conteste pas l'existence du réseau, puisque justement elle en est une des lois fondamentales); et si la critique a un rôle, je veux dire si le langage nécessairement second de la critique peut cesser d'être un langage dérivé, aléatoire et fatalement emporté par l'œuvre, s'il peut être à la fois second et fondamental, c'est dans la mesure où il fait venir pour la première fois jusqu'aux mots ce réseau des œuvres qui est bien pour chacune d'elles son propre mutisme.

Dans un livre dont les idées, longtemps encore, vont avoir valeur directrice [7], Marthe Robert a montré quels rapports *Don Quichotte* et *le Château* avaient tissés, non pas avec telle histoire, avec ce qui concerne l'être même de la littérature occidentale, avec ses conditions de possibilité dans l'histoire (conditions qui sont des œuvres, permettant ainsi une lecture *critique* au sens le plus rigoureux du terme). Mais si cette lecture est possible, c'est aux œuvres de maintenant qu'on le doit : le livre de Marthe Robert est de tous les livres de critique, le plus proche de ce qu'est aujourd'hui la littérature : un certain rapport à soi, complexe, multilatéral, simultané où le fait de venir après (d'être nouveau) ne se réduit aucunement à la loi linéaire de la succession. Sans doute un pareil développement en ligne historique a bien été, depuis le XIXe siècle jusqu'à nos jours, la forme d'existence et de co-existence de la littérature; elle avait son lieu hautement temporel dans l'espace à la fois réel et fantastique de la Bibliothèque; là, chaque livre était fait pour reprendre tous les autres, les consumer, les réduire

7. Marthe Robert, *l'Ancien et le Nouveau*, Grasset, 1963.

au silence et finalement venir s'installer à côté d'eux, — hors d'eux et au milieu d'eux (Sade et Mallarmé avec leurs livres, avec Le Livre, sont par définition l'Enfer des Bibliothèques). Sur un mode plus archaïque encore, avant la grande mutation qui fut contemporaine de Sade, la littérature se réfléchissait et se critiquait elle-même sur le mode de la Rhétorique; c'est qu'elle s'appuyait à distance sur une Parole, retirée mais pressante (Vérité et Loi), qu'il lui fallait restituer par figures (d'où le face à face indissociable de la Rhétorique et de l'Herméneutique). Peut-être pourrait-on dire qu'aujourd'hui (depuis Robbe-Grillet et c'est ce qui le rend unique), la littérature qui n'existait déjà plus comme rhétorique, disparaît comme bibliothèque. Elle se constitue en réseau, — et en réseau où ne peuvent plus jouer la vérité de la parole ni la série de l'histoire, où le seul *a priori*, c'est le langage. Ce qui me paraît important dans *Tel Quel*, c'est que l'existence de la littérature comme réseau ne cesse de s'y éclairer davantage, depuis le moment liminaire où on y disait déjà : " Ce qu'il faut dire aujourd'hui, c'est que l'écriture n'est plus concevable sans une claire prévision de ses pouvoirs, un sang-froid à la mesure du chaos où elle s'éveille, une détermination qui mettra la poésie à la plus haute place de l'esprit. Tout le reste ne sera pas littérature [8]. "

Ce mot de fiction, plusieurs fois amené, puis abandonné, il faut y revenir enfin. Non pas sans un peu de crainte. Parce qu'il sonne comme un terme de psychologie (imagination, fantasme, rêverie, invention, etc.). Parce qu'il a l'air d'appartenir à une des deux dynasties du Réel et de l'Irréel. Parce qu'il semble reconduire — et ce serait si simple après la littérature de l'objet — aux flexions du langage subjectif. Parce qu'il offre tant de prise et qu'il échappe. Traversant, de biais, l'incertitude du rêve et de l'attente, de la folie et de la veille, la fiction ne désigne-t-elle pas une série d'expériences auxquelles le surréalisme déjà avait prêté son langage ? Le regard attentif que *Tel Quel* porte sur Breton n'est pas de rétrospection. Et pourtant le surréalisme avait engagé ces expériences dans la recherche d'une réalité qui les rendait possibles et leur donnait au-dessus de tout langage (jouant sur lui, ou avec lui, ou malgré lui) un pouvoir impérieux. Mais si ces expériences au contraire

8. Et depuis, justement J. P. Faye s'est approché de *Tel Quel*, lui qui songe à écrire des romans non pas " en série " mais établissant les uns par rapport aux autres un certain rapport de proportion.

pouvaient être maintenues là où elles sont, en leur superficie sans profondeur, en ce volume indécis d'où elles nous viennent, vibrant autour de leur noyau inassignable, sur leur sol qui est une absence de sol ? Si le rêve, la folie, la nuit ne marquaient l'emplacement d'aucun seuil solennel, mais traçaient et effaçaient sans cesse les limites que franchissent la veille et le discours, quand ils viennent jusqu'à nous et nous parviennent déjà dédoublés ? Si le fictif, c'était justement non pas l'au-delà ni le secret intime du quotidien, mais ce trajet de flèche qui nous frappe aux yeux et nous offre tout ce qui apparaît ? Alors le fictif serait aussi bien ce qui nomme les choses, les fait parler et donne dans le langage leur être partagé déjà par le souverain pouvoir des mots : " paysages en deux " dit Marcelin Pleynet. Ne pas dire, donc, que la fiction c'est le langage : le tour serait trop simple, bien qu'il soit de nos jours familier. Dire, avec plus de prudence qu'il y a entre eux une appartenance complexe, un appui et une contestation; et que, maintenue aussi longtemps qu'elle peut garder la parole, l'expérience simple qui consiste à prendre une plume et à écrire, dégage (comme on dit : libérer, désensevelir, reprendre un gage ou revenir sur une parole) une distance qui n'appartient ni au monde, ni à l'inconscient, ni au regard, ni à l'intériorité, une distance qui, à l'état nu, offre un quadrillage de lignes d'encre et aussi bien un enchevêtrement de rues, une ville en train de naître, déjà là depuis longtemps :

> " *Les mots sont des lignes, des faits lorsqu'elles se croisent*
> *nous représenterions de cette façon une série de droites*
> *coupées à angle droit par une série de droites*
> *Une ville*[9]. "

Et si on me demandait de définir enfin le fictif, je dirais, sans adresse : la nervure verbale de ce qui n'existe pas, tel qu'il est.

J'effacerais, pour laisser cette expérience à ce qu'elle est (pour la traiter, donc, comme fiction, puisqu'elle n'existe pas, c'est connu), j'effacerais tous les mots contradictoires par quoi facilement on pourrait la dialectiser : affrontement ou abolition du subjectif et de l'objectif, de l'intérieur et de l'extérieur, de la réalité et de l'imaginaire. Il faudrait substituer à tout ce lexique du mélange le vocabulaire de la distance, et laisser voir alors que le fictif, c'est un éloignement propre au langage, — un éloignement qui a son

9. Marcelin Pleynet, *Paysages en deux* suivi de *Les lignes de la prose*, p. 121; Éd. du Seuil, Coll. " Tel Quel " 1963.

lieu en lui, mais qui, aussi bien, l'étale, le disperse, le répartit, l'ouvre. Il n'y a pas fiction parce que le langage est à distance des choses; mais le langage, c'est leur distance, la lumière où elles sont et leur inaccessibilité, le simulacre où se donne seulement leur présence; et tout langage qui au lieu d'oublier cette distance se maintient en elle et la maintient en lui, tout langage qui parle de cette distance en avançant en elle est un langage de fiction. Il peut alors traverser toute prose et toute poésie, tout roman et toute réflexion, indifféremment.

L'éclatement de cette distance, Pleynet le désigne d'un mot : " fragmentation est la source ". Autrement dit, et plus mal : un premier énoncé absolument matinal des visages et des lignes n'est jamais possible, non plus que cette venue primitive des choses que la littérature s'est parfois donné pour tâche d'accueillir, au nom ou sous le signe d'une phénoménologie déroutée. Le langage de la fiction s'insère dans du langage déjà dit, dans un murmure qui n'a jamais débuté. La virginité du regard, la marche attentive qui soulève des mots à la mesure des choses découvertes et contournées, ne lui importent pas; mais plutôt l'usure et l'éloignement, la pâleur de ce qui a déjà été prononcé. Rien n'est dit à l'aurore (*le Parc* commence un soir; et au matin, un autre matin, il recommence); ce qui serait à dire pour la première fois n'est rien, n'est pas dit, rôde aux confins des mots, dans ces failles de papier blanc qui sculptent et ajourent (ouvrent sur le jour) les poèmes de Pleynet. Il y a bien pourtant en ce langage de la fiction un instant d'origine pure : c'est celui de l'écriture, le moment des mots eux-mêmes, de l'encre à peine sèche, le moment où s'esquisse ce qui par définition et dans son être le plus matériel ne peut être que trace (signe, dans une distance, vers l'antérieur et l'ultérieur) :

> " *Comme j'écris (ici) sur cette page aux lignes inégales*
> *justifiant la prose (la poésie)*
> *les mots désignent des mots et se renvoient les uns aux*
> *autres ce que vous entendez*[10]. "

A plusieurs reprises, *le Parc* invoque ce geste patient qui remplit d'une encre bleue-noire les pages du cahier à couverture orange. Mais ce geste, il n'est présenté lui-même, en son actualité précise, absolue, qu'au dernier moment : seules les dernières lignes du livre l'apportent ou le rejoignent. Tout ce qui a été dit auparavant et par cette écriture (le récit lui-même) est renvoyé à un ordre com-

10. M. Pleynet, *Comme*, p. 19, Éd. du Seuil, Coll. " Tel Quel " 1965.

mandé par cette minute, cette seconde actuelle; il se résout en cette origine qui est le seul présent et aussi la fin (le moment de se taire); il se replie en elle tout entier; mais aussi bien il est, dans son déploiement et son parcours, soutenu à chaque instant par elle; il se distribue dans son espace et son temps (la page à finir, les mots qui s'alignent); il trouve en elle sa constante actualité.

Il n'y a donc pas une série linéaire allant du passé qu'on se remémore au présent que définissent le souvenir revenu et l'instant de l'écrire. Mais plutôt un rapport vertical et arborescent où une actualité patiente, presque toujours silencieuse, jamais donnée pour elle-même soutient des figures qui, au lieu de s'ordonner au temps, se distribuent selon d'autres règles : le présent lui-même n'apparaît qu'une fois lorsque l'actualité de l'écriture est donnée finalement, lorsque le roman s'achève et que le langage n'est plus possible. Avant et ailleurs dans tout le livre, c'est un autre ordre qui règne : entre les différents épisodes (mais le mot est bien chronologique; peut-être vaudrait-il mieux dire " des phases ", tout près de l'étymologie), la distinction des temps et des modes (présent, futur, imparfait ou conditionnel) ne renvoie que très indirectement à un calendrier; elle dessine des références, des index, des renvois où sont mis en jeu ces catégories de l'achèvement, de l'inachèvement, de la continuité, de l'itération, de l'imminence, de la proximité, de l'éloignement, que les grammairiens désignent comme catégories de l'*aspect*. Sans doute faut-il donner un sens fort à cette phrase d'allure discrète, une des premières du roman de Baudry : " Je dispose de ce qui m'entoure pour un temps *indéterminé*. " C'est-à-dire que la répartition du temps, — des temps —, est rendue non pas imprécise en elle-même, mais entièrement relative et ordonnée au jeu de l'aspect, — à ce jeu où il est question de l'écart, du trajet, de la venue, du retour. Ce qui instaure secrètement et détermine ce temps indéterminé, c'est donc un réseau plus spatial que temporel; encore faudrait-il ôter à ce mot spatial ce qui l'apparente à un regard impérieux ou à une démarche successive; il s'agit plutôt de cet espace en dessous de l'espace et du temps, et qui est celui de la distance. Et si je m'arrête volontiers au mot d'aspect, après celui de fiction et de simulacre, c'est à la fois pour sa précision grammaticale et pour tout un noyau sémantique qui tourne autour de lui (la *species* du miroir et l'espèce de l'analogie; la diffraction du spectre; le dédoublement des spectres; l'aspect extérieur, qui n'est ni la chose même ni son pourtour certain; l'aspect qui se modifie avec la distance, l'aspect qui trompe souvent mais qui ne s'efface pas, etc.).

Langage de l'aspect qui tente de faire venir jusqu'aux mots un jeu plus souverain que le temps : langage de la distance qui distribue selon une autre profondeur les relations de l'espace. Mais la distance et l'aspect sont liés entre eux de façon plus serrée que l'espace et le temps; ils forment un réseau que nulle psychologie ne peut démêler (l'aspect offrant, non le temps lui-même, mais le mouvement de sa *venue*; la distance offrant non pas les choses en leur place, mais le mouvement qui les *présente* et les fait passer). Et le langage qui fait venir au jour cette profonde appartenance n'est pas un langage de la subjectivité; il s'ouvre et, au sens strict, " donne lieu " à quelque chose qu'on pourrait désigner du mot neutre d'expérience : ni vrai ni faux, ni veille ni rêve, ni folie ni raison, il lève tout ce que Pleynet appelle " volonté de qualification ". C'est que l'écart de la distance et les rapports de l'aspect ne relèvent ni de la perception, ni des choses, ni du sujet, ni non plus de ce qu'on désigne volontiers et bizarrement comme le " monde "; ils appartiennent à la dispersion du langage (à ce fait originaire qu'on ne parle jamais à l'origine, mais dans le lointain). Une littérature de l'aspect telle que celle-ci est donc intérieure au langage; non qu'elle le traite comme un système clos, mais parce qu'elle y éprouve l'éloignement de l'origine, la fragmentation, l'extériorité éparse. Elle y trouve son repère et sa contestation.

De là quelques traits propres à de telles œuvres :

Effacement d'abord de tout nom propre (fût-il réduit à sa lettre initiale) au profit du pronom personnel, c'est-à-dire d'une simple référence au déjà nommé dans un langage commencé depuis toujours; et les personnages qui reçoivent une désignation n'ont droit qu'à un substantif indéfiniment répété (l'homme, la femme), modifié seulement par un adjectif enfoui au loin dans l'épaisseur des familiarités (la femme en rouge). De là aussi l'exclusion de l'inouï, du jamais vu, les précautions contre le fantastique : le fictif n'étant jamais que dans les supports, les glissements, la survenue des choses (non dans les choses elles-mêmes) — dans les éléments neutres dépourvus de tout prestige onirique qui conduisent d'une plage du récit à l'autre. Le fictif a son lieu dans l'articulation presque muette : grands interstices blancs qui séparent les paragraphes imprimés ou mince particule presque ponctuelle (un geste, une couleur dans *le Parc*, un rayon de soleil dans la *Cérémonie*) autour de laquelle le langage pivote, fond, se recompose assurant le passage par sa répétition ou son imperceptible continuité. Figure opposée à l'imagination qui ouvre le fantasme au cœur même des choses, le fictif habite l'élément vecteur qui s'efface peu à peu dans la précision centrale de l'image, — simulacre rigoureux de ce qu'on peut voir, double unique.

Mais jamais ne pourra être restitué le moment d'avant la dispersion; jamais l'aspect ne pourra être ramené à la pure ligne du temps; jamais on ne réduira la diffraction que *les Images* signifient par les mille ouvertures vitrées de l'immeuble, que *le Parc* raconte dans une alternative suspendue à " l'infinitif " (tomber du balcon et devenir le silence qui suit le bruit du corps, *ou bien* déchirer les pages du cahier en petits morceaux, les voir un instant osciller dans l'air). Ainsi le sujet parlant se trouve repoussé aux bords extérieurs du texte, n'y laissant qu'un entrecroisement de sillages (Je ou Il, Je et Il à la fois), flexions grammaticales parmi d'autres plis du langage. Ou encore, chez Thibaudeau, le sujet regardant la cérémonie, et regardant ceux qui la regardent n'est situé probablement nulle par ailleurs que dans " les vides laissés entre les passants ", dans la distance qui rend le spectacle lointain, dans la césure grise des murs qui dérobe les préparatifs, la toilette, les secrets de la reine. De toutes parts, on reconnaît, mais comme à l'aveugle, le vide essentiel où le langage prend son espace; non pas lacune, comme celles que le récit de Robbe-Grillet ne cesse de couvrir, mais absence d'être, blancheur qui est, pour le langage, paradoxal milieu et aussi bien extériorité ineffaçable. La lacune n'est pas, hors du langage, ce qu'il doit masquer, ni, en lui, ce qui le déchire irréparablement. Le langage, c'est ce vide, cet extérieur à l'intérieur duquel il ne cesse de parler : " l'éternel ruissellement du dehors ". Peut-être est-ce dans un tel vide que retentit, à un tel vide que s'adresse, le coup de feu central du *Parc*, qui arrête le temps au point mitoyen du jour et de la nuit, tuant l'autre et aussi le sujet parlant (selon une figure qui n'est pas sans parenté avec la communication telle que l'entendait Bataille). Mais ce meurtre n'atteint pas le langage; peut-être même, en cette heure qui n'est ni ombre ni lumière, à cette limite de tout (vie et mort, jour et nuit, parole et silence) s'ouvre l'issue d'un langage qui avait commencé de tout temps. C'est que, sans doute, ce n'est pas de la mort qu'il s'agit en cette rupture, mais de quelque chose qui est en retrait sur tout événement. Peut-on dire que ce coup de feu, qui creuse le plus creux de la nuit, indique le recul absolu de l'origine, l'effacement essentiel du matin où les choses sont là, où le langage nomme les premiers animaux, où penser est parler ? Ce recul nous voue au partage (partage premier et constitutif de tous les autres) de la pensée et du langage; en cette fourche où nous sommes pris se dessine un espace où le structuralisme d'aujourd'hui pose à n'en pas douter le regard de surface le plus méticuleux. Mais si on interroge cet espace, si on lui demande d'où il nous vient, lui et les muettes métaphores sur lesquelles obstinément il repose, peut-être verrons-nous se dessiner des figures qui ne sont plus celles du simultané : les relations de l'aspect dans le jeu de la distance, la disparition de la subjectivité dans le recul de l'origine; ou à l'inverse ce retrait dispensant un langage déjà épars où l'aspect des choses brille à distance jusqu'à nous. Ces figures, en ce matin où nous sommes, plus d'un les guette à la montée du jour. Peut-être annoncent-elles une expérience où un seul Partage règnera (loi et échéance de tous les autres) : penser et parler, — cet " et " désignant *l'intermédiaire* qui nous est échu en partage et où quelques œuvres actuellement essaient de se maintenir.

" De la terre qui n'est qu'un dessin ", écrit Pleynet sur une page blanche. Et à l'autre bout de ce langage qui fait partie des sigles millénaires de notre sol et qui lui aussi, pas plus que la terre, n'a jamais commencé, une dernière page, symétrique et aussi intacte, laisse venir à nous cette autre phrase : " le mur du fond est un mur de chaux ", désignant par là la blancheur du fond, le vide visible de l'origine, cet éclatement incolore d'où nous viennent les mots — ces mots précisément.

Michel Foucault.

DRAME, POÈME, ROMAN

Le texte que voici a été publié dans Critique, *en 1965, quand a paru* Drame, *de Philippe Sollers (aux éditions du Seuil). Si l'auteur y ajoute aujourd'hui un commentaire, c'est d'abord pour participer à l'élaboration continue d'une définition de l'écriture, qu'il est nécessaire de corriger en rapport et en complicité avec ce qui s'écrit autour de lui ; c'est aussi pour représenter le droit de l'écrivain à dialoguer avec ses propres textes ; la glose est certes une forme timide de dialogue (puisqu'elle respecte la partition de deux auteurs, au lieu de mêler vraiment leurs écritures) ; menée par soi-même sur son propre texte, elle peut néanmoins accréditer l'idée qu'un texte est à la fois définitif (on ne saurait l'améliorer, profiter de l'histoire qui passe pour le rendre rétroactivement vrai) et infiniment ouvert (il ne s'ouvre pas sous l'effet d'une correction, d'une censure, mais sous l'action, sous le supplément d'autres écritures, qui l'entraînent dans l'espace général du texte multiple) ; à ce compte, l'écrivain doit tenir ses anciens textes pour des textes autres, qu'il reprend, cite ou déforme, comme il ferait d'une multitude d'autres signes.*

L'auteur d'aujourd'hui est donc intervenu sur certains points de son texte d'hier ; ces interventions sont données en italique, sous un chiffre romain [entre crochets] ; les notes annoncées en chiffres arabes appartiennent au premier texte.

Drame et *poème* sont des mots très proches : tous deux procèdent de verbes qui veulent dire *faire*. Cependant, le *faire* du drame est intérieur à l'histoire, c'est l'action promise au récit, et le sujet du drame est *cil cui aveneient aventures* (Roman de Troie). Le *faire* du poème (on nous l'a assez dit) est au contraire extérieur à l'histoire, c'est l'activité d'un technicien qui assemble des éléments en vue de constituer un objet. *Drame* ne veut pas du tout être cet objet fabriqué; il veut être action et non facture : *Drame* est le récit d'un événement primordial et l'auteur refuse de consacrer cet événement par le recours à un *faire* personnel, c'est-à-dire de le constituer en poème : *Drame* est choisi contre le poème. Cependant, comme c'est ce refus même qui forme, par un projet réflexif, l'action de *Drame*, l'auteur est obligé de jouer avec ce qu'il refuse; le poème est arrêté lorsqu'il va « prendre », mais cet arrêt n'est jamais acquis. Nous avons donc quelque droit à lire *Drame* comme un poème [1]; nous le devons même, si nous voulons entrer dans le vertige de l'auteur; mais nous devons aussi arrêter ce vertige en même temps que lui et nous séparer sans cesse du beau poème qui naît : *Drame* est un sevrage continu, l'initiation à une substance plus amère et plus divisée que le lait total du poème.

Cette substance est nommée par son auteur : *Roman*. S'il paraît encore aujourd'hui provocant d'appeler *roman* un livre sans anecdote (visible) et sans personnages (prénommés), c'est que nous sommes encore dans l'étonnement condescendant d'un traducteur de Dante, Delécluze (1841), qui voyait dans la *Vie nouvelle* « *un ouvrage curieux parce qu'il est écrit sous trois formes (mémoires, roman poème) développées simultanément* », et qui s'estimait devoir « *prévenir le lecteur de cette singularité... pour lui épargner la peine de débrouiller l'espèce de confusion d'images et d'idées que ce système de narration fait naître à une première lecture* », après quoi ledit Delécluze passe à ce qui l'intéresse beaucoup plus, la « personne » de Béatrice. Dans *Drame*, nous n'avons même pas une Béatrice dont la « personne » nous soit donnée : nous sommes enfermés, d'une façon à la fois abstraite et sensuelle, dans l'énigme d'un roman tout pur, puisqu'il est citation du genre « roman ». Or, devant ces problèmes de genres (qui ne sont pas seulement problèmes de critique, mais aussi de lecture), nous sommes peut-être un peu moins démunis qu'il y a quelques années; le roman n'est en effet qu'une des variétés historiques de la grande forme narrative où viennent se ranger, à ses côtés, le mythe, le conte et l'épopée; nous disposons, devant la narration, de deux embryons d'analyse : l'une fonctionnelle, ou paradigmatique, qui tente de dégager dans l'œuvre des éléments noués entre eux par-dessus le pas-à-pas des mots, l'autre séquentielle, ou syntagmatique, qui veut retrouver la route — les routes suivies par les mots — de la première à la dernière ligne du texte. En confrontant

1. Il est effectivement possible de lire *Drame* comme un très beau poème, la célébration indistincte du langage et de la femme aimée, de leur chemin l'un vers l'autre, comme fut, en son temps, la *Vita Nova* de Dante : *Drame* n'est-il pas la métaphore infinie du « je t'aime », qui est l'unique transformation de toute poésie ? (Cf. Nicolas Ruwet : « Analyse structurale d'un poème français », *Linguistics*, 3, 1964.)

ces esquisses de méthode avec une œuvre avancée de notre littérature, il est évident que nous tournons le dos à " l'histoire littéraire " et peut-être encore plus à une critique d'actualité; quelle que soit la nouveauté de *Drame* ce n'est pas son caractère d'avant-garde qui retiendra ici, c'est plutôt sa référence anthropologique[1] ; on essaiera d'apprécier *Drame* moins par rapport au dernier roman de choc que par rapport à quelque mythe très primitif, quelque histoire si ancienne qu'il n'en subsiste plus que la forme intelligible.

Une hypothèse récente (encore peu exploitée [2]) propose de retrouver dans le récit les grandes fonctions de la phrase : le récit ne serait qu'une immense phrase (de même que toute phrase est à sa manière un petit récit) : on y retrouverait au moins (je simplifie) deux couples, quatre termes : un sujet et un objet (unis en opposition sur le plan de la quête ou du désir, puisque dans tout récit quelqu'un désire et cherche quelque chose ou quelqu'un), un adjuvant et un opposant, substituts narratifs des circonstanciels grammati-

[1]. *La tentation anthropologique a eu son moment de vérité. Tant d'années on nous avait ait un casse-tête de l'*Histoire, *divinité assez simpliste à laquelle on croyait devoir sacrifier toute considération des formes, renvoyées à l'insignifiance ; ne fût-ce que pour désacraliser ce nouveau fétiche, il était nécessaire d'imaginer d'autres longueurs, telles qu'on les retrouve dans des systèmes à stabilité trans-historique, comme le langage ou le récit ; c'est cette accommodation nouvelle que l'on a appelée ici: anthropologique. Cependant cette référence a perdu de son opportunité. D'abord, l'*Histoire *elle-même est de moins en moins conçue comme un système monolithique de déterminations ; on sait bien, on sait de plus en plus qu'elle est, tout comme le langage, un jeu de structures, dont l'indépendance respective peut être poussée beaucoup plus loin qu'on ne croyait : l'*Histoire *est elle aussi une écriture. Ensuite, poser un horizon anthropologique, c'est fermer la structure, donner, sous le couvert scientifique, un arrêt dernier aux signes ; l'analyse du récit ne peut être complice d'une autorité qui accrédite l'idée d'une* normalité *humaine, même si c'est pour en célébrer les écarts et les transgressions. Enfin, sauf retour toujours possible à un contentieux régressif, il n'y a plus tellement à opposer l'homme historique et l'homme anthropologique ; qu'importe leur différence, s'ils ont en commun l'un et l'autre une image d'eux-mêmes parfaitement centrée ? Ce qui est en cause, c'est d'agrandir la déchirure du système symbolique dans lequel vient de vivre et vit encore l'Occident moderne ; cette entreprise de vacillation est impossible, tant que l'on ne change pas le lieu même de la culture occidentale, à savoir son langage ; si l'on ignore ou réduit ce langage (à une parole, à une communication, à un instrument), on ne fait que le respecter ; pour le décentrer, lui retirer ses privilèges millénaires, faire apparaître une écriture nouvelle (et non un style nouveau), une pratique fondée en théorie est nécessaire.* Drame *en a été sans doute l'une des premières opérations.* Nombres *a suivi, tout récemment. Dans* Drame, *la vacillation atteint le sujet dit " de l'énonciation ", le décalage sacré de l'action et de la narration. Dans* Nombres, *elle subvertit les temps, ouvre l'espace des citations infinies et substitue à la ligne des mots une écriture échelonnée, transformant la " littérature " en ce qu'il faut appeler, à la lettre, une scénographie.*

2. A.-J. Greimas, *Cours de sémantique*, fascicules ronéotés à l'École normale supérieure de Saint-Cloud, 1964.

caux (unis en opposition sur le plan des épreuves, puisque l'un aide et l'autre repousse le sujet dans sa quête, déterminant à tour de rôle les dangers et les secours de l'histoire) : l'axe (bi-polaire) de la poursuite est sans cesse transpercé par l'axe des contrariétés et des alliances. C'est ce double mouvement qui fait de la narration un objet intelligible. Toute suite de mots, si elle s'y soumet, par le pouvoir de la fonction symbolique (dont ces oppositions ne sont que les figures élémentaires), devient ainsi une " histoire ". Cette structure générative peut paraître banale : il faut bien qu'elle le soit pour rendre compte de *tous* les récits du monde; mais aussi, dès que l'on aborde ses transformations (qui font son intérêt) et la façon dont ces paradigmes se remplissent sans cependant jamais se perdre, on éclaire peut-être mieux l'universalité des formes et l'originalité des contenus, la communication de l'œuvre et l'opacité de son auteur. A l'extrémité d'une chaîne millénaire qui part, en Occident, d'Homère, *Drame* (sous-titré *roman*) contient la double opposition dont on vient de parler : un homme y cherche éperdument quelque chose, tantôt éloigné, tantôt rapproché de ce bien par des forces dont le jeu est construit, comme dans tout roman. Quel est cet homme ? Quel est l'objet de son désir ? qu'est-ce qui le soutient ? lui résiste ?

L'histoire racontée par *Drame* a pour sujet (au sens désormais structural du terme) [II], son narrateur. Qu'un homme raconte ce qui lui est arrivé (dans le cas du roman personnel) ou ce qui lui arrive (dans le cas du journal intime), c'est là une forme classique du récit : combien d'écrits à la première personne ! A vrai dire, cette première personne classique est fondée sur un dédoublement : *je* est l'auteur de deux actions différentes, séparées dans le temps : l'une consiste à vivre (aimer, souffrir, participer à des aventures), l'autre consiste à écrire (se rappeler, raconter). Il y a donc traditionnellement dans les romans à la première personne deux actants

[II]. *Au sens structural (linguistique), le sujet n'est pas une personne, mais une fonction. Rien n'oblige à donner à cette fonction une place centrale (narcissique). Le sujet structural n'est pas forcément celui dont on parle, ni même celui qui parle (positions extérieures à la parole); il n'est ni souterrain ni contigu au discours ; ce n'est pas un point d'irradiation, de support ou d'action ; ce n'est pas le dessous d'un masque ou le corps principal d'un appendice prédicatif. Marquons ici la nécessité (programmatique) d'ouvrir au sujet des métaphores inouïes. Le structuralisme l'a déjà quelque peu vidé ; resterait encore à le désituer ; l'observation de certaines langues lointaines pourrait y aider: contrairement à ce qui se passe dans nos phrases, où c'est le sujet lui-même qui décrète l'objectivité de son discours — dont il se décore supplémentairement —, le japonais, par exemple, à force de subjectiviser la grammaire (ce qui est une manière de discrétion, puisqu'aucune constatation n'y est pensée comme objective, c'est-à-dire comme universelle), le japonais fait du sujet, non l'agent tout puissant du discours, mais plutôt un grand espace obstiné qui enveloppe l'énoncé et se déplace avec lui.*

(l'actant est un personnage défini par ce qu'il fait, non par ce qu'il est) : l'un agit, l'autre parle; étant deux pour une même personne, ces actants entretiennent entre eux des rapports difficiles, dont la difficulté même est consommée sous le nom de *sincérité* ou d'*authenticité*; comme les deux moitiés de l'androgyne platonicien, le narrateur et l'acteur courent l'un après l'autre, sans jamais coïncider; cet écart s'appelle *mauvaise foi* et, depuis longtemps déjà, la littérature s'en préoccupe. A cet égard, le projet de Sollers est radical : il entend lever au moins une fois (*Drame* n'est pas un modèle ; c'est une expérience sans doute inimitable, par son auteur même) la mauvaise foi attachée à toute narration personnelle : des deux moitiés traditionnelles, l'acteur et le narrateur, unies sous un *je* équivoque, Sollers ne fait à la lettre qu'un seul actant : son narrateur est absorbé entièrement dans une seule action, qui est de narrer; transparente dans le roman impersonnel, ambiguë dans le roman personnel, la narration devient ici opaque, visible, elle emplit la scène. Aussitôt, bien entendu, toute psychologie disparaît [III]; le narrateur n'a plus à ajuster ses actes passés et sa parole présente : temps, souvenirs, raisons ou remords tombent hors de la personne [3]. La conséquence en est que la narration, acte fondamental du sujet, ne peut être prise en charge naïvement par aucun pronom

[III]. *L'évacuation de la " psychologie ", depuis si longtemps investie dans le roman traditionnel, de type bourgeois, n'est pas seulement une affaire de littérature. La psychologie est aussi dans l'écriture de la mondanité, dans ce livre que nous croyons intérieur, que nous appelons, en l'opposant bien naïvement au monde des livres, " la vie ": tout notre imaginaire quotidien, parlé en dehors de toute situation d'écrivain ou d'artiste, est essentiellement psychologique. L'œuvre fondée en psychologie est toujours claire, parce que notre vie nous vient de nos livres, d'une immense géologie d'écritures psychologiques ; ou plutôt: nous appelons* clarté *cette circulation égale des codes dont s'écrivent à la fois nos livres et notre vie: l'une n'est jamais que la translitération des autres. Changer le livre, c'est donc bien, selon le premier mot de la modernité, changer la vie. Un texte comme* Drame, *au même rang que quelques autres qui l'ont précédé, accompagné ou suivi, dans la mesure où il change l'écriture, a ce pouvoir: il n'invite pas à rêver, à transporter dans la " vie " quelques images, transmises narcissiquement de l'auteur au lecteur, ce " frère " ; il modifie les conditions mêmes du rêve, du récit ; en produisant une écriture multiple, non pas étrange, mais inouïe, il rectifie le langage lui-même, attestant qu'aujourd'hui l'originalité n'est pas une attitude esthétique mais un acte de mutation.*

---

3. Beaucoup de notations dans *Drame* à ce sujet : " C'est lui et lui seul... mais qu'est-ce que ce *lui* dont il ne sait rien ? " (p. 77). — " Se tuer ? Mais qui se tue, s'il se tue ? Qui tue soi ? Qu'est-ce que *qui* là-dedans ? " (p. 91). — " Ce n'est pas encore lui, ce n'est pas encore assez pour être lui " (p. 108). — " Il est dans la nuit qu'il est. Il la tient en quelque sorte en réduction sous son regard — mais lui-même y a disparu (il vérifie en somme qu'il n'y a pas de " sujet " — pas plus que sur cette page) " (p. 121). — La dépersonnalisation du sujet est commune à bien des œuvres modernes. Le propre de *Drame*, c'est qu'elle n'y est pas *racontée* (rapportée), mais *constituée* (si l'on peut dire) par l'acte même du récit.

personnel : c'est la Narration qui parle, elle est sa propre bouche et la langue qu'elle émet est originale; la voix n'est pas ici l'instrument, même dépersonnalisé, d'un *secret* : le *ça* qui est atteint n'est pas celui de la personne, c'est celui de la littérature (ceci résume un certain mystère de *Drame*). Cependant la conjugaison est là, qui oblige toute phrase (tout récit) à être personnelle ou impersonnelle, à choisir entre le *il* et le *je*. Sollers alterne ces deux modes selon un projet formel (le *il* et le *je* se suivent comme les cases noires et blanches d'un échiquier) dont la rhétorique même dénonce le caractère volontairement arbitraire (toute rhétorique vise à vaincre la difficulté du *discours sincère*). Entre le *il* noir et le *je* blanc, il y a sans doute une certaine différence de substance; contrairement au mouvement classique qui veut qu'un auteur (*je*) décide de parler de lui ou d'un autre (*il*), c'est l'impersonnel qui lance comme une flèche sans cesse reprise, retournée [4], un *je* sans personne, qui n'a d'individualité que celle de la main toute corporelle qui écrit; la substance qui sépare les deux personnes de la narration n'est donc nulle part d'identité, mais seulement d'antériorité : *il* est à chaque fois celui qui va écrire *je*; *je* est à chaque fois celui qui, commençant à écrire, va cependant rentrer dans la pré-créature qui lui a donné naissance. Cette instabilité fonctionne comme un tremblement réglé, chargé de fonder une personne privative du récit. Toute histoire se dit *d'un certain point de vue*, qu'on peut appeler *modalité*, puisqu'en grammaire le mode a également pour fonction de signaler l'attitude mentale du sujet par rapport au procès énoncé par le verbe; la modalité, de Joyce, de Proust à Sartre, à Cayrol et à Robbe-Grillet, est l'un des grands lieux de recherche de la littérature contemporaine. Sollers ne peut *faire croire* à l'anonymat de la narration, car *il* et *je*, imposés par la langue, sont des formes prégnantes de la personne; mais en tressant le fil noir et le fil blanc du personnel et de l'impersonnel, il transforme l'apersonne psychologique du héros (acquise déjà depuis longtemps) en amodalité technique du récit : il *signifie* l'absence de modalité.

Tel est le sujet, le héros de *Drame* : un pur narrateur. Ce héros cherche à raconter quelque chose ; pour lui, *la véritable histoire* est l'enjeu qui justifie son entreprise, ses espoirs, ses ruses, ses dépenses, bref toute son activité de narrateur (puisqu'il n'est que

4. Sollers conclut ainsi une très belle description de saint Sébastien : " *il* peut représenter un arc et *je* la flèche. La seconde doit jaillir du premier comme la flamme du feu... mais pourtant aussi y rentrer sans efforts... et *je* peut devenir alors ce qui l'alimente, s'y brûle " (p. 133).

cela) [IV]. Dans *Drame*, l'histoire (le *roman*) compte tellement qu'elle devient l'objet de la quête : l'histoire est le désir de l'histoire. Quelle est la *fable élémentaire* ainsi poursuivie et dont la poursuite fait le livre ? Nous ne le saurons jamais, si nous oublions que le narrateur ne se double nullement ici (comme c'est le cas ordinaire) d'un acteur dont il faudrait reconstituer le secret objectif ; si nous attendons de *Drame* l'intérêt d'un roman policier, c'est-à-dire si nous oublions le narrateur de l'histoire au profit de son acteur, nous ne saurons jamais " le mot de la fin ", nous ignorerons toujours quelle est la *véritable histoire*, citée, appelée mystérieusement tout au long du livre ; mais si nous ramenons l'énigme, de l'acteur au narrateur (puisque c'est le seul actant de la fable), nous comprendrons tout de suite que l'*histoire véritable* n'est rien d'autre que la recherche qui nous est contée. Cette sorte de tautologie n'est pas sophistiquée. Qu'une absence d'histoire (sur le plan de la fiction) engendre une histoire dense (sur le plan de l'écriture), qu'au degré zéro de l'action corresponde un sens plein, une marque signifiante de la parole, que l'événement (le drame) soit en quelque sorte transfusé du monde ordinairement copié (réel, rêve ou fiction) au mouvement même des mots qui fixent ce monde comme des yeux, ce peut être là le départ d'œuvres absolument *réalistes*. Cervantes, Proust ont écrit des livres qui ont rencontré le monde en recherchant le Livre ; ils ont justement cru qu'en fixant un modèle écrit (romans courtois ou livre désiré), c'est-à-dire l'écriture elle-même, sans cependant écrire *cette histoire-là* qui est devant.

[IV]. *On sait comment les substantifs d'action (marqués en latin par la désinence* - tio) *sont ordinairement reçus comme des substantifs inertes, dénotant un simple produit: la* description, *ce n'est plus l'action de décrire, c'est le résultat de cette action, un pur tableau immobile.* Narration *doit échapper ici à cette dégénérescence sémantique. Dans* Drame, *nous sommes mis en présence, non d'une chose narrée, mais d'un travail de narration. Cette ligne mince qui sépare le produit de sa création, la narration-objet de la narration-travail, c'est le partage historique qui oppose le récit classique, sorti tout armé d'une préparation antérieure, au texte moderne qui, lui, ne veut pas préexister à son énonciation et, donnant à lire son propre travail, ne peut finalement se lire que comme travail. Cette différence se voit bien si l'on observe une forme classique, en apparence très proche du récit en action: il s'agit de ces histoires dans l'histoire, où un narrateur, lui-même présenté d'une façon déjà anecdotique, déclare qu'il va nous raconter quelque chose: et suit l'histoire. Ce qu'un roman comme* Drame *supprime, c'est précisément cet éclusage du flux narratif. Le narrateur classique* s'installe *devant nous, comme on dit:* se mettre à table (*même au sens policier de l'expression) et expose son produit (son âme, son savoir, ses souvenirs), posture à laquelle correspondent, en ponctuation, les deux points fatidiques de l'exorde prêt à se panacher d'un beau récit. Le narrateur de* Drame *efface les deux points, renonce à toute installation: il ne peut être* derrière *la table,* devant *son récit ; son travail est plutôt celui d'une migration ; il s'agit de traverser les codes, d'en tapisser, comme les parois latérales d'un voyage, l'espace du texte, à la façon d'une masse d'écrivains qui combineraient entre eux des fragments de gestes pour transformer la ligne des mots en scène d'action verbale.*

Ils pourraient dire, *chemin faisant*, tout un monde — et des plus réels [v]. Au long d'un projet purement littéraire, le narrateur de Sollers, lui aussi, fait son chemin dans un monde *sensible* (c'est le poème dont on parlait au début), mais ce monde ne peut être vivant (lavé de toute mauvaise foi : innocent ?) que dans la mesure où, le mal, la mort étant fixés sur l'histoire à faire — et jamais faite —, la narration n'est en fait que la figure libre de cette question : *qu'est-ce qu'une histoire ?* A quel niveau de moi-même, du monde, vais-je décider *qu'il m'arrive quelque chose ?* Les plus anciens poètes, auteurs de ces très vieilles ballades épiques, antérieures à l'*Iliade*, exorcisaient l'arbitraire terrifiant du récit (pourquoi commencer ici plutôt que là ?) par un proème dont le sens rituel était celui-ci : l'histoire est infinie, elle a commencé depuis longtemps (a-t-elle jamais commencé ?) : je la prends *à ce point*, que j'annonce. De même, l'histoire fondamentale, la fable élémentaire, dont le sujet fait ici sa quête sans jamais l'atteindre, détermine rituellement la référence à partir de quoi (vers quoi) quelque chose peut être raconté : elle est comme la nomenclature invisible (la *langue*, au sens saussurien) qui va permettre de parler [5].

C'est encore le langage (puisque l'action est ici tout entière narration) qui va constituer les forces de traverse et de soutien dont la quête du sujet est mêlée. Deux langages entrent en lutte, l'un hostile à la *véritable histoire* (nous ne l'entendons jamais), l'autre s'en approchant au plus près, accomplissant cette chimère, cet *être verbal*, ni réel, ni fictif, dont parle Spinoza, inaccessible à l'entendement et à l'imagination, puisque dans *Drame* il glisse le long d'une histoire absente. Le langage contraire, c'est le langage excessif, encombré de signes, usé dans les histoires fabriquées, formé de « passages prévus d'avance », c'est « cette langue, cette écriture déjà morte, un jour définitivement classée », c'est ce *trop* de l'expression, par quoi le narrateur est expulsé de lui-même,

[v]. *La pratique de l'indirect a une fonction de vérité. Face à la parole expressive, chargée d'authentifier une « chose » conçue comme antérieure au discours, l'indirect trouble le procès même de l'expression, il falsifie le rapport du centre et des bords, opère, à l'égard de cette « chose » que le langage aurait à dire, un perpétuel déportement, en maintenant toujours le plein (l'information, le sens, la fin) en avant, dans l'inédit — ce qui est aussi une manière de déjouer l'interprétation des œuvres. L'indirect (la constitution du* paysage de côté) *assure la mise en parallèles du récit, la transformation stéréographique de l'assertion. Peut-être la linguistique elle-même, qui, ces derniers temps, grâce à Jakobson, a pu repérer de nouvelles formes typiques de message, reconnaîtra-t-elle un jour que l'*oblique *est un mode fondamental d'énonciation.*

5. « S'il y a récit, il raconte au fond comment une langue (une syntaxe) se cherche, s'invente, se fait à la fois émettrice et réceptrice » (*Prière d'insérer*).

empoisonné de conscience, accablé sous " l'inexprimable poids individuel "; en somme, ce langage ennemi, c'est la Littérature, non seulement institutionnelle, sociale, mais aussi intérieure, cette cadence toute faite qui détermine en fin de compte les " histoires " qui nous arrivent, puisque ressentir, si l'on n'y prend pas garde incessamment, c'est nommer. Ce langage est mensonge, car dès qu'il touche la vision véritable, celle-ci s'évanouit [6]; mais si l'on y renonce, une langue de vérité se met à parler [7]. Sollers suit de très près le mythe fondamental de l'écrivain : Orphée ne peut se retourner, il doit aller de l'avant et chanter ce qu'il désire sans le considérer : toute parole juste ne peut être qu'une esquive profonde; le problème, en effet, pour quelqu'un qui croit le langage excessif (empoisonné de socialité, de sens fabriqués) et qui veut cependant parler (refusant l'ineffable), c'est de s'arrêter *avant* que ce *trop* de langage ne se forme : prendre de vitesse le langage acquis, lui substituer un langage inné, antérieur à toute conscience et doué cependant d'une *grammaticalité* irréprochable : c'est là l'entreprise de *Drame*, si semblable en ceci et si contraire en cela à l'écriture immédiate des Surréalistes.

Le langage propose donc ici sa seconde figure, tutélaire comme la fée qui favorise le héros dans sa quête : un certain langage vient visiter le narrateur, l'aider à circonscrire sans défaillance *ce qui lui advient* (l'histoire véritable). Ce langage auxiliaire ne peut être triomphant; c'est un langage furtif, un langage de biais [8] : c'est un " temps de parole ", très court puisqu'il doit coïncider avec " *la véritable spontanéité, celle d'avant toute attitude et tout choix* " [9]. *Drame* est la description de ce temps; l'ancienne rhétorique avait

6. " Un effort verbal difficilement repérable au premier abord (et le fait de le découvrir ou de le capter de trop près supprime en effet la vision) " (p. 77).

7. " Je suis prêt à renoncer. Je renonce. Et alors, en marge, il y a ce choc (si j'ai vraiment renoncé) : une langue se cherche et s'invente. Impression que je vais raconter exactement le trajet des mots sur la page — exactement rien d'autre, rien de plus. " (p. 147).

8. " Il ne saurait rendre compte de cela que d'une manière décevante, entrecoupée, privée de toute vraisemblance, d'harmonie, d'affabulation... Histoire suspendue où rien ne semblerait jamais arriver et qui pourtant serait le comble d'une activité interne. " (p. 73).

9. *L'Intermédiaire*, p. 126. Sollers précise bien dans ce texte que la " spontanéité " n'est pas liée à un désordre des mots, mais au contraire à un protocole sans interstice [vi] : " Il se produirait une telle surcharge d'intentions, une telle complexité pratique, que loin d'en être appauvri ou rendu fastidieux, le sentiment de vivre en serait multiplié à la source. "

[vi]. *La " spontanéité " dont on nous parle ordinairement est le comble de la convention : elle est ce langage réifié que nous trouvons tout prêt en nous, à notre disposition immédiate, lorsque précisément nous voulons parler " spontanément ". La spontanéité visée ici par Sollers*

codé ses chronographies, appliquées d'ordinaire à l'âge d'or : *Drame* est aussi la remontée vers un âge d'or, celui de la conscience, celui de la parole. Ce temps est celui du corps qui s'éveille, encore neuf, neutre, intouché par la remémoration, la signification. Ici apparaît le rêve adamique du corps total, marqué à l'aube de notre modernité par le cri de Kierkegaard : *mais donnez-moi un corps !* : c'est la division de l'être en corps, âme, cœur, esprit, qui fonde la " personne " et le langage négatif qui lui est attaché : le corps total est impersonnel; l'identité est comme un oiseau de proie qui plane très haut au-dessus d'un sommeil où nous vaquons en paix à notre vraie vie, à notre histoire véritable; quand nous nous éveillons, l'oiseau fond sur nous, et c'est en somme pendant sa descente, avant qu'il ne nous ait touchés, qu'il faut le prendre de vitesse et parler. L'éveil sollersien est un temps complexe, à la fois très long et très court : c'est un *éveil naissant*, un éveil dont la naissance dure (comme on a dit de Néron qu'il était un monstre naissant) [10]. Étymologiquement, l'éveil est une sur-veillance; ici aussi l'éveil est l'activité d'une conscience que ni la nuit ni le jour n'oblitèrent et qui gère *par la parole* les trésors du sommeil, du souvenir insitué, de la vision. Il ne s'agit pourtant pas chez Sollers d'une pure poétique du rêve; chez lui, sommeil et veille sont plutôt les termes d'une fonction formelle : le sommeil est la figure d'un *avant*, la veille d'un *après*, et l'éveil est le moment neutre où l'opposition peut être perçue, parlée; le sommeil est essentiellement une antériorité [11], la scène de l'origine insoluble [12] : le rêve

est un concept d'une tout autre difficulté: critique fondamentale des signes, recherche presque utopique (et cependant théoriquement nécessaire) d'un a-langage, pleinement corporel, pleinement vivant, espace adamique d'où le stéréotype, constitutif de toute psychologie et de toute " spontanéité ", est chassé. La pratique à laquelle Sollers fait ici allusion, de biais (seule transmission possible) n'a aucun rapport avec les modes de rupture dont notre civilisation revendique périodiquement l'urgence. Cette pratique ne consiste pas à ignorer le langage (excellent moyen pour le voir revenir au galop, dans ses formes les plus usées), mais à le surprendre — ou comme dans Drame, *à en écouter la suspension précaire: entreprise si peu immédiate qu'on ne la retrouvera sans doute que dans les expériences radicales de la poésie ou dans les opérations très patientes de civilisations extrêmes, tel le* wuhsin *ou état de non-langage visé par le Zen.*

---

10. Sollers a donné quelques indications sur sa méthode de sommeil (et d'éveil) dans un passage de *l'Intermédiaire* (p. 47) consacré à la sieste entrecoupée.

11. " Il me semble que je suis à la frontière des mots, juste avant qu'ils deviennent visibles et audibles, près d'un livre se rêvant lui-même avec une patience infinie. " (p. 87). — " ... le rappel d'un état sans mémoire, quelque chose qui aurait toujours précédé ce qu'il est obligé de voir, de penser. " (p. 64).

12. " ... frôler intérieurement la limite; le geste, la parole que personne ne comprendrait plus; qu'il ne comprendrait pa davantage, mais dont il serait au moins l'origine insoluble " (p. 91).

n'y a donc pas une place privilégiée (les rêves construits, anecdotiques, sont d'ailleurs assez rares dans *Drame*); aligné au rang des souvenirs, visions et imaginations, le rêve est en quelque sorte formalisé, appelé dans cette grande forme alternative qui semble régler le discours de *Drame* à tous ses niveaux et qui oppose le jour et la nuit, le sommeil et la veille, le noir et le blanc (de l'échiquier), le *il* et le *je*, et dont l'éveil n'est en somme que la neutralisation précieuse. C'est un langage de l'*abolition* qui se cherche : abolition des partages, et pour finir, de ce partage, intérieur au langage lui-même, qui renvoie abusivement les choses d'un côté et les mots de l'autre. Pour Sollers, au niveau de l'expérience qu'il raconte, les mots sont antérieurs aux choses — ce qui est une façon de brouiller leur séparation : les mots voient, perçoivent et provoquent les choses à exister [13]. Comment cela se fait-il (car cette précédence des mots ne doit pas être prise comme une simple façon de parler) ? On sait que la sémiotique distingue soigneusement dans le sens : le signifiant, le signifié et la chose (le référent) : le signifié n'est pas la chose : telle est l'une des grandes acquisitions de la linguistique moderne. Sollers distend à l'extrême l'écart qui sépare le signifié du référent (écart minime dans le langage courant) : “ *C'est du sens* (entendez : du signifié) *des mots qu'il sagit, non des choses dans les mots. Inutile de se représenter ici un feu, une flamme : ce qu'ils sont* (entendez : leur être sémantique) *n'a rien à voir avec ce qu'on voit* ” (p. 113). Le parleur (l'éveillé) imaginé par Sollers ne vit pas au milieu des choses (ni, bien sûr, au milieu des “ mots ”, comme signifiants, car il ne s'agit pas ici d'un verbalisme dérisoire), mais *au milieu des signifiés* (puisque précisément le signifié n'est plus le référent); son langage s'offre déjà à cette rhétorique d'avenir, qui est — qui sera la rhétorique des signifiés; pour lui, avec lui, les côtés du langage (comme on dit les limites d'un monde) ne sont pas ceux de la nature (des choses) comme c'était le cas dans la poésie romantique, offerte à une critique thématique, mais ceux de cet envers du sens que constituent les associations ou chaînes de signifiés : le sens d'*incendie* n'est pas *flamme*, car il n'est plus question d'associer le mot à son référent : ce peut être, plutôt, *fougère* (entre autres), car il s'agit du même espace métonymique (supérieur aujourd'hui, poétiquement, semble-t-il, à l'espace métaphorique). Il s'ensuit naturellement qu'il n'y a plus rupture de substance entre le livre et le monde, puisque le “ monde ” n'est pas directement une col-

13. “ Il revoit, c'est aux mots de revoir pour lui... ” (p. 67). — “ Alors la formule exacte devient non pas : ceci ou cela, mais : depuis ce que je dis, j'aperçois... ” (p. 156).

lection de choses, mais un champ de signifiés; mots et choses circulent donc entre eux de plain-pied, comme les unités d'un même discours, les particules d'une même matière [14]. Ceci n'est pas loin d'un ancien mythe : celui du monde comme Livre, de l'écriture tracée à même la terre [15].

Héros chercheur, histoire cherchée, langage ennemi, langage allié, telles sont les fonctions cardinales qui font le sens de *Drame* (et par conséquent sa tension " dramatique "). Cependant les termes de ce code fondamental sont disséminés, comme les germes de preuves (*semina probationum*) de l'ancienne rhétorique; ils doivent être en quelque sorte recodés dans un certain ordre du discours, dont s'occupe l'analyse séquentielle (et non plus fonctionnelle) : c'est le problème de la *logique* de l'histoire, important dans la mesure où cette logique est responsable de ce que l'on pourrait appeler (comme dans la linguistique récente) l'*acceptabilité* de l'œuvre, autrement dit sa vraisemblance. Ici encore, c'est la confusion du narrateur et de l'acteur (qui est décidément la clef de *Drame*), c'est-à-dire la formule initiale des fonctions, qui explique la logique particulière de *Drame*. D'ordinaire, un récit comporte au moins deux axes temporels : un axe de notation, qui est le temps même que les mots mettent à se suivre, et un axe de fiction, qui est le temps imaginé de l'histoire; parfois, les deux axes, ne coïncident pas (décalages, *ordo artificialis*, flash-backs); or c'est peu de dire que dans *Drame* ces axes coïncident continûment : comme il s'agit d'une aventure du langage, l'axe de notation absorbe toute la temporalité : pas de temps, hors du Livre : les scènes rapportées (dont on ne sait jamais, et pour cause, si elles sont rêves, souvenirs ou fantasmes) n'impliquent aucun repère fictif qui soit " autre " que leur situation graphique [16]. La singularité de l'axe notationnel est absolue. Un auteur pourrait en effet récuser toute chronologie narrative et cependant soumettre sa notation au flux de ses impressions, souvenirs, sensations, etc. mais ce serait encore garder deux axes, en faisant de l'axe notationnel la copie d'une *autre* temporalité, et ce n'est pas du tout la technique de *Drame*, dans lequel il n'y

14. " ... et pensant brusquement que quelque part, dans un livre, un paragraphe enchevêtré s'ouvre en effet sur le ciel " (p. 141). — " Les mots... (tu es parmi eux transparente, tu marches à travers eux comme un mot parmi d'autres mots) " (p. 81).

15. " Au temps où la gelée copie sur notre terre l'image de sa blanche sœur mais la trempe de sa plume ne dure guerre " (Dante, *Enfer*, XXIV).

16. Sollers citant Fluchère à propos de Sterne : " ... c'est que le passé est toujours *présent* dans l'opération de l'esprit qui consiste à le coucher en mots sur le papier " (*Tel Quel*, nº 6).

a pas, à la lettre, d'autre temps que celui des mots [17]; on a affaire ici à un *présent intégral*, qui n'est celui du sujet que pour autant que ce sujet est entièrement absorbé dans sa fonction de narrateur, c'est-à-dire de *fileur* de mots. Il n'y a donc pas à situer les épisodes de *Drame* les uns par rapport aux autres : l'indécision de leur substance (souvenirs ? rêves ? visions ?) les rend à la lettre inconséquents. Les opérateurs temporels, nombreux dans le discours (*maintenant, d'abord, mais voici, enfin, soudain, là-dessus*) ne renvoient donc jamais au temps fictif d'une histoire mais seulement et d'une manière autonymique au temps du discours. Le seul temps que connaisse *Drame* n'est pas celui d'une chronologie, même intérieure, mais le temps de simple urgence que l'on retrouve dans l'expression : *il est temps* [18] : encore cette urgence n'est-elle pas celle de l'anecdote, mais celle du langage : *il est temps de raconter ceci, qui n'est rien d'autre que le mot, infiniment vaste, qui m'arrive.* Si l'on en revient à notre hypothèse de départ (que nous n'avons d'ailleurs jamais quittée), à savoir qu'il y a une homologie entre les catégories du récit et celles de la phrase, les différents épisodes de *Drame* (correspondant, en gros, aux verbes de la phrase) ne sont jamais formés comme des *temps* (au sens du mot en grammaire), mais comme des aspects du procès (on sait l'importance de l'aspectuel dans des langues comme le grec ou le slave : pourquoi pas dans la langue du récit, également ? [VII]. Lorsque le narrateur nous dit descendre de sa

17. Sollers, à propos de Poussin : " Ce n'est pas... un " moment " ou une succession fastidieuse d'impressions plus ou moins formées, mais le cours du temps volontairement étagé, dirigé, joué, neutralisé, annulé dans une solide gamme visible " (*l'Intermédiaire*, p. 84). Et dans *Drame:* " Cela ne se passe pas dans le temps, mais sur la page où l'on dispose des temps " (p. 98).

18. Cf. *l'Intermédiaire*, p. 150, à propos de Robbe-Grillet.

[VII]. *La langue française (du moins dans sa morphologie verbale) ne connaît pas l'aspectuel. C'est précisément avec ce manque de notre langue que le discours de Sollers entre en lutte: il y supplée, c'est-à-dire, selon Derrida, s'y ajoute et s'y substitue.*

On peut dire en effet que le discours assure vis-à-vis de la langue un travail de compensation (et non de simple utilisation): le discours rémunère la langue, il relaie ses manques. Il faut se rappeler (d'après ce que nous ont dit Boas et Jakobson) que " la vraie différence entre les langues ne réside pas dans ce qu'elles peuvent ou ne peuvent pas exprimer, mais dans ce que les locuteurs doivent ou ne doivent pas transmettre ". L'écrivain, en cela solitaire, spécial, opposé à tous les parleurs et écrivants, est celui qui ne laisse pas les obligations de sa langue parler pour lui, qui connaît et ressent les manques de son idiome et imagine utopiquement une langue totale ou rien n'est obligatoire, *empruntant, par son discours, sans le savoir, tantôt au grec la voix moyenne, lorsqu'il prend son écriture à son propre compte au lieu de la laisser par procuration à quelqu'image sacrée de lui-même (comme l'indo-européen prenant le couteau des mains du prêtre pour accomplir le sacrifice), tantôt au nootka l'étonnement d'un mot où le sujet ne fait que prédiquer* in extremis, *sous forme d'un suffixe secondaire, la plus futile des informations, qui, elle, est emphatiquement enchâssée dans la racine, tantôt à l'hébreu la figure (diagrammatique) par* chambre, sortir de la ville, assister à un accident d'auto, cette succession n'est donnée ni pour contingente (un événement daté) ni pour transcendante (une habitude); c'est, si l'on veut, un aoriste, le mode verbal du procès en soi. Les " routes " suivies par le discours ne sont donc ni celle de la chronologie (*avant / après*), ni celle de la logique narrative (implication d'un événement par un autre) : le seul régime est ici celui de la constellation; si tout discours n'était pas linéaire (contrainte aux conséquences infinies pour la littérature), il faudrait lire *Drame* comme une grande galaxie, dont la topologie nous est inimaginable. Ce qui fait avancer le syntagme n'est donc pas quelque chose qui serait derrière les mots et dont les mots ne seraient que la couverture, ce sont les mots eux-mêmes : le mot est ici en même temps unité et opérateur du syntagme : le mot déclenche, embraye la suite du discours, soit par son signifiant (certains chants de *Drame* s'enchaînent en écho), soit par son signifié (comme on l'a indiqué plus haut) : le mot est *coup de fouet*, selon l'expression d'Eschyle [19]. C'est là, sans doute, un procédé très ancien de la poésie; le nouveau, avec Sollers, c'est que ces mots propulseurs, ces opérateurs de syntagme déterminent des chaînes périodiques d'associations, à l'intérieur desquelles les substitutions peuvent être infinies : sémantiquement, le mot n'a pas de fond, la phrase n'a pas de fin : analogue peut-être à la grande structure générative postulée par Chomsky à propos de la phrase, l'œuvre est sa propre langue, infiniment substituable : chacun de nous parle ainsi une phrase immense, dont il substitue à l'infini les constituants et que seule la mort

laquelle la personne est placée devant ou derrière le verbe, selon qu'elle s'oriente vers le passé ou l'avenir, tantôt au chinook un discontinu temporel inconnu de nous (passés : indéfini, récent mythique), etc.: toutes ces pratiques linguistiques, en même temps qu'elles forment comme la vaste imagination du langage, attestent qu'il est possible de construire le rapport du sujet à l'énonciation, en le centrant ou en le décentrant d'une façon inouïe pour nous et notre langue-mère. Cette langue totale, rassemblée au-delà de toute linguistique par l'écrivain, n'est pas la lingua adamica, *la langue parfaite, originelle, paradisiaque ; elle est au contraire faite du creux de toutes les langues, dont l'empreinte se trouve déportée de la grammaire au discours. Dans l'écriture, la surnumérétation des phrases, dont aucune règle structurale ne peut limiter théoriquement le cumul, n'a rien à voir avec l'addition des messages contigus ou l'expansion rhétorique des détails secondaires (qu'on appelle " développement " d'une idée): par rapport à la langue, le discours est superficiellement combinatoire, essentiellement contestateur et rémunérateur ; et c'est en quoi l'écrivain (celui qui* écrit, *c'est-à-dire qui dénie les limites obligatoires de sa propre langue) a la responsabilité d'un travail politique ; ce travail ne consiste pas à " inventer " de nouveaux symboles, mais à opérer la mutation du système symbolique* dans son entier, *à retourner le langage, non à le renouveler.*

19. *Suppl.* 466.

peut venir interrompre. *Drame* invite à mettre en doute la fermeture des œuvres [20].

Drame ne peut manquer de provoquer des résistances de lecture car la structure absolument régulière des fonctions narratives (un héros, une quête, des forces bénéfiques et des forces ennemies) n'est pas prise en charge par un discours " logique ", c'est-à-dire chronologique; le lecteur doit chercher l'assise dramatique du récit dans la mise en question même du récit. Autrement dit, le code narratif de *Drame* est régulier, mais son code d'exposition ne l'est pas, et dans cette rupture passe précisément le " problème " ou encore le " drame ", et par là-même la résistance du lecteur. On peut exprimer cette résistance d'une autre façon : les fonctions cardinales de *Drame*, qui sont celles de tout récit (sujet / objet, adjuvant / opposant), ne sont valides qu'à l'intérieur d'un seul univers, qui est celui du langage (il faut entendre ici univers au sens fort : une cosmogonie de la parole) : le langage est une véritable planète qui émet ses héros, ses histoires, son bien, son mal [21]. C'est le parti que Sollers a tenu avec une rigueur irréprochable (mais non pas irréprochée). Or, rien ne provoque plus de résistance que la mise à jour des codes de la littérature (on se rappelle la méfiance de Delécluze devant la *Vita Nova* de Dante); on dirait que ces codes doivent à tout prix rester inconscients, exactement comme est le code de la langue; aucune œuvre courante n'est jamais langage sur le langage (sauf dans le cas de certains relais classiques), au point que l'absence de niveau méta-linguistique est peut-être le critère sûr qui permet de définir l'œuvre de masse (ou apparentée) : faire du langage un *sujet*, et cela à travers le langage même, constitue encore un tabou très fort (dont l'écrivain serait le sorcier) [22] : la société semble limiter également la parole sur le sexe et la parole sur la parole. Cette censure rencontre une paresse (ou s'exprime à travers elle) : nous ne lisons bien, ordinairement, que l'œuvre dans laquelle nous pouvons nous projeter. Freud,

20. (Image d'un incendie) : " Le rêve ne laisse subsister qu'un seul mot, ou plutôt le suggère mécaniquement, de biais, d'une façon rigide, fausse. Mais à la place de quoi ce mot ? à la place de quoi l'incendie ? (est-ce qu'il ose penser : à la place de quoi le monde ?) " (p. 85).

21. " Le livre ne doit pas rester pris au piège qu'il se tend à lui-même, mais se placer dans un espace qui n'appartient qu'à lui " (Ph. Sollers, *Tel Quel*, nº 6).

22. C'est ce tabou que Dante — entre autres — a secoué, lorsqu'il a fait de ses poèmes et de leur commentaire technique une seule œuvre (*La Vita Nova*), et plus précisément encore lorsque, dans ce livre, s'adressant à sa ballade (*Ballade, va trouver Amour...*), il repousse l'objection selon laquelle on ne saurait à qui il parle sous prétexte que " la ballade n'est rien d'autre que ce que j'en dis ".

reprenant Léonard de Vinci, opposait la peinture (et la suggestion), qui procède *per via di porre*, à la sculpture (et à l'analyse), qui procède *per via di levare*[23]; nous pensons toujours que les œuvres sont des peintures et que nous devons les lire comme nous croyons qu'elles ont été faites, c'est-à-dire en nous y ajoutant nous-mêmes. À ce compte-là, seul l'écrivain peut se projeter dans *Drame*, seul l'écrivain peut lire *Drame*. On peut cependant imaginer, espérer une autre lecture. Cette lecture nouvelle, à quoi nous invite *Drame*, n'essaierait pas d'établir entre l'œuvre et le lecteur un rapport analogique, mais, si l'on peut dire, homologique. Lorsqu'un artiste lutte avec la matière, toile, bois, son, mots, bien que cette lutte produise, chemin faisant, des imitations précieuses sur lesquelles nous pouvons réfléchir sans fin, c'est tout de même cette lutte et cette lutte seule qu'en dernière instance il nous dit : c'est là sa première et sa dernière parole. Or cette lutte reproduit « en abyme » toutes les luttes du monde; cette fonction symbolique de l'artiste est très ancienne, donnée à lire beaucoup plus clairement qu'aujourd'hui dans des œuvres d'autrefois, où l'aède, le poète, était chargé de représenter au monde, non seulement ses drames, mais aussi son propre drame, l'événement même de sa parole : les contraintes de la poésie, si actives dans des genres très populaires et dont la maîtrise a toujours suscité une vive admiration collective, ne peuvent être que l'image homologique d'un certain rapport au monde : il n'y a jamais qu'un seul côté de la lutte, il n'y a jamais qu'une seule victoire. Ce symbole s'est atténué dans la modernité, mais l'écrivain est précisément là pour le réveiller sans cesse et quoi qu'il lui en coûte : c'est ainsi qu'à l'exemple de Sollers il est *de ce côté-ci* du monde.

Roland Barthes.

23. *La Technique psychanalytique*, p. 13.

LA DIFFÉRANCE[1]

Je parlerai, donc, d'une lettre.

De la première, s'il faut en croire l'alphabet et la plupart des spéculations qui s'y sont aventurées.

Je parlerai donc de la lettre *a*, de cette lettre première qu'il a pu paraître nécessaire d'introduire, ici ou là, dans l'écriture du mot *différence*; et cela dans le cours d'une écriture sur l'écriture, d'une écriture dans l'écriture aussi dont les différents trajets se trouvent donc tous passer, en certains points très déterminés, par une sorte de grosse faute d'orthographe, par ce manquement à l'orthodoxie réglant une écriture, à la loi réglant l'écrit et le contenant en sa bienséance. Ce manquement à l'orthographe, on pourra toujours l'effacer ou le réduire, en son fait ou en son droit, et le trouver, selon les cas qui chaque fois s'analysent mais reviennent ici au même, grave, malséant, voire, dans l'hypothèse de la plus grande ingénuité, amusant. Qu'on cherche donc à passer telle infraction sous silence, l'intérêt qu'on y mettra se laisse d'avance reconnaître, assigner, comme prescrit par l'ironie muette, le déplacé inaudible de cette permutation littérale. On pourra toujours faire comme si cela ne faisait pas de différence. Ce manquement silencieux à l'orthographe, je dois dire dès maintenant que mon propos d'aujourd'hui reviendra moins à le justifier, encore moins à l'excuser, qu'à en aggraver le jeu d'une certaine insistance.

On devra en revanche m'excuser si je me réfère, au moins implicitement, à tel ou tel texte que j'ai pu me risquer à publier. C'est que je voudrais précisément tenter, dans une certaine mesure et bien que cela soit, au principe et à la limite, pour d'essentielles raisons de droit, impossible, de rassembler en *faisceau* les différentes directions dans lesquelles j'ai pu utiliser ou plutôt me laisser imposer en son néo-graphisme ce que j'appellerai provisoirement le

1. Conférence prononcée à la Société française de Philosophie, le 27 janvier 1968.

mot ou le concept de différance et qui n'est, nous le verrons, à la lettre, ni un mot ni un concept. Je tiens ici au mot de *faisceau* pour deux raisons : d'une part il ne s'agira pas, ce que j'aurais pu aussi faire, de décrire une histoire, d'en raconter les étapes, texte par texte, contexte par contexte, montrant chaque fois quelle économie a pu imposer ce dérèglement graphique; mais bien du *système général de cette économie*. D'autre part le mot *faisceau* paraît plus propre à marquer que le rassemblement proposé a la structure d'une intrication, d'un tissage, d'un croisement qui laissera repartir les différents fils et les différentes lignes de sens — ou de force — tout comme il sera prêt à en nouer d'autres.

Je rappelle donc, de façon toute préliminaire, que cette discrète intervention graphique, qui n'est pas faite d'abord ni simplement pour le scandale du lecteur ou du grammairien, a été calculée dans le procès écrit d'une question sur l'écriture. Or il se trouve, je dirais par le fait, que cette différence graphique (le *a* au lieu du *e*), cette différence marquée entre deux notations apparemment vocales, entre deux voyelles, reste purement graphique : elle s'écrit ou se lit, mais elle ne s'entend pas. On ne peut l'entendre et nous verrons en quoi elle passe aussi l'ordre de l'entendement. Elle se propose par une marque muette, par un monument tacite, je dirai même par une pyramide, songeant ainsi non seulement à la forme de la lettre lorsqu'elle s'imprime en majeur ou en majuscule, mais à tel texte de l'*Encyclopédie* de Hegel où le corps du signe est comparé à la Pyramide égyptienne. Le *a* de la différance, donc, ne s'entend pas, il demeure silencieux, secret et discret comme un tombeau. Qui n'est pas loin, pourvu qu'on en sache déchiffrer la légende, de signaler la mort du dynaste.

Un tombeau qu'on ne peut même pas faire résonner. Je ne peux en effet vous faire savoir par mon discours, par ma parole à l'instant proférée à destination de la Société française de Philosophie, de quelle différence je parle au moment où j'en parle. Je ne peux parler de cette différence graphique qu'en tenant un discours très détourné sur une écriture et à condition de préciser, chaque fois, que je renvoie à la différence avec un *e* ou à la différance avec un *a*. Ce qui ne va pas simplifier les choses aujourd'hui et nous donnera beaucoup de mal, à vous et à moi, si du moins nous voulons nous entendre. En tout cas, les précisions orales que je donnerai — quand je dirai " avec un *e* " ou " avec un *a* " — renverront incontournablement à un *texte écrit*, à un texte surveillant mon discours, à un texte que je tiens devant moi, que je lirai et vers lequel il faudra bien que je tente de conduire vos mains et vos yeux. Nous ne pourrons pas nous passer ici de passer par un texte écrit, de nous régler sur le dérèglement qui s'y produit, et c'est d'abord ce qui m'importe.

Sans doute ce silence pyramidal de la différence graphique entre le *e* et le *a* ne peut-il fonctionner qu'à l'intérieur du système de l'écriture phonétique et à l'intérieur d'une langue ou d'une grammaire historialement liée à l'écriture phonétique comme à toute la culture qui en est inséparable. Mais je dirais que cela même — ce silence fonctionnant à l'intérieur seulement d'une écriture dite phonétique — signale ou rappelle de façon très opportune que, contrairement à un énorme préjugé, il n'y a pas d'écriture phonétique. Il n'y a pas d'écriture purement et rigoureusement phonétique. L'écriture dite phonétique ne peut, en principe et en droit, et non seulement par une insuffisance empirique et technique, fonctionner qu'en admettant en elle-même des « signes » non-phonétiques (ponctuation, espacement, etc.) dont on s'apercevrait vite, à en examiner la structure et la nécessité, qu'ils tolèrent très mal le concept de signe. Mieux, le jeu de la différence dont Saussure n'a eu qu'à rappeler qu'il est la condition de possibilité et du fonctionnement de tout signe, ce jeu est lui-même silencieux. Est inaudible la différence entre deux phonèmes, qui seule permet à ceux-ci d'être et d'opérer comme tels. L'inaudible ouvre à l'entente les deux phonèmes présents, tels qu'ils se présentent. S'il n'y a donc pas d'écriture purement phonétique, c'est qu'il n'y a pas de *phonè* purement phonétique. La différence qui fait lever les phonèmes et les donne à entendre, à tous les sens de ce mot, reste en soi inaudible.

On objectera que, pour les mêmes raisons, la différence graphique s'enfonce elle-même dans la nuit, ne fait jamais le plein d'un terme sensible mais étire un rapport invisible, le trait d'une relation inapparente entre deux spectacles. Sans doute. Mais que, de ce point de vue, la différence marquée dans la « différence » entre le *e* et le *a* se dérobe au regard et à l'écoute, cela suggère peut-être heureusement qu'il faut ici se laisser renvoyer à un ordre qui n'appartient plus à la sensibilité. Mais non davantage à l'intelligibilité, à une idéalité qui n'est pas fortuitement affiliée à l'objectivité du *theorein* ou de l'entendement; il faut ici se laisser renvoyer à un ordre, donc, qui résiste à l'opposition, fondatrice de la philosophie, entre le sensible et l'intelligible. L'ordre qui résiste à cette opposition, et lui résiste parce qu'il la porte, s'annonce dans un mouvement de différance (avec un *a*) entre deux différences ou entre deux lettres, différance qui n'appartient ni à la voix ni à l'écriture au sens courant et qui se tient, comme l'espace étrange qui nous rassemblera ici pendant une heure, *entre* parole et écriture, au-delà aussi de la familiarité tranquille qui nous relie à l'une et à l'autre, nous rassurant parfois dans l'illusion qu'elles font deux.

Maintenant, comment vais-je m'y prendre pour parler du *a* de la différance ? Il va de soi que celle-ci ne saurait être *exposée.* On ne peut jamais exposer que ce qui à un certain moment peut devenir *présent*, manifeste, ce qui peut se montrer, se présenter comme un présent, un étant-présent dans sa vérité, vérité d'un présent ou présence du présent. Or si la différance ~~est~~ (je mets aussi le " ~~est~~ " sous rature) ce qui rend possible la présentation de l'étant-présent, elle ne se présente jamais comme telle. Elle ne se donne jamais au présent. A personne. Se réservant et ne s'exposant pas, elle excède en ce point précis et de manière réglée l'ordre de la vérité, sans pour autant se dissimuler, comme quelque chose, comme un étant mystérieux, dans l'occulte d'un non-savoir. Par toute exposition elle serait exposée à disparaître comme disparition. Elle risquerait d'apparaître : de disparaître.

Si bien que les détours, les périodes, la syntaxe auxquels je devrai souvent recourir ressembleront, parfois à s'y méprendre, à ceux de la théologie négative. Déjà il a fallu marquer *que* la différance *n'est pas*, n'existe pas, n'est pas un étant-présent (*on*), quel qu'il soit; et nous serons amenés à marquer aussi tout *ce qu*'elle *n'est pas*; et par conséquent qu'elle n'a ni existence ni essence. Elle ne relève d'aucune catégorie de l'étant, qu'il soit présent ou absent. Et pourtant ce qui se marque ainsi de la différance n'est pas théologique, pas même de l'ordre le plus négatif de la théologie négative, celle-ci s'étant toujours affairée à dégager, comme on sait, une supra-essentialité par-delà les catégories finies de l'essence et de l'existence, c'est-à-dire de la présence, et s'empressant toujours de rappeler que si le prédicat de l'existence est refusé à Dieu, c'est pour lui reconnaître un mode d'être supérieur, inconcevable, ineffable. Il ne s'agit pas ici d'un tel mouvement et cela devrait se confirmer progressivement. La différance est non seulement irréductible à toute réappropriation ontologique ou théologique — onto-théologique — mais ouvrant même l'espace dans lequel l'onto-théologie — la philosophie — produit son système et son histoire, elle la comprend et l'excède sans retour.

Pour la même raison, je ne saurai par où *commencer* à tracer le faisceau ou le graphique de la différance. Car ce qui s'y met précisément en question, c'est la requête d'un commencement de droit, d'un point de départ absolu, d'une responsabilité principielle. La problématique de l'écriture s'ouvre avec la mise en question de la valeur d'*archè*. Ce que je proposerai ici ne se développera donc pas simplement comme un discours philosophique, opérant depuis un principe, des postulats, des axiomes ou des définitions et se déplaçant suivant la linéarité discursive d'un ordre des raisons. Tout dans le tracé de la différance est stratégique et aventureux. Stratégique parce qu'aucune vérité transcendante et présente hors du champ de l'écriture ne peut commander théologiquement la totalité du champ. Aventureux parce que cette stratégie n'est pas une simple stratégie au sens où l'on dit que la stratégie oriente la tactique depuis une visée finale, un *telos* ou le thème d'une domination, d'une maîtrise et d'une réappropriation ultime du mouvement ou du champ. Stratégie finalement sans finalité, on pourrait appeler cela tactique aveugle, errance empirique, si la valeur d'empirisme ne prenait elle-même tout son sens de son opposition à la responsabilité philosophique. S'il y a une certaine errance dans le tracement de la différance, elle ne suit pas plus la ligne du discours philosophico-logique que celle de son envers symétrique et solidaire, le discours empirico-logique. Le concept de *jeu* se tient au-delà de cette opposition, il annonce, à la veille et au-delà de la philosophie, l'unité du hasard et de la nécessité dans un calcul sans fin.

Aussi, par décision et règle de jeu, si vous le voulez bien, retournant ce propos sur lui-même, c'est par le thème de la stratégie ou du stratagème que nous nous introduirons à la pensée de la différance. Par cette justification seulement stratégique, je veux souligner que l'efficace de cette thématique de la différance peut fort bien, devra être un jour relevée, se prêter d'elle-même, sinon à son remplacement, du moins à son enchaînement dans une chaîne qu'elle n'aura, en vérité, jamais commandée. Par quoi, une fois de plus, elle n'est pas théologique.

Je dirais donc d'abord que la différance, qui n'est ni un mot ni un concept, m'a paru stratégiquement le plus propre à penser, sinon à maîtriser — la pensée étant peut-être ici ce qui se tient dans un certain rapport nécessaire avec les limites structurelles de la maîtrise — le plus irréductible de notre « époque ». Je pars donc, stratégiquement, du lieu et du temps où « nous » sommes, bien que mon ouverture ne soit pas en dernière instance justifiable et que ce soit toujours à partir de la différance et de son « histoire » que nous pouvons prétendre savoir qui et où « nous » sommes, et ce que pourraient être les limites d'une « époque ».

Bien que « différance » ne soit ni un mot ni un concept, tentons néanmoins une analyse sémantique facile et approximative qui nous conduira en vue de l'enjeu.

On sait que le verbe « différer » (verbe latin « *differre* ») a deux sens qui semblent bien distincts; ils font l'objet, par exemple dans le *Littré*, de deux articles séparés. En ce sens le *differre* latin n'est pas la traduction simple du *diapherein* grec et cela ne sera pas pour nous sans conséquence, liant ce propos à une langue particulière et à une langue qui passe pour moins philosophique, moins originellement philosophique que l'autre. Car la distribution du sens dans le *diapherein* grec ne comporte pas l'un des deux motifs du *differre* latin, à savoir l'action de remettre à plus tard, de tenir compte, de tenir le compte du temps et des forces dans une opération qui implique un calcul économique, un détour, un délai, un retard, une réserve, une représentation, tous concepts que je résumerai ici d'un mot dont je ne me suis jamais servi mais qu'on pourrait inscrire dans cette chaîne : la *temporisation*. Différer en ce sens, c'est temporiser, c'est recourir, consciemment ou inconsciemment, à la médiation temporelle et temporisatrice d'un détour suspendant l'accomplissement ou le remplissement du « désir » ou de la « volonté », l'effectuant aussi bien sur un mode qui en annule ou en tempère l'effet. Et nous verrons — plus tard — en quoi cette temporisation est aussi temporalisation et espacement, devenir-temps de l'espace et devenir-espace du temps, « constitution originaire » du temps et de l'espace, diraient la métaphysique ou la phénoménologie transcendantale dans le langage qui est ici critiqué et déplacé.

L'autre sens de *différer*, c'est le plus commun et le plus identifiable : ne pas être identique, être autre, discernable, etc. S'agissant des différen(t)(d)s, mot qu'on peut donc écrire, comme on voudra, avec un *t* ou un *d* final, qu'il soit question d'altérité de dissemblance ou d'altérité d'allergie et de polémique, il faut bien qu'entre les éléments autres se produise, activement, dynamiquement, et avec une certaine persévérance dans la répétition, intervalle, distance, *espacement*.

Or le mot différence (avec un *e*) n'a jamais pu renvoyer ni au différer comme temporisation ni au différend comme *polemos*. C'est cette déperdition de sens que devrait compenser — économiquement — le mot différance (avec un *a*). Celui-ci peut renvoyer à la fois à toute la configuration de ses significations, il est immédiatement et irréductiblement polysémique et cela ne sera pas indifférent à l'économie du discours que j'essaie de tenir. Il y renvoie non seulement, bien entendu et comme toute signification, à être soutenu par un discours ou un contexte interprétatif mais déjà en quelque sorte par lui-même, ou du moins plus facilement par lui-même que tout autre mot, le *a* provenant immédiatement du participe présent (différant) et nous rapprochant de l'action en cours du différer, avant même qu'elle ait produit un effet constitué en différent ou en différence (avec un *e*). Dans une conceptualité et avec des exigences classiques, on dirait que « différance » désigne la causalité constituante, productrice et originaire, le processus de scission et de division dont les différents ou les différences seraient les produits ou les effets constitués. Mais tout en nous rapprochant du noyau infinitif et actif du différer, « différance » (avec un *a*) neutralise ce que l'infinitif dénote comme simplement actif, de même que « mouvance » ne signifie pas dans notre langue le simple fait de mouvoir, de se mouvoir ou d'être mu. La résonance n'est pas davantage l'acte de résonner. Il faut méditer ceci, dans l'usage de notre langue, que la terminaison en *ance* reste indécise *entre* l'actif et le passif. Et nous verrons pourquoi ce qui se laisse désigner par « différance » n'est ni simplement actif ni simplement passif, annonçant ou rappelant plutôt quelque chose comme la voix moyenne, disant une opération qui n'est pas une opération, qui ne se laisse penser ni comme passion ni comme action d'un sujet sur un objet, ni à partir d'un agent ni à partir d'un patient, ni à partir ni en vue d'aucun de ces *termes*. Or la voix moyenne, une certaine non-transitivité, est peut-être ce que la philosophie, se constituant en cette répression, a commencé par distribuer en voix active et voix passive.

Différance comme temporisation, différance comme espacement. Comment s'ajointent-elles ?

Partons, puisque nous y sommes déjà installés, de la problématique du signe et de l'écriture. Le signe, dit-on couramment, se met à la place de la chose même, de la chose présente, « chose » valant ici aussi bien pour le sens que pour le référent. Le signe représente le présent en son absence. Il en tient lieu. Quand nous ne pouvons prendre ou montrer la chose, disons le présent, l'étant-présent, quand le présent ne se présente pas, nous signifions, nous passons par le détour du signe. Nous prenons ou donnons un signe. Nous faisons signe. Le signe serait donc la présence différée. Qu'il s'agisse de signe verbal ou écrit, de signe monétaire, de délégation électorale et de représentation politique, la circulation des signes diffère le moment où nous pourrions rencontrer la chose même, nous en emparer, la consommer ou la dépenser, la toucher, la voir, en avoir l'intuition présente. Ce que je décris ici pour définir, en la banalité de ses traits, la signification comme différance de temporisation, c'est la structure classiquement déterminée du signe : elle présuppose que le signe, différant la présence, n'est pensable qu'*à partir* de la présence qu'il diffère et *en vue* de la présence différée qu'on vise à se réapproprier. Suivant cette sémiologie classique, la substitution du signe à la chose même est à la fois *seconde* et *provisoire* : seconde depuis une présence originelle et perdue dont le signe viendrait à dériver; provisoire au regard de cette présence finale et manquante en vue de laquelle le signe serait en mouvement de médiation.

A tenter de mettre en question ce caractère de secondarité provisoire du substitut, on verrait sans doute s'annoncer quelque chose comme une différance originaire mais on ne pourrait même plus la dire originaire ou finale, dans la mesure où les valeurs d'origine, d'archie, de *telos*, d'*eschaton*, etc. ont toujours dénoté la présence — *ousia*, *parousia*, etc. Questionner le caractère secondaire et provisoire du signe, lui opposer une différance « originaire », cela aurait donc pour conséquences :

1. qu'on ne pourrait plus comprendre la différance sous le concept de « signe » qui a toujours voulu dire représentation d'une présence et s'est constitué dans un système (pensée ou langue) réglé à partir et en vue de la présence;

2. qu'on met ainsi en question l'autorité de la présence ou de son simple contraire symétrique, l'absence ou le manque. On interroge ainsi la limite qui nous a toujours contraints, qui nous contraint toujours — nous les habitants d'une langue et d'un système de pensée — à former le sens de l'être en général comme présence ou absence, dans les catégories de l'étant ou de l'étantité (*ousia*). Il apparaît déjà que le type de question auquel nous sommes ainsi reconduits est, disons, le type heideggerien, et la différance *semble* nous ramener à la différence ontico-ontologique. On me permettra de retarder cette référence. Je noterai seulement qu'entre la différence comme temporisation-temporalisation, qu'on ne peut plus penser dans l'horizon du présent, et ce que Heidegger dit dans *Sein und Zeit* de la temporalisation comme horizon transcendantal de la question de l'être, qu'il faut libérer de la domination traditionnelle et métaphysique par le présent ou le maintenant, la communication est étroite, même si elle n'est pas exhaustive et irréductiblement nécessaire.

Mais séjournons d'abord dans la problématique sémiologique pour voir s'y conjoindre la différance comme temporisation et la différance comme espacement. La plupart des recherches sémiologiques ou linguistiques qui dominent aujourd'hui le champ de la pensée, soit par leurs résultats propres, soit par la fonction de modèle régulateur qu'elles se voient reconnaître partout, renvoient généalogiquement à Saussure, à tort ou à raison, comme à l'instituteur commun. Or Saussure est d'abord celui qui a placé l'*arbitraire du signe* et le *caractère différentiel* du signe au principe de la sémiologie générale, singulièrement de la linguistique. Et les deux motifs — arbitraire et différentiel — sont à ses yeux, on le sait, inséparables. Il ne peut y avoir d'arbitraire que parce que le système des signes est constitué par des différences, non par le plein des termes. Les éléments de la signification fonctionnent non par la force compacte de noyaux mais par le réseau des oppositions qui les distinguent et les rapportent les uns aux autres. « Arbitraire et différentiel, dit Saussure, sont deux qualités corrélatives. »

Or ce principe de la différence, comme condition de la signification, affecte la *totalité du signe*, c'est-à-dire à la fois la face du signifié et la face du signifiant. La face du signifié, c'est le concept, le sens idéal; et le signifiant, c'est ce que Saussure appelle l' « image » matérielle, physique, par exemple acoustique. Nous n'avons pas à entrer ici dans tous les problèmes que posent ces définitions. Citons seulement Saussure au point qui nous intéresse : « Si la partie conceptuelle de la valeur est constituée uniquement par des rapports et des différences avec les autres termes de la langue, on peut en dire autant de la partie matérielle... Tout ce qui précède revient à dire que dans la langue il n'y a que des différences. Bien plus, une différence suppose en général des termes positifs entre lesquels elle s'établit : mais dans la langue il n'y a que des différences sans termes positifs. Qu'on prenne le signifié ou le signifiant, la langue ne comporte ni des idées ni des sons qui préexisteraient au système linguistique, mais seulement des différences conceptuelles ou des différences phoniques issues de ce système. Ce qu'il y a d'idée ou de matière phonique dans un signe importe moins que ce qu'il y a autour de lui dans les autres signes. »

On en tirera cette première conséquence que le concept signifié n'est jamais présent en lui-même, dans une présence suffisante qui ne renverrait qu'à elle-même. Tout concept est en droit et essentiellement inscrit dans une chaîne ou dans un système à l'intérieur duquel il renvoie à l'autre, aux autres concepts par jeu systématique de différences. Un tel jeu, la différance, n'est plus alors simplement un concept mais la possibilité de la conceptualité, du procès et du système conceptuel en général. Pour la même raison, la différance, qui n'est pas un concept, n'est pas un simple mot, c'est-à-dire ce qu'on se représente comme l'unité calme et présente, auto-référente, d'un concept et d'une phonie. Nous verrons plus loin ce qu'il en est du mot en général.

La différence dont parle Saussure n'est donc elle-même ni un concept ni un mot parmi d'autres. On peut dire cela *a fortiori* de la différance. Et nous sommes ainsi conduits à expliciter le rapport de l'une à l'autre.

Dans une langue, dans le *système* de la langue, il n'y a que des différences. Une opération taxinomique peut donc en entreprendre l'inventaire systématique, statistique et classificatoire. Mais d'une part ces différences *jouent* : dans la langue, dans la parole aussi et dans l'échange entre langue et parole. D'autre part, ces différences sont elles-mêmes des *effets*. Elles ne sont pas tombées du ciel toutes prêtes; elles ne sont pas plus inscrites dans un *topos noetos* que prescrites dans la cire du cerveau. Si le mot « histoire » ne comportait en lui le motif d'une répression finale de la différence, on pourrait dire que seules des différences peuvent être d'entrée de jeu et de part en part « historiques ».

Ce qui s'écrit *différance*, ce sera donc le mouvement de jeu qui « produit », par ce qui n'est pas simplement une activité, ces différences, ces effets de différence. Cela ne veut pas dire que la différance qui produit les différences soit avant elles, dans un présent simple et en soi immodifié, in-différent. La différance est l' « origine » non-pleine, non-simple, l'origine structurée et différante des différences. Le nom d' « origine » ne lui convient donc plus.

Puisque la langue, dont Saussure dit qu'elle est une classification, n'est pas tombée du ciel, les différences ont été produites, elles sont des effets produits, mais des effets qui n'ont pas pour cause un sujet ou une substance, une chose en général, un étant quelque part présent et échappant lui-même au jeu de la différance. Si une telle présence était impliquée, le plus classiquement du monde, dans le concept de cause en général, il faudrait donc parler d'effet sans cause, ce qui conduirait très vite à ne plus parler d'effet. La sortie hors de la clôture de ce schème, j'ai tenté d'en indiquer la visée à travers la « trace », qui n'est pas plus un effet qu'elle n'a une cause mais qui ne peut suffire à elle seule, hors-texte, à opérer la transgression nécessaire.

Comme il n'y a pas de présence avant la différence sémiologique et hors d'elle, on peut étendre au signe en général ce que Saussure écrit de la langue : « La langue est nécessaire pour que la parole soit intelligible, et produise tout ses effets; mais celle-ci est nécessaire pour que la langue s'établisse; historiquement, le fait de parole précède toujours. »

Retenant au moins le schéma sinon le contenu de l'exigence formulée par Saussure, nous désignerons par *différance* le mouvement selon lequel la langue, ou tout code, tout système de renvois en général se constitue « historiquement » comme tissu de différences. « Se constitue », « se produit », « se crée », « mouvement », « historiquement », etc. devant être entendus au-delà de la langue métaphysique où ils sont pris avec toutes leurs implications. Il faudrait montrer pourquoi les concepts de production, comme ceux de constitution et d'histoire restent de ce point de vue complices de ce qui est ici en question mais cela m'entraînerait aujourd'hui trop loin — vers la théorie de la représentation du « cercle » dans lequel nous paraissons enfermés — et je ne les utilise ici, comme beaucoup d'autres concepts, que par commodité stratégique et pour amorcer la déconstruction de leur système au point actuellement le plus décisif. On aura en tout cas compris, par le cercle même où nous paraissons engagés, que la différance, telle qu'elle s'écrit ici, n'est pas plus statique que génétique, pas plus structurale qu'historique. Ou pas moins, et c'est ne pas lire, ne pas lire surtout ce qui manque ici à l'éthique orthographique que de vouloir y objecter à partir de la plus vieille des oppositions métaphysiques, par exemple en objectant quelque point de vue génératif à un point de vue structuraliste-taxinomiste, ou inversement. Quant à la différance, ce qui en rend sans doute la pensée malaisée et le confort peu sûr, ces oppositions n'ont pas la moindre pertinence.

Si l'on considère maintenant la chaîne dans laquelle la « différance » se laisse soumettre à un certain nombre de substitutions non synonymiques, selon la nécessité du contexte, pourquoi recourir à la « réserve », à l' « archi-écriture », à l' « archi-trace », à l' « espacement », voire au « supplément » ou au « *pharmakon* », etc. ?

Repartons. La différance, c'est ce qui fait que le mouvement de la signification n'est possible que si chaque élément dit « présent », apparaissant sur la scène de la présence, se rapporte à autre chose que lui-même, gardant en lui la marque de l'élément passé et se laissant déjà creuser par la marque de son rapport à l'élément futur, la trace ne se rapportant pas moins à ce qu'on appelle le futur qu'à ce qu'on appelle le passé, et constituant ce qu'on appelle le présent par ce rapport même à ce qui n'est pas lui : absolument pas lui, c'est-à-dire pas même un passé ou un futur comme présents modifiés. Il faut qu'un intervalle le sépare de ce qui n'est pas lui pour qu'il soit lui-même mais cet intervalle qui le constitue en présent doit aussi du même coup diviser le présent en lui-même, partageant ainsi, avec le présent, tout ce qu'on peut penser à partir de lui, c'est-à-dire tout étant, dans notre langue métaphysique, singulièrement la substance ou le sujet. Cet intervalle se constituant, se divisant dynamiquement, c'est ce qu'on peut appeler *espacement*, devenir-espace du temps ou devenir-temps de l'espace (*temporisation*). Et c'est cette constitution du présent, comme synthèse " originaire " et irréductiblement non-simple, donc, *stricto sensu*, non-originaire, de traces, de rétentions et de protentions (pour reproduire ici, analogiquement et provisoirement, un langage phénoménologique et transcendantal qui se révélera tout à l'heure inadéquat) que je propose d'appeler archi-écriture, archi-trace ou différance. Celle-ci (est) (à la fois) espacement (et) temporisation.

Ce mouvement (actif) de la (production de la) différance sans origine, n'aurait-on pu l'appeler, tout simplement et sans néographisme, *différenciation* ? Entre autres confusions, un tel mot eût laissé penser à quelque unité organique, originaire et homogène, venant éventuellement à se diviser, à recevoir la différence comme un événement. Surtout, formé sur le verbe *différencier*, il annulerait la signification économique du détour, du délai temporisateur, du " différer ". Une remarque, ici, au passage. Je la dois à une lecture récente d'un texte que Koyré avait consacré, en 1934, dans la *Revue d'histoire et de philosophie religieuse*, à *Hegel à Iéna* (reproduit dans ses *Études d'histoire de la pensée philosophique*). Koyré y fait de longues citations, en allemand, de la *Logique* d'Iéna et il en propose la traduction. Or à deux reprises, il rencontre dans le texte de Hegel l'expression " *differente Beziehung* ". Ce mot à racine latine (*different*) est extrêmement rare en allemand et aussi, je le crois, chez Hegel, qui dit plutôt *verschieden*, *ungleich*, qui appelle la différence *Unterschied*, et *Verschiedenheit* la variété qualitative. Dans la *Logique* d'Iéna il se sert du mot *different*, au moment où il y va précisément du temps et du présent. Avant d'en venir à une précieuse remarque de Koyré, voici quelques phrases de Hegel, telles qu'il les traduit : " L'infini, dans cette simplicité, est, comme moment opposé à l'égal à soi-même le négatif, et dans ses moments, tandis qu'il se présente à (soi-même) et en soi-même la totalité, (il est) l'excluant en général, le point ou la limite, mais dans cette sienne (action de) nier, il se rapporte immédiatement à l'autre et se nie soi-même. La limite ou le moment du présent (*der Gegen-wart*), le " ceci " absolu du temps, ou le maintenant, est d'une simplicité négative absolue, qui exclut de soi absolument toute multiplicité et, par cela même, est absolument déterminé; il est non pas un tout ou un *quantum* qui s'étendrait en soi (et) qui, en soi-même, aurait aussi un moment indéterminé, un divers qui, indifférent (*gleichgültig*) ou extérieur en lui-même, se rapporterait à un autre (*auf ein anderes bezöge*), mais c'est là un rapport absolument différent du simple (*sondern es ist absolut differente Beziehung*). " Et Koyré précise remarquablement en note : " Rapport différent : *differente Beziehung*. On pourrait dire : rapport différenciant. " Et à la page suivante, autre texte de Hegel, où l'on peut lire ceci : " *Diese Beziehung ist Gegenwart, als eine differente Beziehung.* " (Ce rapport est (le) présent comme rapport différent.) " Autre note de Koyré : " Le terme " *different* " est pris ici dans un sens actif. "

Écrire " différant " ou " différance " (avec un *a*) pourrait déjà avoir l'utilité de rendre possible, sans autre note ou précision, la traduction de Hegel en ce point précis qui est aussi un point absolument décisif de son discours. Et la traduction serait, comme elle doit toujours l'être, transformation d'une langue par une autre. Naturellement je tiens que le mot " différance " peut servir aussi à d'autres usages : d'abord parce qu'il marque non seulement l'activité de la différence " originaire " mais aussi le détour temporisateur du différer; surtout parce que, malgré les rapports d'affinité très profonde que la différance ainsi écrite entretient avec le discours hégélien, tel qu'il doit être lu, elle peut en un certain point non pas rompre avec lui, ce qui n'a aucune sorte de sens ni de chance, mais en opérer une sorte de déplacement à la fois infime et radical dont j'essaie ailleurs d'indiquer l'espace mais dont il me serait difficile de parler très vite ici.

Les différences sont donc " produites " — différées — par la différance. Mais *qu'*est-*ce* qui diffère ou *qui* diffère ? Autrement dit *qu'est-ce que* la différance ? Avec cette question nous atteignons un autre lieu et une autre ressource de la problématique.

Qu'est-ce qui diffère ? Qui diffère ? Qu'est-ce que la différance ?

Si nous répondions à ces questions avant même de les interroger comme questions, avant même de les retourner et d'en suspecter la forme, jusque dans ce qu'elles semblent avoir de plus naturel et de plus nécessaire, nous retomberions déjà en-deçà de ce que nous venons de dégager. Si nous acceptions en effet la forme de la question, en son sens et en sa syntaxe (" qu'est-ce que ", " qu'est-ce qui ", " qui est-ce qui"...), il faudrait admettre que la différance est dérivée, survenue, maîtrisée et commandée à partir du point d'un étant-présent, celui-ci pouvant être quelque chose, une forme, un état, un pouvoir dans le monde, auxquels on pourra donner toutes sortes de noms, un *quoi*, ou un étant-présent comme *sujet*, un *qui*. Dans ce dernier cas notamment, on admettrait implicitement que cet étant-présent, par exemple comme étant-présent à soi, comme conscience, en viendrait éventuellement à différer : soit à retarder et à détourner l'accomplissement d'un " besoin " ou d'un " désir ", soit à différer de soi. Mais dans aucun de ces cas, un tel étant-présent ne serait " constitué " par cette différance.

Or si nous nous référons encore une fois à la différence sémiologique, qu'est-ce que Saussure, en particulier, nous a rappelé ? Que " la langue [qui ne consiste donc qu'en différences] n'est pas une fonction du sujet parlant ". Cela implique que le sujet (identité à soi ou éventuellement conscience de l'identité à soi, conscience de soi) est inscrit dans la langue, est " fonction " de la langue, ne devient sujet *parlant* qu'en conformant sa parole, même dans ladite " création ", même dans ladite " transgression ", au système de prescriptions de la langue comme système de différences, ou du moins à la loi générale de la différance, en se réglant sur le principe de la langue dont Saussure dit qu'elle est " le langage moins la parole ". " La langue est nécessaire pour que la parole soit intelligible et produise tous ses effets ".

Si par hypothèse nous tenons pour absolument rigoureuse l'opposition de la parole à la langue, la différance sera non seulement le jeu des différences dans la langue mais le rapport de la parole à la langue, le détour aussi par lequel je dois passer pour parler, le gage silencieux que je dois donner, et qui vaut aussi bien pour la sémiologie générale, réglant tous les rapports de l'usage au schéma, du message au code, etc. (J'ai essayé de suggérer ailleurs que cette différance dans la langue et dans le rapport de la parole à la langue interdit la dissociation essentielle qu'à une autre strate de son discours Saussure voulait traditionnellement marquer entre parole et écriture. La pratique de la langue ou du code supposant un jeu de formes, sans substance déterminée et invariable, supposant aussi dans la pratique de ce jeu une rétention et une protention des différences, un espacement et une temporisation, un jeu de traces, il faut bien que ce soit une sorte d'écriture avant la lettre, une archi-écriture sans origine présente, sans archie. D'où la rature réglée de l'archie et la transformation de la sémiologie générale en grammatologie, celle-ci opérant un travail critique sur tout ce qui, dans la sémiologie et jusque dans son concept matriciel — le signe — retenait des présupposés métaphysiques incompatibles avec le motif de la différance.)

On pourra être tenté par une objection : certes, le sujet ne devient *parlant* qu'en commerçant avec le système des différences linguistiques; ou encore le sujet ne devient *signifiant* (en général, par parole ou autre signe) qu'en s'inscrivant dans le système des différences. En ce sens, certes, le sujet parlant ou signifiant ne serait pas présent à soi, en tant que parlant ou signifiant, sans le jeu de la différance linguistique ou sémiologique. Mais ne peut-on concevoir une présence et une présence à soi du sujet avant sa parole ou son signe, une présence à soi du sujet dans une conscience silencieuse et intuitive ?

Une telle question suppose donc qu'avant le signe et hors de lui, à l'exclusion de toute trace et de toute différance, quelque chose de tel que la conscience est possible. Et que, avant même de distribuer ses signes dans l'espace et dans le monde, la conscience peut se rassembler elle-même en sa présence. Or qu'est-ce que la conscience ? Que veut dire " conscience " ? Le plus souvent dans la forme même du " vouloir-dire ", elle ne se donne à penser, sous toutes ses modifications, que comme présence à soi, perception de soi de la présence. Et ce qui vaut de la conscience vaut ici de l'existence dite subjective en général. De même que la catégorie du sujet ne peut et n'a jamais pu se penser sans la référence à la présence comme *upokeimenon* ou comme *ousia*, etc., de même le sujet comme conscience n'a jamais pu s'annoncer autrement que comme présence à soi. Le privilège accordé à la conscience signifie donc le privilège accordé au présent; et même si l'on décrit, à la profondeur où le fait Husserl, la temporalité transcendantale de la conscience, c'est au " présent vivant " qu'on accorde le pouvoir de synthèse et de rassemblement incessant des traces.

Ce privilège est l'éther de la métaphysique, l'élément de notre pensée en tant qu'elle est prise dans la langue de la métaphysique. On ne peut délimiter une telle clôture qu'en sollicitant aujourd'hui cette valeur de présence dont Heidegger a montré qu'elle est la détermination onto-théologique de l'être; et à solliciter ainsi cette valeur de présence, par une mise en question dont le statut doit être tout à fait singulier, nous interrogeons le privilège absolu de cette forme ou de cette époque de la présence en général qu'est la conscience comme vouloir-dire dans la présence à soi.

On en vient donc à poser la présence — et singulièrement la conscience, l'être auprès de soi de la conscience — non plus comme la forme matricielle absolue de l'être mais comme une " détermination " et comme un " effet ". Détermination et effet à l'intérieur d'un système qui n'est plus celui de la présence mais celui de la différance, et qui ne tolère plus l'opposition de l'activité et de la passivité, non plus que celle de la cause et de l'effet ou de l'indétermination et de la détermination, etc., de telle sorte qu'à désigner la conscience comme un effet ou une détermination on continue, pour des raisons stratégiques qui peuvent être plus ou moins lucidement délibérées et systématiquement calculées, à opérer selon le lexique de cela même qu'on dé-limite.

Avant d'être, si radicalement et si expressément, celui de Heidegger, ce geste a aussi été celui de Nietzsche et de Freud; qui l'un et l'autre, comme on sait, et parfois de façon si ressemblante, ont mis en question la conscience en sa certitude assurée de soi. Or n'est-il pas remarquable qu'ils l'aient fait l'un et l'autre à partir du motif de la différance ?

Celui-ci apparaît presque nommément dans leurs textes et en ces lieux où tout se joue. Je ne pourrai m'y étendre ici; je rappellerai seulement que pour Nietzsche " la grande activité principale est inconsciente " et que la conscience est l'effet de forces dont l'essence et les voies et les modes ne lui sont pas propres. Or la force elle-même n'est jamais présente : elle n'est qu'un jeu de différences et de quantités. Il n'y aurait pas de force en général sans la différence entre les forces; et ici la différence de quantité compte plus que le contenu de la quantité, que la grandeur absolue elle-même : " La quantité elle-même n'est donc pas séparable de la différence de quantité. La différence de quantité est l'essence de la force, le rapport de la force avec la force. Rêver de deux forces égales, même si on leur accorde une opposition de sens, est un rêve approximatif et grossier, rêve statistique où plonge le vivant, mais que la chimie dissipe " (G. Deleuze, *Nietzsche et la philosophie*, p. 49). Toute la pensée de Nietzsche n'est-elle pas une critique de la philosophie comme indifférence active à la différence, comme système de réduction ou de répression a-diaphoristique ? Ce qui n'exclut pas que selon la même logique, selon la logique même, la philosophie vive *dans* et *de* la différance, s'aveuglant ainsi au *même* qui n'est pas l'identique. Le même est précisément la différance (avec un *a*) comme passage détourné et équivoque d'un différent à l'autre, d'un terme de l'opposition à l'autre. On pourrait ainsi reprendre tous les couples d'opposition sur lesquels est construite la philosophie et dont vit notre discours pour y voir non pas s'effacer l'opposition mais s'annoncer une nécessité telle que l'un des termes y apparaisse comme la différance de l'autre, comme l'autre différé dans l'économie du même (l'intelligible comme différant du sensible, comme sensible différé; le concept comme intuition différée — différante; la culture comme nature différée — différante: tous les autres de la *physis* — *technè*, *nomos*, société, liberté, histoire, esprit, etc. — comme *physis* différée ou comme *physis* différante. *Phýsis en différance* C'est à partir du déploiement de ce même comme différance que s'annonce la mêmeté de la différence et de la répétition dans l'éternel retour. Autant de thèmes qu'on peut mettre en rapport, chez Nietzsche, avec la symptomatologie qui diagnostique toujours le détour ou la ruse d'une instance déguisée dans sa différance; ou encore avec toute la thématique de l'interprétation active qui substitue le déchiffrement incessant au dévoilement de la vérité comme présentation de la chose même en sa présence, etc. Chiffre sans vérité ou du moins système de chiffres non dominé par la valeur de vérité qui en devient alors seulement une fonction comprise, inscrite, circonscrite.

Nous pourrons donc appeler différance cette discorde « active », en mouvement, des forces différentes et des différences de forces que Nietzsche oppose à tout le système de la grammaire métaphysique partout où elle commande la culture, la philosophie et la science.

Il est historiquement signifiant que cette diaphoristique en tant qu'énergétique ou économique des forces, qui s'ordonne à la mise en question du primat de la présence comme conscience, soit aussi le motif majeur de la pensée de Freud : autre diaphoristique, tout ensemble théorie du chiffre (ou de la trace) et énergétique. La mise en question de l'autorité de la conscience est d'abord et toujours différentiale.

Les deux valeurs apparemment différentes de la différance se nouent dans la théorie freudienne : le différer comme discernabilité, distinction, écart, diastème, *espacement*, et le différer comme détour, délai, réserve, *temporisation*. Je rappellerai simplement que :

1. Les concepts de trace (*Spur*), de frayage (*Bahnung*), de forces de frayage sont, dès l'*Entwurf*, inséparables du concept de différence. On ne peut décrire l'origine de la mémoire et du psychisme comme mémoire en général (consciente ou inconsciente) qu'en tenant compte de la différence entre les frayages. Freud le dit expressément. Il n'y a pas de frayage sans différence et pas de différence sans trace.

2. Toutes les différences dans la production des traces inconscientes et dans les procès d'inscription (*Niederschrift*) peuvent aussi être interprétées comme des moments de la différance, au sens de la mise en réserve. Selon un schéma qui n'a cessé de guider la pensée de Freud, le mouvement de la trace est décrit comme un

effort de la vie se protégeant elle-même *en différant* l'investissement dangereux, en constituant une réserve (*Vorrat*). Et toutes les oppositions de concepts qui sillonnent la pensée freudienne rapportent chacun des concepts l'un à l'autre comme les moments d'un détour dans l'économie de la différance. L'un n'est que l'autre différé, l'un différant de l'autre. L'un est l'autre en différance, l'un est la différance de l'autre. C'est ainsi que toute opposition apparemment rigoureuse et irréductible (par exemple celle du secondaire et du primaire) se voit qualifier, à un moment ou à un autre, de “ fiction théorique ”. C'est ainsi encore, par exemple (mais un tel exemple commande tout, il communique avec tout), que la différence entre le principe de plaisir et le principe de réalité n'est que la différance comme détour (*Aufschieben*, *Aufschub*). Dans *Au-delà du principe de plaisir*, Freud écrit : “ Sous l'influence de l'instinct de conservation du moi, le principe de plaisir s'efface et cède la place au principe de réalité qui fait que, sans renoncer au but final que constitue le plaisir, nous consentons à en différer la réalisation, à ne pas profiter de certaines possibilités qui s'offrent à nous de hâter celle-ci, à supporter même, à la faveur du long détour (*Aufschub*) que nous empruntons pour arriver au plaisir, un déplaisir momentané. ”

Nous touchons ici au point de la plus grande obscurité, à l'énigme même de la différance, à ce qui en divise justement le concept par un étrange partage. Il ne faut pas se hâter de décider. Comment penser *à la fois* la différance comme détour économique qui, dans l'élément du même, vise toujours à retrouver le plaisir ou la présence différée par calcul (conscient ou inconscient) et d'autre part la différance comme rapport à la présence impossible, comme dépense sans réserve, comme perte irréparable de la présence, usure irréversible de l'énergie, voire comme pulsion de mort et rapport au tout-autre interrompant en apparence toute économie. Il est évident — c'est l'évidence même — qu'on ne peut penser *ensemble* l'économique et le non-économique, le même et le tout-autre, etc. Si la différance est cet impensable, peut-être ne faut-il pas se hâter de la porter à l'évidence, dans l'élément philosophique de l'évidence qui aurait tôt fait d'en dissiper le mirage et l'illogique, avec l'infaillibilité d'un calcul que nous connaissons bien, pour avoir précisément reconnu sa place, sa nécessité, sa fonction dans la structure de la différance. Ce qui dans la philosophie y retrouverait son compte a déjà été pris en compte dans le système de la différance tel qu'il se calcule ici. J'ai essayé ailleurs, dans une lecture de Bataille, d'indiquer ce que pourrait être une *mise en rapport*, si l'on veut, et rigoureuse et, en un sens nouveau “ scientifique ”, de l' " économie restreinte " ne faisant aucune part à la dépense sans réserve, à la mort, à l'exposition au non-sens, etc., et d'une économie générale *tenant compte* de la non-réserve, si l'on peut dire. Rapport entre une différance qui retrouve son compte et une différance qui manque à retrouver son compte, la mise de la présence pure et sans perte se confondant avec celle de la perte absolue, de la mort. Par cette mise en rapport de l'économie restreinte et de l'économie générale on déplace et on réinscrit le projet même de la philosophie, sous l'espèce privilégiée du hégélianisme.

Car le caractère économique de la différance n'implique nullement que la présence différée puisse toujours se retrouver, qu'il n'y ait là qu'un investissement retardant provisoirement et sans perte la présentation de la présence, la perception du bénéfice ou le bénéfice de la perception. Contrairement à l'interprétation métaphysique, dialectique, " hégélienne ", du mouvement économique de la différance, il faut ici admettre un jeu où qui perd gagne et où l'on gagne et perd à tous les coups. Si la présentation détournée reste d'une certaine manière définitivement et implacablement refusée, ce n'est pas parce qu'un certain présent reste caché ou absent mais parce que la différance nous tient en rapport avec ce dont nous méconnaissons nécessairement qu'il excède l'alternative de la présence et de l'absence. Une certaine altérité — Freud lui donne le nom métaphysique d'inconscient — est définitivement soustraite à tout processus de présentation par lequel nous l'appellerions à se montrer en personne. Dans ce contexte et sous ce nom, l'inconscient n'est pas, comme on sait, une présence à soi cachée, virtuelle, potentielle. Il se diffère, cela veut dire sans doute qu'il se tisse de différences et aussi qu'il envoie, qu'il délègue des représentants, des mandataires; mais il n'y a aucune chance pour que le mandant " existe ", soit présent, soit " lui-même " quelque part et encore moins devienne conscient. En ce sens, contrairement aux termes d'un vieux débat, fort de tous les investissements métaphysiques qu'il a toujours engagés, l' " inconscient " n'est pas plus une " chose " qu'autre chose, pas plus une chose qu'une conscience virtuelle ou masquée. Cette altérité radicale par rapport à tout mode possible de présence se marque en des effets irréductibles d'après-coup, de retardement. Et pour les décrire, pour lire les traces des traces " inconscientes " (il n'y a pas de trace " consciente "), le langage de la présence ou de l'absence, le discours métaphysique de la phénoménologie est inadéquat. (Mais le " phénoménologue " n'est pas le seul à le parler.)

La structure du retardement (*Nachträglichkeit*) dont parle Freud interdit en effet qu'on fasse de la temporalisation (temporisation) une simple complication dialectique du présent vivant comme synthèse originaire et incessante, constamment reconduite à soi, sur soi rassemblée, rassemblante, de traces rétentionnelles et d'ouvertures protentionnelles. Avec l'altérité de l' " inconscient ", nous avons affaire non pas à des horizons de présents modifiés — passés ou à venir — mais à un " passé " qui n'a jamais été présent et qui ne le sera jamais, dont l' "a-venir "ne sera jamais la production ou la reproduction dans la forme de la présence. Le concept de trace est donc incommensurable avec celui de rétention, de devenir-passé de ce qui a été présent. On ne peut penser la trace — et donc la différance — à partir du présent, ou de la présence du présent.

Un passé qui n'a jamais été présent, cette formule est celle par laquelle Emmanuel Levinas, selon des voies qui ne sont certes pas celles de la psychanalyse, qualifie la trace et l'énigme de l'altérité absolue : autrui. Dans ces limites et de ce point de vue du moins, la pensée de la différance implique toute la critique de l'ontologie classique entreprise par Levinas. Et le concept de trace, comme celui de différance, organise ainsi, à travers ces traces différentes et ces différences de traces, au sens de Nietzsche, de Freud, de Levinas (ces " noms d'auteurs " ne sont ici que des indices), le réseau qui rassemble et traverse notre " époque " comme délimitation de l'ontologie (de la présence).

C'est-à-dire de l'étant ou de l'étantité. Partout, c'est la dominance de l'étant que la différance vient solliciter, au sens ou *sollicitare* signifie, en vieux latin, ébranler comme tout, faire trembler en totalité. C'est la détermination de l'être en présence ou en étantité qui est donc interrogée par la pensée de la différance. Une telle question ne saurait surgir et se laisser comprendre sans que s'ouvre quelque part la différence de l'être à l'étant. Première conséquence : la différance n'est pas. Elle n'est pas un étant-présent, si excellent, unique, principiel ou transcendant qu'on le désire. Elle ne commande rien, ne règne sur rien et n'exerce nulle part aucune autorité. Elle ne s'annonce par aucune majuscule. Non seulement il n'y a pas de royaume de la différance mais celle-ci fomente la subversion de tout royaume. Ce qui la rend évidemment menaçante et infailliblement redoutée par tout ce qui en nous désire le royaume, la présence passée ou à venir d'un royaume. Et c'est toujours au nom d'un royaume qu'on peut, croyant la voir s'agrandir d'une majuscule, lui reprocher de vouloir régner.

Est-ce que pour autant la différance s'ajuste dans l'écart de la différence ontico-ontologique, telle qu'elle se pense, telle que l' « époque » s'y pense en particulier « à travers », si l'on peut encore dire, l'incontournable méditation heideggerienne ?

Il n'y a pas de réponse simple à une telle question.

Sur une certaine face d'elle-même, la différance n'est certes que le *déploiement* historial et époqual de l'être ou de la différence ontologique. Le *a* de la différance marque le *mouvement* de ce déploiement.

Et pourtant, la pensée du *sens* ou de la *vérité* de l'être, la détermination de la différance en différence ontico-ontologique, la différence pensée dans l'horizon de la question *de l'être*, n'est-ce pas encore un effet intra-métaphysique de la différance ? Le déploiement de la différance n'est peut-être pas seulement la vérité de l'être ou de l'époqualité de l'être. Peut-être faut-il tenter de penser cette pensée inouïe, ce tracement silencieux : que l'histoire de l'être, dont la pensée engage le logos grec-occidental, n'est elle-même, telle qu'elle se produit à travers la différence ontologique, qu'une époque du *diapherein*. On ne pourrait même plus l'appeler dès lors « époque », le concept d'époqualité appartenant au dedans de l'histoire comme histoire de l'être. L'être n'ayant jamais eu de « sens », n'ayant jamais été pensé ou dit comme tel qu'en se dissimulant dans l'étant, la différance, d'une certaine et fort étrange manière, (est) plus « vieille » que la différence ontologique ou que la vérité de l'être. C'est à cet âge qu'on peut l'appeler jeu de la trace. D'une trace qui n'appartient plus à l'horizon de l'être mais dont le jeu porte et borde le sens de l'être : jeu de la trace ou de la différance qui n'a pas de sens et qui n'est pas. Qui n'appartient pas. Nulle maintenance, mais nulle profondeur pour cet échiquier sans fond où l'être est mis en jeu.

C'est peut-être ainsi que le jeu héraclitéen de l'*en diapheron eautô*, de l'un différant de soi, en différend avec soi, se perd déjà comme une trace dans la détermination du *diapherein* en différence ontologique.

Penser la différence ontologique reste sans doute une tâche difficile dont l'énoncé est resté presque inaudible. Aussi, se préparer, au-delà de notre *logos*, pour une différance d'autant plus violente qu'elle ne se laisse pas encore arraisonner comme époqualité de l'être et différence ontologique, ce n'est ni se dispenser du passage par la vérité de l'être ni d'aucune façon en « critiquer », en « contester », en méconnaître l'incessante nécessité. Il faut au contraire séjourner dans la difficulté de ce passage, le répéter dans la lecture rigoureuse de la métaphysique partout où elle normalise le discours occidental, et non seulement dans les textes de « l'histoire de la philosophie ». Il faut y laisser en toute rigueur paraître / disparaître la trace de ce qui excède la vérité de l'être. Trace de ce qui ne peut jamais se présenter, trace qui elle-même ne peut jamais se présenter : apparaître et se manifester comme telle dans son phénomène. Trace au-delà de ce qui lie en profondeur l'ontologie fondamentale et la phénoménologie. Toujours différante, la trace n'est jamais comme telle en présentation de soi. Elle s'efface en se présentant, s'assourdit en résonnant, comme le *a* s'écrivant, inscrivant sa pyramide dans la différance.

De ce mouvement on peut toujours déceler la trace annonciatrice et réservée dans le discours métaphysique et surtout dans le discours contemporain disant, à travers les tentatives auxquelles nous nous sommes intéressés tout à l'heure (Nietzsche, Freud, Levinas) la clôture de l'ontologie. Singulièrement dans le texte heideggerien.

Celui-ci nous provoque à interroger l'essence du présent, la présence du présent.

Qu'est-ce que le présent ? Qu'est-ce que penser le présent en sa présence ?

Considérons, par exemple, le texte de 1946 qui s'intitule *Der Spruch des Anaximander*. Heidegger y rappelle que l'oubli de l'être oublie la différence de l'être à l'étant : « Mais la chose de l'être (*die Sache des Seins*), c'est d'être l'être *de* l'étant. La forme linguistique de ce génitif à multivalence énigmatique nomme une genèse (*Genesis*), une provenance (*Herkunft*) du pré*sent* à partir de la pré*sence* (*des Anwesenden aus dem Anwesen*). Mais avec le déploiement des deux, l'essence (*Wesen*) de cette provenance demeure secrète (*verborgen*). Non seulement l'essence de cette provenance, mais encore le simple rapport entre pré*sence* et pré*sent* (*Anwesen und Anwesendem*) reste impensé. Dès l'aurore, il semble que la pré*sence* et l'étant-pré*sent* soient, chacun de son côté, séparément quelque chose. Imperceptiblement, la pré*sence* devient elle-même un pré*sent*... L'essence de la pré*sence* (*Das Wesen des Anwesens*) et ainsi la différence de la pré*sence* au pré*sent* est oubliée. *L'oubli de l'être est l'oubli de la différence de l'être à l'étant* (traduction in *Chemins*, p. 296-297).

En nous rappelant à la différence de l'être à l'étant (la différence ontologique) comme différence de la présence au présent, Heidegger avance une proposition, un ensemble de propositions qu'il ne s'agira pas ici, par quelque précipitation de la niaiserie, de « critiquer », mais de rendre plutôt à sa puissance de provocation.

Procédons lentement. Ce que veut donc marquer Heidegger,

c'est ceci : la différence de l'être à l'étant, l'oublié de la métaphysique, a disparu sans laisser de trace. La trace même de la différence a sombré. Si nous admettons que la différance (est) (elle-même) autre que l'absence et la présence, si elle *trace*, il faudrait parler ici, s'agissant de l'oubli de la différence (de l'être à l'étant), d'une disparition de la trace de la trace. C'est bien ce que semble impliquer tel passage de *La parole d'Anaximandre* : " L'oubli de l'être fait partie de l'essence même de l'être, par lui voilée. L'oubli appartient si essentiellement à la destination de l'être, que l'aurore de cette destination commence précisément en tant que dévoilement du prés*ent* en sa prés*ence*. Cela veut dire : l'Histoire de l'être commence par l'oubli de l'être en cela que l'être retient son essence, la différence avec l'étant. La différence fait défaut. Elle reste oubliée. Seul le différencié — le présent et la présence (*das Anwesende und das Anwesen*) se désabrite, mais non pas *en tant que* le différencié. Au contraire, la trace matinale (*die frühe Spur*) de la différence s'efface dès lors que la présence apparaît comme un étant-présent (*das Anwesen wie ein Anwesendes erscheint*) et trouve sa provenance dans un (étant)-présent suprême (*in einem höchsten Anwesenden*) ".

La trace n'étant pas une présence mais le simulacre d'une présence qui se disloque, se déplace, se renvoie, n'a proprement pas lieu, l'effacement appartient à sa structure. Non seulement l'effacement qui doit toujours pouvoir la surprendre, faute de quoi elle ne serait pas trace mais indestructible et monumentale substance, mais l'effacement qui la constitue d'entrée de jeu en trace, qui l'installe en changement de lieu et la fait disparaître dans son apparition, sortir de soi en sa position. L'effacement de la trace précoce (*die frühe Spur*) de la différence est donc " le même " que son tracement dans le texte métaphysique. Celui-ci doit avoir gardé la marque de ce qu'il a perdu ou réservé, mis de côté. Le paradoxe d'une telle structure, c'est, dans le langage de la métaphysique, cette inversion du concept métaphysique qui produit l'effet suivant : le présent devient le signe du signe, la trace de la trace. Il n'est plus ce à quoi en dernière instance renvoie tout renvoi. Il devient une fonction dans une structure de renvoi généralisé. Il est trace et trace de l'effacement de la trace.

Le texte de la métaphysique est ainsi *compris*. Encore lisible; et à lire. Proposant *à la fois* le monument et le mirage de la trace, la trace simultanément tracée et effacée, simultanément vive et morte, vive comme toujours de simuler aussi la vie en son inscription gardée. Pyramide.

On pense alors sans contradiction, sans accorder du moins

aucune pertinence à telle contradiction, le perceptible et l'imperceptible de la trace. La " trace matinale " de la différence s'est perdue dans une invisibilité sans retour et pourtant sa perte même est abritée, gardée, regardée, retardée. Dans un texte. Sous la forme de la présence. Qui n'est elle-même qu'un effet d'écriture.

Après avoir dit l'effacement de la trace matinale, Heidegger peut donc, dans la contradiction sans contradiction, consigner, contresigner le scellement de la trace. Un peu plus loin : " La différence de l'être à l'étant ne peut toutefois venir ensuite à expérience comme un oublié que si elle s'est déjà découverte avec la présence du présent (*mit dem Anwesen des Anwesenden*) et si elle s'est ainsi scellée dans une trace (*so eine Spur geprägt hat*) qui reste gardée (*gewahrt bleibt*) dans la langue à laquelle advient l'être. "

Plus loin encore, méditant le τὸ χρεὼν d'Anaximandre, ici traduit par *Brauch* (maintien), Heidegger écrit ceci :

" Disposant accord et déférence (*Fug und Ruch verfügend*) le maintien libère le présent (*Anwesende*) en son séjour et le laisse libre chaque fois pour son séjour. Mais par là-même le présent se voit également commis au constant danger de se durcir dans l'insistance (*in das bloszе Beharren verhärtet*) à partir de sa durée séjournante. Ainsi le maintien (*Brauch*) demeure du même coup en lui-même désaisissement (*Aushändigung* : dé-maintenance) de la présence (*des Anwesens*) *in den Un-fug*, dans le discord (le disjointement). Le maintien ajointe le *dis* — (*Der Brauch fügt das Un-*). "

Et c'est au moment où Heidegger reconnaît le *maintien* comme *trace* que la question doit se poser : peut-on et jusqu'où peut-on penser cette trace et le *dis*- de la différance comme *Wesen des Seins* ? Le *dis* de la différance ne nous renvoie-t-il pas au-delà de l'histoire de l'être, au-delà de notre langue aussi et de tout ce qui peut s'y nommer ? N'appelle-t-il pas, dans la langue de l'être, la transformation, nécessairement violente, de cette langue par une tout autre langue ?

Précisons cette question. Et, pour y débusquer la " trace " (et qui a cru qu'on traquait jamais quelque chose, plutôt que des pistes à dépister ?), lisons encore ce passage :

" La traduction de τὸ χρεών par : " le maintien " (*Brauch*) ne provient pas de cogitations étymologico-lexicales. Le choix du mot " maintien " provient d'une préalable *tra*-duction (*Uber*setzen) de la pensée qui tente de penser la différence dans le déploiement de l'être (*im Wesen des Seins*) vers le commencement historial de l'oubli de l'être. Le mot " le maintien " est dicté à la pensée dans l'appréhension (*Erfahrung*) de l'oubli de l'être. Ce qui reste proprement à penser dans le mot “ le maintien ”, de cela τὸ χρεών nomme proprement une trace (*Spur*), trace qui disparaît aussitôt (*alsbald verschwindet*) dans l'histoire de l'être qui se déploie historico-mondialement comme métaphysique occidentale. ”

Comment penser le dehors d'un texte ? Par exemple l'autre du texte de la métaphysique occidentale ? Certes la “ trace qui disparaît aussitôt dans l'histoire de l'être... comme métaphysique occidentale ” échappe à toutes les déterminations, à tous les noms qu'elle pourrait recevoir dans le texte métaphysique. Dans ces noms elle s'abrite et donc se dissimule. Elle n'y apparaît pas comme la trace “ elle-même ” Mais c'est parce qu'elle ne saurait jamais apparaître elle-même, comme telle. Heidegger dit aussi que la différence ne peut apparaître *en tant que telle* : “ *Lichtung des Unterschiedes kann deshalb auch nicht bedeuten, dasz der Unterschied als der Unterschied erscheint* ” Il n'y a pas d'essence de la différance, celle-ci (est) ce qui non seulement ne saurait se laisser approprier dans le *comme tel* de son nom ou de son apparaître, mais ce qui menace l'autorité du *comme tel* en général, de la présence de la chose même en son essence. Qu'il n'y ait pas, à ce point, d'essence de la différance, cela implique qu'il n'y ait ni être ni vérité du jeu de l'écriture en tant qu'il engage la différance.

Pour nous, la différance reste un nom métaphysique et tous les noms qu'elle reçoit dans notre langue sont encore, en tant que noms, métaphysiques. En particulier quand ils disent la détermination de la différance en différence de la présence au présent (*Anwesen / Anwesend*), mais surtout, et déjà, de la façon la plus générale, quand ils disent la détermination de la différance en différence de l'être à l'étant.

Plus “ vieille ” que l'être lui-même, une telle différance n'a aucun nom dans notre langue. Mais nous “ savons déjà ” que si elle est innommable, ce n'est pas par provision, parce que notre langue n'a pas encore trouvé ou reçu ce *nom*, ou parce qu'il faudrait le chercher dans une autre langue, hors du système fini de la nôtre. C'est parce qu'il n'y a pas de *nom* pour cela, pas même celui d'essence ou d'être, pas même celui de “ différance ” qui n'est pas un nom, qui n'est pas une unité nominale pure et se disloque sans cesse dans une chaîne de substitutions différantes.

“ Il n'y a pas de nom pour cela ” : lire cette proposition en sa platitude. Cet innommable n'est pas un être ineffable dont aucun nom ne pourrait s'approcher : Dieu, par exemple. Cet innommable est le jeu qui fait qu'il y a des effets nominaux, des structures relativement unitaires ou atomiques qu'on appelle noms, des chaînes de substitutions de noms, et dans lesquelles, par exemple, l'effet nominal " différance " est lui-même entraîné, emporté, réinscrit, comme une fausse entrée ou une fausse sortie est encore partie du jeu, fonction du système.

Ce que nous savons, ce que nous saurions s'il s'agissait ici simplement d'un savoir, c'est qu'il n'y a jamais eu, qu'il n'y aura jamais de mot unique, de maître-nom. C'est pourquoi la pensée de la lettre *a* de la différance n'est pas la prescription première ni l'annonce prophétique d'une nomination imminente et encore inouïe. Ce " mot " n'a rien de kérygmatique pour peu qu'on puisse en percevoir l'émajusculation. Mettre en question le nom de nom.

Il n'y aura pas de nom unique, fût-il le nom de l'être. Et il faut le penser sans *nostalgie*, c'est-à-dire hors du mythe de la langue purement maternelle ou purement paternelle, de la patrie perdue de la pensée. Il faut au contraire l'*affirmer*, au sens où Nietzsche met l'affirmation en jeu, dans un certain rire et dans un certain pas de la danse.

Depuis ce rire et cette danse, depuis cette affirmation étrangère à toute dialectique, vient en question cette autre face de la nostalgie que j'appellerai l'*espérance* heideggerienne. Je ne méconnais pas ce que ce mot peut avoir ici de choquant. Je le risque toutefois, sans en exclure aucune implication, et le mets en rapport avec ce que *La parole d'Anaximandre* me paraît retenir de la métaphysique : la quête du mot propre et du nom unique. Parlant du " premier mot de l'être " (*das frühe Wort des Seins* : τὸ χρεών), Heidegger écrit : " Le rapport au prés*ent*, déployant son ordre dans l'essence même de la prés*ence*, est unique (*ist eine einzige*). Il reste par excellence incomparable à tout autre rapport. Il appartient à l'unicité de l'être lui-même (*Sie gehört zur Einzigkeit des Seins selbst*). La langue devrait donc, pour nommer ce qui se déploie dans l'être (*das Wesende des Seins*), trouver un seul mot, le mot unique (*ein einziges, das einzige Wort*). C'est là que nous mesurons combien risqué est tout mot de la pensée [tout mot pensant : *denkende Wort*] qui s'adresse à l'être (*das dem Sein zugesprochen wird*). Pourtant ce qui est risqué ici n'est pas quelque chose d'impossible; car l'être parle partout et toujours au travers de toute langue. "

Telle est la question : l'alliance de la parole et de l'être dans le mot unique, dans le nom enfin propre. Telle est la question qui s'inscrit dans l'affirmation jouée de la différance. Elle porte (sur) chacun des membres de cette phrase : " L'être / parle / partout et toujours / à travers/toute/langue /. "

Jacques Derrida.

ÉCRITURE ET RÉVOLUTION

ENTRETIEN DE JACQUES HENRIC AVEC PHILIPPE SOLLERS

Non imparfait, non déchu, l'homme n'est plus le grand mystère.

Isidore Ducasse, *Poésies.*

1. La notion " d'auteur " vous étant particulièrement suspecte, je vais, si vous le voulez bien, m'adresser d'entrée, non au romancier ou à l'essayiste Philippe Sollers qui vient de signer deux livres, mais à l'un des rédacteurs plus volontairement et nécessairement anonyme du groupe *Tel Quel*. Disons que j'interroge le *scripteur* (le mot présente un aspect rébarbativement technique, mais il a le mérite de couper court à l'éloquence néo-romantique qui divinise l'écrivain, en fait un *créateur*) dont l'écriture ne se veut que l'un des tracés de ce vaste et ininterrompu dialogue constitué par une écriture dite *plurielle*.
Tel Quel, vous en conviendrez aisément, est depuis ces derniers temps l'objet d'une contestation massive. Quelle en est la raison ? Refus de ce que vos contempteurs appellent un jargon ? Ou inquiétude devant ce qui, dans votre travail, tend à s'inscrire dans une perspective marxiste puisqu'il semble, à vous lire depuis un certain nombre de numéros de la revue, que la référence au matérialisme dialectique soit des plus insistantes ?

Tel Quel a toujours été attaqué. Cependant, pour comprendre la violence depuis quelque temps redoublée de ces attaques, il faut aller directement au fait suivant : la revue est en plein fonctionnement, non seulement matériel — augmentation du tirage, influence croissante (surtout à l'étranger, puisqu'une édition italienne paraît ces jours-ci) — mais surtout théorique, à l'intérieur d'un développement de plus en plus serré de sa réflexion. Vous savez de quelle idéologie profondément réactionnaire, décadente et pour tout dire exténuée, la " littérature " est, dans notre société, le symptôme actif. Bien entendu, ce symptôme renvoie à l'ensemble de l'idéologie bourgeoise qui ne manque pas " d'écrivains " destinés à mimer son passé classique romantique ou naturaliste : cela va du stendhalien agité à l'esthète crépusculaire, en passant par toutes les variantes d'un fonctionnariat multiple. Pour une telle *économie*, il s'agit de comprendre ce que *Tel Quel* signifie : l'annonce d'une dévaluation. Il ne faut donc pas s'étonner si notre travail — qui commence maintenant à s'étendre, à s'approfondir, à produire des effets de plus en plus irréversibles — provoque souvent des réactions acharnées. Il ne peut en être autrement. D'emblée, en mettant l'accent sur le *texte*, sur ses déterminations historiques et son mode de production; en dénonçant systématiquement la valorisation métaphysique des concepts " d'œuvre " et " d'auteur "; en mettant en cause l'expressivité subjective ou soi-disant objective, nous avons touché les centres nerveux de l'inconscient social dans lequel nous vivons et, en somme, la distribution de la propriété symbolique. Par rapport à la " littérature ", ce que nous proposons veut être aussi subversif que la critique faite par Marx de l'économie classique. Vous vous souvenez de la préface du *Capital* : " Sur le terrain de l'économie politique, la *libre et scientifique recherche* rencontre bien plus d'ennemis que dans les autres champs d'exploration. La nature particulière du sujet qu'elle traite soulève contre elle et amène sur le champ de bataille les passions les plus vives, les plus mesquines et les plus haïssables du cœur humain, toutes les furies de l'intérêt privé. " Les accusations de *jargon* ou de *dogmatisme* qui nous sont adressées sont ainsi le résultat d'une atteinte à un secteur tabou, un mythe, de l'idéologie bourgeoise : la " création artistique " dans ses corrélations structurales avec l'économie qui la fonde. *Jargon* : c'est par ce mot que toute idéologie inconsciente réagit devant la méthode rigoureuse qui la met à jour (que ce soit pour la circulation de la monnaie ou pour celle, avec Freud, du sexe). *Dogmatisme* : " Ce terme, écrit Lénine, a une saveur toute particulière : c'est le mot dont les idéalistes et les agnostiques usent le plus volontiers contre le matérialisme. " Supposez maintenant qu'il s'agisse de la circulation du *sens*, à l'œuvre dans toute production de langage et particulièrement au niveau de ces organismes hautement différenciés que sont les textes. Proposer une analyse de cette production, non pas comme réalisation d'objets transparents et clos, mais comme transformations d'éléments réels, va provoquer le même scandale : en effet, on substitue alors à un symbolisme expressif la forme d'un procès, d'un montage, d'un déchiffrement. Par rapport à la culture, c'est aussitôt une transgression, une révolution.

2. Comment concevez-vous cet appareil de production, cet organisme triadique (groupe / revue / livre) qu'est *Tel Quel*, et quelle place assignez-vous au nom propre au sein de cet organisme ?

Ce rôle du *nom* a en effet une grande importance, et il demande à être pensé précisément dans une pratique et une théorie du texte. Une analyse particulièrement précise de ce rôle dialectique a été faite par Pleynet dans son livre sur Lautréamont. Si vous voulez, nous pensons — et c'est là une réactivation en même temps qu'un dépassement d'une problématique déjà ancienne marquée par les groupes formalistes ou surréalistes — que, par définition, l'écriture doit s'inscrire dans les intervalles entre les individus qui se livrent à son expérience et comme de l'un à l'autre, en retrait de chaque personnalisation qui n'est jamais, au fond, qu'un effet de marché. Le texte appartient à tous, à personne, il ne saurait être un produit fini mais doit au contraire constituer l'indice d'une productivité qui comporte aussi son effacement, son annulation. Bien entendu, nous agissons à l'intérieur d'un système social qui, dans sa détermination accumulative, est la négation, la lettre morte, de ce type de fonctionnement. Cela suppose un ensemble réglé de compromis sans lesquels notre activité serait simplement utopique. Le groupe, la revue, les livres sont en cela la forme extérieure palpable et, si l'on peut dire, consciemment freinée d'un processus dialectique en cours. C'est d'ailleurs cet « en cours » qui provoque les dénégations les plus fortes. Dans la pratique, cela signifie que toute signature n'est, à *Tel Quel*, que l'apparence d'un travail plus général susceptible de provoquer de nouvelles signatures en restant fondamentalement anonyme. De même, le système de lecture indiqué est celui d'un rapport entre les textes produits dans différents champs et la forme implicite de leurs jonctions calculées, muettes.

3. Un sous-titre est apparu sur la page de couverture de *Tel Quel* : Science / Littérature. C'est, je crois, l'une de vos préoccupations essentielles, aujourd'hui, de mettre en lumière les rapports qu'entretiennent la théorie et la pratique. Que cherchez-vous par là ?

Bien entendu, il ne s'agit pas — comme nous en accuse, dans un sursaut humaniste, la vieille conception expressive et subjectiviste du langage — de réduire la pratique à la théorie ou, pire, d'illustrer par la pratique (narrative, " poétique ") une théorie préalable. *Théorie* doit être pris ici, dans le sens que lui donne, de façon décisive, Althusser : c'est " une forme spécifique de la pratique ". C'est pourquoi il est dit dans le *Programme* qui ouvre *Logiques* " qu'il est devenu impossible (...) de faire de l'écriture un objet pouvant être étudié par une autre voie que l'écriture même (son exercice dans certaines conditions) ". Comme nous pensons que ce qui a été appelé " littérature " appartient à une époque close laissant place à une science naissante, celle de l'écriture, cette pratique théorique, redoublant et pensant la pratique textuelle dans ses effets formels nouveaux, est devenue indispensable. D'autre part, la dialectique matérialiste est ici, comme l'écrit Althusser : La " seule méthode qui puisse anticiper une pratique théorique en dessinant ses conditions formelles. " Citons encore ce texte fondamental de *Pour Marx* : " La seule Théorie capable (...) de critiquer l'idéologie dans tous ses déguisements, y compris les déguisements des pratiques techniques en sciences, c'est la Théorie de la pratique théorique (en sa distinction de la pratique idéologique) : la dialectique matérialiste, ou matérialisme dialectique marxiste dans sa *spécificité*. " Nous appelons *écriture textuelle* le lieu de ce travail entre une pratique scripturale et sa théorie. Deux séries de travaux viennent en ce point soutenir notre tentative : ceux de Jacques Derrida qui viennent de bouleverser pour longtemps toute la tradition de la pensée métaphysique de l'écriture, et ceux de Julia Kristeva visant à fonder théoriquement la recherche sémiotique.

4. Venons-en, si vous le voulez, à *Logiques* et à *Nombres*. Acceptez-vous les désignations conventionnelles de *roman* pour *Nombres*, d'*essais* pour *Logiques*, ou l'un et l'autre livres constituent-ils un même espace à l'intérieur duquel, néanmoins, deux écritures sont en interaction dialectique ?

Logiques n'est ni un essai ni un recueil. C'est un appareil, une sorte de machine de lecture destinée à mettre en place, historiquement, une théorie des exceptions. Les textes qui s'y trouvent doivent donc tous être lus les uns en fonction des autres, et cela implique que les organismes formels traités sont amenés sur un terrain où ils ne devraient pas en principe se rencontrer : ainsi Dante et Sade, Mallarmé et Georges Bataille. Chaque fois, une expérience irréductible est en jeu, chaque fois dans sa complexité, apparaît cependant une problématique commune. Cette communauté est en fait l'histoire de la censure dont ces textes ont fait l'objet de la part d'une même idéologie ou, plutôt, d'une série d'idéologies profondément solidaires. Désignons, si vous voulez, par *linéarité* le trait constant de ces idéologies incapables de reconnaître un texte comme texte. A travers les expériences qui sont ici parcourues, réécrites, c'est l'extérieur de la bibliothèque qui amorce son déploiement. On entre ainsi dans une sorte d'immensité écrite que la culture — instance nécessaire de refoulement — aurait eu seulement pour fonction de ramener dans la ligne, d'éteindre. Quant à *Nombres* c'est bien un *roman*, en ceci que le procès narratif y est à la fois radiographié et porté au-delà de lui-même. C'est un roman qui vise à rendre impossible l'exploitation romanesque et ses effets mystifiants. *Nombres* et *Logiques* sont à lire simultanément et dialectiquement. Dans le premier texte, la fiction opère comme ouverture d'une scène, dont le second texte donne le mode d'animation.

5. Quels critères vous ont fait retenir, pour les étudier, les « œuvres » de Dante, Sade, Lautréamont, Mallarmé, Artaud, Bataille ? Vous déclarez dans *Programme*, ce texte liminaire qui ouvre *Logiques*, que ces exclusions de *textes-limites* donnent « l'indication d'une écriture textuelle comme histoire réelle ». Quel est le nouveau type d'*historicité* dont vous tentez de jeter les bases au cours de vos *lectures logiques* ?

Ce choix n'est compréhensible que sur le fond d'une théorie générale de l'écriture et il faut renvoyer, là encore, aux travaux révolutionnaires de Derrida. On peut dire que cette théorie exercée dans sa rigueur opératoire donne accès à l'envers de la littérature et permet de reconnaître dans son histoire un certain nombre de coupures particulièrement importantes. Les textes choisis se trouvent ainsi en position de charnières : d'un côté ils nous « parlent », ils hantent notre discours qui est obligé de leur faire une place en les déformant; de l'autre, et ceci dans leur lettre même, ils sont tournés vers une autre économie que celle qui nous sert à penser habituellement l'histoire comme *expression*, ils restent illisibles. L'histoire réelle — c'est-à-dire matérialiste — ne saurait se passer d'un *matérialisme sémantique* (d'où l'exergue de Lénine : « Histoire de la pensée : histoire du langage ? ») qui, s'il était fondé, ouvrirait un champ de recherche très vaste. Ce qui est contesté, ici, c'est l'histoire linéaire qui a toujours asservi le texte à une représentation, un sujet, un sens, une vérité; qui réprime sous les catégories théologiques de sens, de sujet et de vérité l'énorme travail à l'œuvre dans les textes-limites. Ces limites me paraissent pouvoir être caractérisées par les noms que l'histoire linéaire — celle dans laquelle nous parlons — leur a donnés : mystique, érotisme, folie, littérature, inconscient. Il est temps, non pas de célébrer comme le surréalisme l'a fait intuitivement, mais d'interroger systématiquement ces appellations, de faire surgir la pensée qui s'y trouve enfermée et réservée sous forme d'alibi commode. Or je pense que le trait distinctif de cette pensée est la multidimensionnalité, celle, précisément, que l'écriture, et non la parole, découvre et entraîne. L'histoire de cette production spécifique reste à faire et à intégrer au procès de l'histoire en général. En effet, immédiatement, cette histoire *textuelle* déchiffre l'histoire expressive (chrétienne) qui croit pouvoir se passer de la profondeur écrite. Dans tous les textes en question, la théorie de l'écriture est là, immanente, à l'épreuve : mais elle est perçue en général comme délire, fantasme, poésie, hermétisme, déviation individuelle, etc. Alors que si l'on change le système de lecture, si on fait de la lecture le geste de l'écriture mise en jeu par ces textes, si on cesse de les faire représenter pour en saisir à la fois l'articulation et la consumation, tout devient clair. La coupure décisive — celle qui agit rétroactivement et dans le futur — est ici Lautréamont / Mallarmé, corollaire de celle Marx / Freud. Ensuite, on peut dire que tout recommence et commence.

6. *Nombres*. La présence des signes de l'écriture chinoise et les citations répétées du *Tao* autorisent-elles à voir dans le choix de ce qui semble être la *structure en carré* de votre livre, une allusion voulue, précise, opératoire à la lointaine civilisation chinoise (l'une des plus matérialistes qui fut), laquelle concevait l'espace, et la Terre plus précisément, comme un carré (secteurs se touchant par les pointes et s'unissant au centre du carré ou carrés emboîtés) ? A quelle nécessité profonde répond ce choix d'une telle structure ?

Déjà *Drame* était construit sur la matrice structurale du *Yi-King* : soixante-quatre séquences alternativement impaires et paires, divisées entre *il* et *je* (entre une ligne simple et une ligne brisée s'engendrant réciproquement à la fois au niveau signifié et signifiant). La référence à la civilisation chinoise est d'autant plus importante qu'en effet nos présupposés métaphysiques n'y sont fondés ni dans la langue ni, par conséquent, dans l'idéologie. Vous connaissez la conclusion célèbre de Granet qu'il faut interpréter au niveau précisément structural : " Je me bornerai à caractériser l'esprit des mœurs chinoises par la formule : Ni Dieu, ni Loi. " Ce qu'il faut comprendre, c'est que nous sortons ici de la mécanique expressive qui nous est habituelle : " Le mot, écrit Granet, de même qu'il ne correspond pas à un concept, n'est pas non plus un simple signe. Ce n'est pas un signe abstrait auquel on ne donne vie qu'à l'aide d'artifices grammaticaux ou syntactiques. Dans sa forme immuable de monosyllabe, dans son aspect neutre, il retient toute l'énergie impérative de l'acte dont il est le correspondant vocal — dont il est l'emblème. " D'autre part, il est immédiatement visible que le fait de ne pas employer une écriture phonétique suppose une tout autre économie que celle dans laquelle nous nous produisons. Ce sont là des évidences ignorées tant est grande notre confiance naïve dans l'impérialisme de notre culture.

Le carré, c'est en effet l'espace, et la terre. C'est en fait la matrice du texte, sa figure de base, son mode de régulation scénique. Il contrôle les permutations des nombres qui sont touchés par l'écriture ramenée à son rythme fondamental.

> 7. *Nombres* s'ouvre sur un acte de *consumation* et se clôt sur un acte de *consumation* (*Drame* déjà, à sa dernière page, brûlait). A l'espace écrit du livre, ne correspond-il pas une sorte de *durée cyclique* ? Par ailleurs, vers le premier quart de *Nombres*, vous citez la première phrase du *Parc*. Ne peut-on considérer vos romans comme une série d'anneaux pris les uns dans les autres, aussi comme des " centres, pour reprendre la belle définition de Granet, autour d'une sorte de point temporaire d'émanation " ? A quoi correspond l'alternance des temps : imparfait / présent ?

Le texte est engagé rapidement dans un processus de dépense. Il brûle à tous les niveaux, il n'apparaît que pour s'effacer et réciter cette apparition qui s'efface. Il est donc le contraire d'une structure pleine, close, achevée, figée. En se développant, en se transformant en racontant sa propre génération dans le temps excentrique de l'écriture, on peut dire alors qu'il a lieu " dehors ". Dehors : ce mot indique la possibilité d'une extériorité définitive par rapport aux couples intérieur / extérieur, subjectif / objectif, etc. Le texte n'est localisable ni dans une tête, ni dans un monde, ni dans une langue et ainsi son espace, son temps, sont soumis à un fonctionnement numérique, à une topologie dont l'image la plus concrète serait, si vous voulez, la « bande de Moebius » telle que Lacan l'amène au niveau du mythe collectif. Quand Lacan écrit, par exemple : « Cette extériorité du symbolique par rapport à l'homme est la notion même de l'inconscient », il vise le lieu de ce fonctionnement textuel, sa « batterie signifiante ».

Ce temps et cet espace écrits sont donc très singuliers et peuvent englober des régions textuelles multiples. Par exemple, *le Parc* et *Drame* deviennent en effet des anneaux, des groupes réactivés ou réinvestis dans leur matérialité même dans un texte nouveau. Ou encore des sous-ensembles de l'ensemble produit par *Nombres*. D'autre part, le jeu entre imparfait et présent (trois séquences à l'imparfait, une séquence au présent) structure l'inégalité du rapport entre histoire et discours : un récit vient du passé se faire déchiffrer sur la scène présente de la lecture elle-même comprise dans le théâtre de l'écriture qui fait pour ainsi dire arriver le texte depuis le futur. Il s'agit donc, à la lettre, d'une machine à désintégrer le temps, à pulvériser l'espace.

8. Le terme *Nombres* semble ne pas pouvoir être pris dans son sens de quantités mais plutôt de *fonctions logiques*. Là encore, la référence au pôle *Orient* de ce « *dialogue* » que paraît-il vous instituez entre Orient et Occident est éclairant (le mot « dialogue » est acceptable à condition de bien marquer avec quelle violence ce dialogue s'inscrit dans notre histoire contemporaine) : le *nombre* ou *chiffre du texte*, « produit produisant (à son tour producteur) » comme il est dit dans le *Yi-King*...

Il est impossible de ne pas être frappé par la remarquable convergence entre certains travaux marginaux tendant ici à ébranler la métaphysique occidentale (platonicienne) et la pensée orientale telle que, pour la connaître, nous devons l'arracher à sa traduction spiritualiste falsifiée. Ce qui se produit un peu partout, mais surtout dans les pays anglo-saxons (protestants), c'est-à-dire la fascination de la drogue du bouddhisme, etc., n'est que la parodie limitée et inversée d'un travail réel (dont un exemple est fourni, dans le dernier numéro de *Tel Quel*, par la méthode d'un sémioticien soviétique, Mäll). La question posée par l'Orient en révolution (en guerre) est une question que l'Occident se pose sur ses racines mêmes. Ainsi du nombre : la signification du zéro, les nombres transfinis, etc. Pour la culture chinoise le nombre joue — a joué, parallèlement à la pensée scientifique — un rôle mythique des plus importants. Il m'a semblé que le " pont " entre Orient et Occident se situait à ce niveau non pas abstrait mais concrétisé par un rendement linguistique massif. *Nombres :* sous ce titre, un faisceau extrêmement complexe de significations précisément trans-culturelles, trans-linguistiques apparaît. En ce sens, le texte imprimé, par son geste même, renvoie à un espace producteur où les mots sont, non pas les lettres ou les chiffres d'*autre chose*, mais les marques d'un calcul constant engendrant le texte, l'annulant et le relançant — comme les corps dans ce que nous appelons le monde. D'où la " rencontre " entre un passage d'*Heliogabale* (d'Artaud) ou un fragment de Frege avec tel texte védique ou chinois.

9. Il y a, pour parler sommairement, plusieurs *niveaux* dans votre roman (linguistique / sexe / économie politique / sciences mathématiques, logiques, astronomiques) qui sont aisément repérables par les citations que vous faites. Comment jouent ces niveaux les uns par rapport aux autres ? J'aimerais que vous insistiez particulièrement sur ce qui concerne le corps, le sexe, car il me semble que c'est là un des points les plus sensibles de l'idéologie de notre Occident chrétien.

Les fragments lisibles entre guillemets ne sont pas des citations mais des prélèvements opérés sur des tissus textuels différents pour montrer que le texte global est précisément le lieu de structuration de leurs différences. Le concept d'*inter-textualité* (Kristeva) est ici essentiel : tout texte se situe à la jonction de plusieurs textes dont il est à la fois la relecture, l'accentuation, la condensation, le déplacement et la profondeur. D'une certaine manière, un texte vaut ce que vaut son action intégratrice et destructrice d'autres textes. Le travail qui s'opère ainsi reste implicite mais suppose un nombre d'opérations considérables. Si le sexe est en effet le metteur en scène de cette productivité, ce n'est évidemment pas un hasard. Le sexe et l'écriture sont liés de telle façon que l'un est sans cesse la métaphore de l'autre, c'est là le lieu d'un renversement constant. Perdre de vue cette productivité, c'est aussitôt, dans notre culture, être déporté dans une phénoménologie mentaliste et décorative. Dans *Nombres*, le morcellement corporel, le fait que le corps soit écrit dans son démembrement permanent et son effervescence cellulaire, constitue une attaque en règle du conditionnement idéaliste du corps comme image, parole et identité. Le corps est infiniment plus que ce que nous croyons ou pensons. Nous habitons sur un de ses versants comme sur le flanc d'un volcan — et c'est ce que nous appelons vivre. D'où l'importance d'une recherche comme celle de Georges Bataille que j'ai essayée, contre toutes les déviations dont elle est victime, d'analyser dans *le Toit* (*Logiques*).

> 10. Je reviens à la question des *citations*. Elles sont, dans *Nombres*, variées, empruntées à des textes les plus dissemblables et, cependant, ce qui me frappe, c'est la façon dont elles s'inscrivent, se *fondent* le plus naturellement possible dans votre écriture (nous sommes à l'opposé des techniques de *collages*). Ainsi passe-t-on sans heurts d'un texte de Marx à un texte d'Artaud, du *Tao* ou de Lucrèce, à une définition appartenant aux mathématiques modernes... L'unité se fait sentir même au niveau du lexique, de la syntaxe... Ces citations une fois choisies, à quel travail les avez-vous soumises ?

Le texte est à la fois un processus de transformation surdéterminé par l'économie scripturale, et selon la formule d'Althusser, une " structure à contradictions multiples et inégales ". Aucune autre définition ne lui convient mieux, finalement, que ce fragment de Lénine dans ses *Cahiers sur la Dialectique :* " Le fleuve et les gouttes dans le fleuve. La situation de chaque goutte, son rapport, avec d'autres ; son lien avec d'autres ; la direction de son mouvement... La vitesse, la ligne... La somme du mouvement... des courants particuliers. Le mouvement du fleuve, l'écume en haut, les courants profonds en bas... " On obtient ainsi une structure profonde et une structure superficielle (pour reprendre les termes de Chomsky) — et les prélèvements sur d'autres textes sont littéralement emportés par le courant qui s'écrit, ils jouent le rôle de " paroles ", le rôle que jouaient, si vous voulez, les personnages et les dialogues dans le roman classique. J'insiste sur le fait qu'il ne s'agit pas de citations : une citation est une sorte d'insigne qu'un auteur arbore comme autorité afin de mieux fonder la valeur de ce qu'il dit : cela se passe entre un nom et un nom. Alors qu'ici, nous sommes dans un milieu — physique, électronique, chimique, biologique — anonyme. Les guillemets annoncent seulement un redoublement historique du texte. Les jonctions ont lieu à la fois au niveau signifiant (phonique) et au niveau signifié (conceptuel, idéologique). Oui, c'est le rapport entre un fleuve et ses gouttes, entre un ensemble de phrases et des mots, entre ces phrases elles-mêmes et le mouvement qui les porte. Cependant, il y a un choix très précis : la plupart des textes traités appartiennent à un espace occulté par notre culture et, en général, matérialiste. Ainsi le *De Natura Rerum* et le *Capital*. Le point commun de tous ces acteurs est d'avoir été déformés ou refusés par le système chrétien : ainsi Bruno, Spinoza, Artaud... C'est un hommage rendu à un certain " enfer " de notre pensée. Par ailleurs, les injections scientifiques sont là pour montrer qu'il ne s'agit pas d'un espace théologique, que sa fonction est celle d'un préparateur à la connaissance : c'est ce que devrait devenir la " littérature ". Ce préparateur implique donc un ensemble multiplicateur de *coupes* où une face se dérobe sans cesse sur une autre face, une sorte de *cube moteur* travaillant les volumes ouverts.

11. Vos " séquences " d'écriture se trouvent souvent comme " court-circuitées " par des idéogrammes de l'écriture chinoise. On pense à Pound, bien sûr, à ses *Cantos*, mais on pressent que chez vous ces signes ont une tout autre fonction opératoire. Laquelle ? Quelle est leur utilité, par ailleurs, pour qui ne connaît pas leur traduction ?

L'utilisation de Pound a surtout une valeur historique car elle correspond davantage à une intention décorative, exotique, archaïque, féodale qu'à un calcul significatif. (Suivant la théorie, d'ailleurs idéaliste, de Fenollosa, il ne retient surtout de l'écriture chinoise que sa charge " représentative " : on pourrait démontrer la limitation obligatoire qui s'ensuit sur les trois plans simultanés de l'économique, du politique et de l'esthétique.) Ici, au contraire, les idéogrammes font partie de la narration ; ils jouent comme force graphique de base sur laquelle vient se briser l'écriture phonétique, ils la traduisent dans ses effets terminaux (de telle façon qu'un membre de phrase *saute* ainsi du français au chinois). Les signes gardent quelque chose de la main qui les a tracés, ils forment d'autre part une matrice organique : sang, cosmos, nombres, écriture, histoire, masses, révolution... Nous parlons, pensons, écrivons à l'intérieur d'un lexique fini ; le chinois, vous le savez, possède au moins 49 000 caractères (ainsi en décide le grand dictionnaire de 1716) qui sont à la fois des morphogrammes, des dactylogrammes, des agrégats logiques, des morpho-phonogrammes, des caractères à déplacements ou emprunts. Rien ne s'oppose, en principe, à ce que ce chiffre ne soit pas augmenté. Une complexité extrême a donc lieu dans ce champ en quelque sorte autonome ou en prise directe et indéfinie avec le réel, qui évoque pour nous plutôt celui du théâtre et du rêve. L'écriture du texte essaie d'atteindre ce champ dans son rendement propre (rythmes, rimes). Les traces chinoises, même si on en reçoit seulement le choc inconscient, sont là pour marquer en somme le *retour du refoulé*, un fonctionnement qui frappe à la fois de l'intérieur et de l'extérieur (*avant* la représentation ou *après* elle) notre système linguistique et commence à le repenser, à le dépasser. 自然相生

> 12. Ce qui ne va pas manquer de retenir l'attention de vos lecteurs, c'est évidemment le caractère *politique* de votre roman. Il faut dès maintenant dire que ces thèmes politiques, pas plus que les autres, ne sont " plaqués " sur une trame romanesque qui leur serait étrangère. Au contraire,on a l'impression, et c'est cela qui est important, que c'est l'*économie* même de votre écriture qui suscite ces thèmes ?

La pensée à l'œuvre dans ce texte n'étant pas individuelle, mais collective ; le processus d'écriture étant celui non pas d'une fixation, d'une représentation, d'un collage, mais d'une transformation ; il est inévitable que se produisent en surface des effets de signification politique précis. Toute écriture, qu'elle le veuille ou non, est politique. L'écriture est la continuation de la politique par d'autres moyens. Ces moyens, il faut le souligner, sont spécifiques, et peuvent donner lieu à diverses manifestations. Ici, il s'agit de réactiver la nécessité de la lutte révolutionnaire à partir d'une élaboration extrêmement détaillée et profonde (à l'opposé de la profération, de la propagande, de la phraséologie courantes). Si ce texte " reflète " la situation historique, il construit en même temps dynamiquement ce reflet comme un tout complexe et irréductible à une simple image. Voici, par conséquent, la " leçon " du texte :

1. Les infrastructures (travail signifiant) sont déterminantes dans l'élaboration des superstructures (" significations ") et le lecteur doit *renverser* sa lecture puisqu'il prend d'abord contact avec

une surface dont il n'aperçoit pas les déterminations. Ce niveau modèle les rapports économie-idéologie.

2. L'accomplissement de la lutte révolutionnaire — pour être réellement inscrite — suppose une épaisseur et une profondeur textuelles intenses, une pensée de masses trouvant ses *cribles* linguistiques nouveaux liés à la lutte de classes. Cette lutte, comme le langage, est *infinie*.

3. L'écriture et la révolution font cause commune l'une donnant à l'autre sa recharge signifiante et élaborant, comme arme, un mythe nouveau : c'est ce qui, dans *Nombres*, est appelé le *récit rouge*, un récit qui porte à la fois la couleur du sang et du seul parti possible dans l'histoire en cours. 革命

1968.

LA SEMIOLOGIE : SCIENCE CRITIQUE ET / OU CRITIQUE DE LA SCIENCE

Dans un mouvement décisif d'auto-analyse, le *discours* (scientifique) se retourne aujourd'hui sur les *langages* pour dégager leurs (ses) modèles.

Autrement dit, puisque la pratique (sociale : c'est-à-dire l'économie, les mœurs, l'art, etc.) est envisagée comme un système signifiant " structuré comme un langage ", toute pratique peut être scientifiquement étudiée en tant qu'un *modèle secondaire* par rapport à la langue naturelle, modelée sur cette langue et la modelant [1].

C'est en ce lieu justement que la sémiologie s'articule ou plutôt, actuellement, *se cherche*.

Nous essayerons ici de dégager quelques-unes de ses particularités qui lui assignent une *place précise* dans l'histoire du *savoir* et de l'*idéologie* telle qu'à notre avis ce type de discours marque massivement le procès de subversion culturelle que notre civilisation est en train de subir. Particularités qui expliquent l'hostilité mal camouflée de la parole (de la " conscience ") bourgeoise dans ses multiples variantes (de l'esthétisme ésotérique au scientisme posiviviste, du journalisme " libéral " au " militantisme " borné) qui déclarent cette recherche " obscure ", " gratuite ", " schématique " ou " appauvrissante " quand elles ne récupèrent pas comme une marge inoffensive les produits mineurs dont une investigation en cours ne manque pas d'avorter.

Face à l'expansion (et à la contestation) de la sémiologie, une théorie de sa démarche est nécessaire qui la situerait dans l'histoire de la science et de la pensée sur la science, et qui rejoindrait la recherche que le marxisme est le seul à entreprendre aujourd'hui avec autant de sérieux dans les travaux de (et inspirés de) L. Althusser.

1. Cf. " *Troudy po znakovym sistemam* " (*Travaux sur les systèmes signifiants*), Tartu, Estonie, U. R. S. S., 1965.

Les notes qui suivent ne sont qu'une *anaphore* (qu'un geste d'indication) de cette nécessité. Nous parlerons donc moins de ce que la sémiologie *est* que de ce qu'elle nous semble *pouvoir faire*.

1. LA SÉMIOLOGIE COMME MODELAGE.

La complexité du problème commence dès la définition de cette recherche nouvelle. Pour Saussure qui a introduit le terme (*Cours de linguistique générale*, 1916) la sémiologie devrait désigner une vaste science des signes dont la linguistique ne serait qu'une partie. Or, on s'est aperçu dans un second temps que, quel que soit l'objet-signe de la sémiologie (geste, son, image, etc.), il n'est accessible à la connaissance qu'à travers la langue[2]. Il s'ensuit que la " linguistique n'est pas une partie, même privilégiée, de la science générale des signes, c'est la sémiologie qui est une partie de la linguistique : très précisément cette partie qui prendrait en charge les *grandes unités signifiantes du discours*[3] ".

Nous ne pourrons pas aborder ici les avantages et les désavantages de ce renversement[4] à nos yeux très pertinent et qui est appelé à son tout à être modifié en raison des ouvertures mêmes qu'il a permises. Suivant J. Derrida, nous signalerons les limitations scientifiques et idéologiques que le modèle *phonologique* risque d'imposer à une science qui vise à modeler des pratiques *translinguistiques*. Mais nous retiendrons le geste de base de la sémiologie : elle est une *formalisation*, une *production de modèles*[5]. Aussi, lorsque nous disons *sémiologie* penserons-nous à l'élaboration (qui d'ailleurs reste à faire) de *modèles* : c'est-à-dire de *systèmes formels* dont la structure est isomorphe ou analogue[6] à la structure d'un autre système (du système étudié).

2. " Le sémiologique est appelé à trouver tôt ou tard le langage (le " vrai "), sur son chemin, non seulement à titre de modèle, mais aussi à titre de composant, de relais ou de signifié " (R. Barthes, *le Degré zéro de l'écriture*, Éléments de sémiologie, Bibl. Médiation, Paris, 1965).

3. *Ibid.*

4. Cf. à ce propos la critique de J. Derrida, *De la Grammatologie*, Éd. de Minuit, 1967.

5. Cf. A. Rosenbluth and W. Wiener, " The role of models in science ", *Philosophy of Science*, 1945, vol. 12, nº 4, p. 314. Notons le sens étymologique du mot " modèle " pour préciser, en bref, le concept : lat. *modus* = mesure, mélodie, mode, cadence, limite convenable, modération, façon, manière.

6. La notion d'*analogie* qui semble choquer les consciences puristes, doit être prise ici dans son sens sérieux et que Mallarmé définissait " poétiquement " ainsi : " Tout le mystère est là : établir des identités secrètes par un deux à deux qui ronge et use les objets, au nom d'une centrale pureté. "

Autrement dit, dans un troisième temps la sémiologie s'élaborerait comme une axiomatisation des systèmes signifiants, sans se laisser entraver par ses rapports de dépendances épistomologiques avec la linguistique, mais en empruntant à des sciences formelles (la mathématique, la logique qui du coup sont ramenées au statut de *branches* de la vaste " science " des *modèles du langage*) ses modèles que la linguistique, en retour, pourrait adopter pour se renouveler.

Dans ce sens, plutôt que d'une sémiologie nous parlerons d'un *niveau sémiologique* qui est le niveau d'axiomatisation (de la formalisation) des systèmes signifiants [7].

Ayant défini la sémiologie comme une production de modèles nous avons désigné son *objet*, mais en même temps nous touchons à la particularité qui la distingue parmi les autres " sciences [8] ". Les modèles que la sémiologie élabore, comme les modèles des sciences exactes, sont des *représentations* [9] et comme telles se réalisent dans des coordonnées spatio-temporelles. Or, — et voici surgir la distinction d'avec les sciences exactes, — la sémiologie est aussi la production de la *théorie* du modelage qu'elle est : une théorie qui en principe peut aborder ce qui n'est pas de l'ordre de la représentation. Évidemment, une théorie est toujours implicite dans les modèles de chaque science. Mais la sémiologie *manifeste* cette théorie, ou mieux elle n'est pas sans cette théorie qui la constitue, c'est-à-dire qui constitue à la fois (et à chaque fois) son *objet* (donc le *niveau sémiologique* de la pratique étudiée) et son *outil* (le type de modèle qui correspondrait à une certaine structure sémiologique désignée par la théorie). A chaque cas concret de la recherche sémiotique, une réflexion théorique dégage le mode de fonctionnement signifiant qu'il s'agit d'axiomatiser, et un formalisme vient représenter ce que la théorie a dégagé. (Notons que ce mouvement est synchronique et dialectique, et nous ne le disons diachronique que pour les buts de la commodité de la représentation.)

La sémiologie est ainsi un type de pensée où la science se vit (est consciente) du fait qu'elle est une théorie. A chaque moment où elle se produit, la sémiologie pense son objet, son outil et leur

7. " On pourrait dire que le sémiologique constitue une sorte de signifiant qui, pris en charge par un palier analogique quelconque, articule le signifié symbolique et le constitue en réseau de significations différenciées " (A. J. Greimas, *Sémantique structurale*, Larousse, 1966).

8. La démarche classique distingue entre sciences naturelles et sciences de l'homme et considère comme sciences " pures " celles-là plutôt que celles-ci.

9. " Le modèle est toujours une représentation. Le problème est : qu'est ce qui est représenté et comment apparaît la fonction de la représentation " (G. Frey, " Symbolische und ikonische Modelle " in *Synthese*, 1960, vol. XII, nº 2/3, p. 213).

rapport, donc *se* pense, et devient dans ce retour sur elle-même la *théorie de la science qu'elle est*. Ce qui veut dire que la sémiologie est chaque fois une réévaluation de son objet et / ou de ses modèles, une *critique* de ces modèles (donc des sciences auxquelles ils sont empruntés) et de soi-même (en tant que système de vérités constantes). Croisement des *sciences* et d'un *processus théorique* toujours en cours, la sémiologie ne peut pas se constituer comme *une* science et encore moins comme *la* science : elle est une voie ouverte de recherche, une critique constante qui renvoie à elle-même, c'est-à-dire qui s'autocritique. Étant sa propre théorie, la sémiologie est le type de pensée qui, sans s'ériger au système, est capable de se modeler (de se penser) soi-même.

Mais ce retour sur soi-même n'est pas un cercle. La recherche sémiologique reste une recherche qui ne trouve rien au bout de la recherche (" aucune clé pour aucun mystère ", dira Lévi-Strauss) que son propre geste idéologique, pour en prendre acte, le nier et repartir à nouveau. Ayant commencé avec comme *but* une *connaissance*, elle finit par trouver comme résultat de son trajet une *théorie* qui, étant elle-même un système signifiant, renvoie la recherche sémiotique à son point de départ : au modèle de la sémiologie elle-même pour le critiquer ou le renverser.

Ceci pour dire que la sémiologie ne peut se faire que comme une *critique de la sémiologie* qui donne sur autre chose que la sémiologie : sur l'*idéologie*. Par cette voie, que Marx a été le premier à pratiquer, la sémiologie devient dans l'histoire du savoir le lieu où se rompt cette tradition pour laquelle et dans laquelle " la science se présente comme un *cercle* fermé sur lui-même, la médiatisation ramenant la fin au commencement, qui constitue la base simple du processus; mais ce cercle est, en outre, un *cercle de cercles*; car chaque membre, en tant qu'animé par la méthode, est une réflexion-sur-soi qui, du fait qu'elle retourne au commencement, est elle-même commencement d'un nouveau membre. Les fragments de cette chaîne représentent les sciences particulières, dont chacune a un *avant* et un *après* ou, plus exactement, dont chacune n'a qu'un *avant* et montre son *après* dans le syllogisme même [10] ". La pratique sémiotique rompt avec cette vision téléologique d'une science subordonnée à un *système* philosophique et par là même destinée à devenir elle-même un système [11]. Sans devenir un système, le lieu de la sémio-

10. Hegel, *Science de la Logique*, t. II, p. 571, Aubier, 1949.
11. " Le contenu de la connaissance entre, comme tel, dans le cercle de nos considérations, car, en tant que déduit, il appartient à la méthode. La méthode elle-même s'élargit du fait de ce moment, pour devenir un *système* " (*ibid.*, p. 566).

logie en tant que lieu d'élaboration de modèles et de théories, est le lieu de contestation et d'auto-contestation : un " cercle " qui ne se referme pas. Sa " fin " ne rejoint pas son " commencement " mais le rejette, le fait basculer et s'ouvre à un autre discours, c'est-à-dire à un autre objet et à une autre méthode; ou mieux, il n'y a pas plus de fin que de commencement, le commencement est une fin et vice-versa.

Toute sémiologie, donc, ne peut se faire que comme critique de la sémiologie. Lieu mort des sciences, la sémiologie est la conscience de cette mort et la relance, *avec* cette conscience, du " scientifique "; moins (ou plus) qu'une science, elle est plutôt le lieu d'agressivité et de subversion du discours scientifique à l'intérieur même de ce discours. On pourrait soutenir que la sémiologie est cette "science des idéologies" qu'on a pu suggérer en Russie révolutionnaire [12], mais aussi une idéologie des sciences.

Une telle conception de la sémiologie n'implique aucunement un relativisme ou un scepticisme agnostique. Elle rejoint, par contre, la pratique scientifique de Marx dans la mesure où elle récuse un système absolu (y compris le système scientifique), mais garde la démarche scientifique, c'est-à-dire le processus d'élaboration de modèles doublé par la théorie qui sous-tend ces modèles. Se faisant dans le va-et-vient constant entre les deux, mais aussi en retrait par rapport à eux — donc du point de vue d'une prise de position théorique dans la pratique sociale en cours, une telle pensée met en évidence cette " coupure épistémologique " que Marx a introduite.

Ce statut de la sémiologie implique : 1° le rapport particulier de la sémiologie avec les autres sciences et plus spécialement avec la linguistique, la mathématique et la logique dont elle emprunte les modèles; 2° l'introduction d'une terminologie nouvelle et la subversion de la terminologie existante.

La sémiologie dont nous parlons se sert des modèles linguistiques, mathématiques et logiques et les *joint* aux pratiques signifiantes qu'elle aborde. Cette jonction est un fait théorique autant que scientifique, donc profondément idéologique et qui démystifie

12. " Pour la science marxiste des idéologies se posent deux problèmes fondamentaux : 1) les problèmes des particularités et des formes du matériel idéologique organisé comme un matériel signifiant. 2) le problème des particularités et des formes de la communication sociale qui réalise cette signification " (P. N. Medvedev, *Formallnî metod v literaturovedenîî. Kriticheskoïe vvedenie v sotsiologicheskuju poetiku.* (*La méthode formelle dans la théorie littéraire. Introduction critique à une sociologie de la poétique*, Leningrad, 1928). Nous reviendrons plus loin sur l'importance de cette distinction.

l'exactitude et la " pureté " du discours scientifique. Elle subvertit les prémisses exactes dont la démarche scientifique est partie, de sorte que, dans la sémiologie, la linguistique, la logique et la mathématique sont des " prémisses subverties " qui n'ont rien (ou qui ont très peu) à voir avec leur statut en dehors de la sémiologie. Loin d'être uniquement le stock d'emprunts de modèles pour la sémiologie, ces sciences annexes sont aussi l'*objet récusé* de la sémiologie, l'objet qu'elle récuse pour se construire explicitement comme une critique. Des termes mathématiques comme " théorème de l'existence " ou " axiome du choix "; physiques comme " isotopie "; linguistiques comme " compétence ", " performance " " génération " " anaphore "; logiques comme " disjonction ", " structure orthocomplémentaire ", etc. peuvent obtenir un sens décalé lorsqu'ils sont appliqués à un nouvel objet idéologique, tel par exemple l'objet que s'élabore une sémiologie contemporaine, et qui est différent du champ conceptuel dans lequel les termes respectifs ont été conçus. Jouant sur la " nouveauté de la non-nouveauté ", sur cette différence de sens d'un même terme dans différents contextes théoriques, la sémiologie dévoile comment la science naît dans une idéologie. " Le nouvel objet peut bien encore conserver quelques liens avec l'ancien objet idéologique, on peut retrouver en lui des *éléments* qui appartenaient aussi à l'ancien objet : mais le sens de ces éléments change, avec la nouvelle structure qui leur confère justement leur sens. Ces ressemblances apparentes, portant sur des éléments isolés, peuvent abuser un regard superficiel, qui ignore la fonction de la structure dans la constitution du sens des éléments d'un objet [13]... " Marx a pratiqué cette subversion des termes des sciences précédentes : la " plus-value " était pour la terminologie des mercantilistes " le résultat d'une majoration de la valeur du produit ". Marx a donné un nouveau sens au même mot : il a mis ainsi à jour " la nouveauté de la non-nouveauté d'une réalité figurant dans deux décisions différentes, c'est-à-dire dans la modalité de cette " réalité " inscrite dans deux discours théoriques [14]. "

Si l'approche sémiologique provoque ce renversement du sens des termes, pourquoi employer une terminologie qui a déjà un emploi strict ?

On sait que tout renouvellement de la pensée scientifique s'est fait à travers et grâce à un renouvellement de la terminologie : il

13. L. Althusser, *Lire le Capital*, II, p. 125.
14. *Ibid.*, p. 114.

n'y a d'invention à proprement parler que lorsqu'un terme nouveau apparaît (que ce soit l'oxygène ou le calcul infinitésimal). " Tout aspect nouveau d'une science implique une révolution dans les termes techniques (Fachonsdrücken) de cette science... L'économie politique s'est contentée en général de reprendre tels quels les termes de la vie commerciale et industrielle, et d'opérer avec eux, sans se douter que par là elle s'enfermait dans le cercle étroit des idées exprimées par ces termes [15]... " Considérant aujourd'hui comme passagers le système capitaliste et le discours qui l'accompagne, la sémiologie — lorsqu'elle pense la pratique signifiante dans son projet critique — se sert de termes différents de ceux qu'employaient les discours antérieurs des " sciences humaines ". Renonçant ainsi à la terminologie scientiste et subjectiviste, la sémiologie s'adresse au vocabulaire des sciences exactes. Mais, comme nous l'avons indiqué plus haut, ces termes ont une *autre* acception dans le nouveau champ idéologique que la recherche sémiotique *peut* se construire — une altérité à laquelle nous reviendrons dans ce qui suit. Cet usage de termes des sciences exactes n'enlève pas la possibilité d'introduction d'une terminologie totalement nouvelle, aux points les plus décisifs de la recherche sémiotique.

2. LA SÉMIOLOGIE ET LA PRODUCTION.

Jusqu'ici nous avons défini l'objet de la sémiologie comme un *niveau* sémiologique : comme une *coupe* dans les pratiques signifiantes telles que le signifié est modelé en tant que signifiant. Rien que cette définition suffit pour désigner la nouveauté de la démarche sémiotique par rapport aux " sciences humaines " précédentes, et à la science en général : une nouveauté par laquelle la sémiologie rejoint la démarche de Marx lorsqu'il présente une économie ou une société (un signifié) comme une permutation d'éléments (signifiants). Si, soixante ans après l'apparition du terme, on peut parler aujourd'hui d'une sémiologie " classique ", disons que sa démarche se suffit de la définition donnée ci-dessus. Il nous semble pourtant que nous nous situerons dans l'*ouverture permise* par la pensée de notre siècle (Marx, Freud, la réflexion husserlienne) si nous définissons l'objet de la sémiologie de façon plus subtile et comme il suit.

15. Engels, *Préface à l'édition anglaise du Capital*, 1866 (cité par L. Althusser, *op. cit.* p. 112).

La grande nouveauté de l'économie marxiste était, on l'a souligné à plusieurs reprises, de penser le social comme un *mode de production* spécifique. Le travail cesse d'être une *subjectivité* ou une *essence* de l'homme : Marx substitue au concept d'" une surnaturelle puissance de création " (*Critique de Gotha*) celui de la " production " vue sous son double aspect : procès de travail et rapports sociaux de production dont les éléments participent d'une combinatoire à logique particulière. On pourrait dire que les variations de cette combinatoire sont les différents types de *systèmes* sémiotiques. Ainsi la pensée marxiste *pose*, la première, la *problématique* du travail producteur comme caractéristique majeure dans la définition d'un système sémiotique. Ceci lorsque par exemple Marx fait éclater le concept de " valeur " et ne parle de valeur que " parce qu'elle est une cristallisation de travail social [16] ". Il va même jusqu'à introduire des concepts (" la plus value ") qui ne doivent leur existence qu'au travail *non mesurable*, mais qui sont mesurables uniquement dans leur effet (la circulation des marchandises, l'échange).

Mais si chez Marx la *production* est posée comme problématique et comme combinatoire qui détermine le social (ou la valeur), elle n'est étudiée que du point de vue du social (de la valeur), donc de la distribution et de la circulation des marchandises, et non pas de l'intérieur de la production elle même. L'étude que Marx poursuit est une étude de la société capitaliste, des lois de l'échange et du capital. Dans cet espace et pour les buts de cette étude, le travail se " réifie " en un objet qui prend une place précise (pour Marx, déterminante) dans le procès de l'échange, mais qui n'est pas moins examinée sous l'angle de cet échange. Ainsi Marx est amené à étudier le travail en tant que *valeur*, à adopter la distinction valeur d'usage / valeur d'échange et — toujours en suivant les lois de la société capitaliste — n'étudie que cette dernière. L'analyse marxiste porte sur la *valeur d'échange*, c'est-à-dire sur le *produit du travail* mis en circulation : le travail advient dans le système capitaliste comme valeur (quantum de travail) et c'est comme telle que Marx en analyse la combinatoire (force de travail, travailleurs, maîtres, objet de production, instrument de production). Aussi lorsqu'il aborde le travail lui-même et entreprend des distinctions à l'intérieur du concept " travail ", il les fait du point de vue de la circulation : circulation d'une utilité (et alors le travail est *concret* : " dépense de la force humaine sous telle ou telle forme productive,

16. Marx, *Critique de l'économie politique.*

déterminé par un fait particulier, et à ce titre de travail *concret et utile*, il produit des valeurs d'usage ou utilités [17] ", ou circulation d'une valeur (et alors le travail est abstrait : " dépense dans le sens physiologique de la force humaine "). Soulignons entre parenthèses que Marx insiste sur la relativité et l'historicité de la valeur et surtout de la valeur d'échange.

Aussi quand il essaye d'approcher la valeur d'usage pour se soustraire, un moment, à ce processus abstrait de circulation (symbolique) de valeurs d'échange dans une économie bourgeoise, Marx se contente d'indiquer — et les termes sont ici très significatifs — qu'il s'agit alors d'un *corps* et d'une *dépense*. " Les valeurs d'usage, c'est-à-dire les *corps* des marchandises, sont des combinaisons de deux éléments, matière et travail... Le travail n'est donc pas l'unique source des valeurs d'usage qu'il produit, de la richesse matérielle. Il est *le père* et la terre est *la mère* [18]. " " En fin de compte, toute activité productive, abstraction faite de son caractère utile, est une *dépense* de force humaine [19]. " (Nous soulignons.)

Marx pose nettement les problèmes : du point de vue de la distribution et de la consommation sociale, ou disons, de la *communication*, le travail est toujours une valeur, d'usage ou d'échange. En d'autres termes : si dans la communication les valeurs sont toujours et immanquablement des cristaux de travail, le travail ne représente rien en dehors de la valeur dans laquelle il est cristallisé. Ce travail-valeur est mesurable à travers la valeur qu'il est et pas autrement : on mesure la valeur par la quantité du temps social nécessaire à la production.

Une telle conception du travail, tirée de l'espace où elle est produite, c'est-à-dire de l'espace capitaliste —, peut aboutir à des valorisations de la production et s'attirer les critiques pertinentes de la philosophie heideggerienne.

Mais, — et Marx esquisse nettement cette possibilité, — un autre espace est pensable où le travail pourrait être appréhendé en dehors de la valeur, c'est-à-dire en deçà de la marchandise produite et mise en circulation dans la chaîne communicative. Là-bas, sur cette scène où le travail ne *représente* encore aucune valeur et ne veut encore rien dire, donc n'a pas de *sens*, sur cette scène il s'agirait des rapports d'un *corps* et d'une *dépense*. Cette productivité antérieure à la valeur, ce " travail pré-sens ", Marx n'a ni l'intention ni les moyens de l'aborder. Il ne fait qu'une description *critique* de

17. *Le Capital* in *Œuvres*, bibl. de la Pléiade, p. 573.
18. *Ibid.*, p. 570.
19. *Ibid.*, p. 571.

l'économie politique : une critique du système d'échange de signes (de valeurs) qui cachent un travail-valeur. Lu comme critique, le texte de Marx sur la circulation de l'argent est un des sommets qu'a atteint le discours (communicatif) lorsqu'il ne peut parler que de la communication *mesurable* sur fond de production qui, elle, n'est qu'indiquée. En ceci la réflexion critique de Marx sur le système d'échange fait penser à la critique contemporaine du signe et de la circulation du sens : le discours critique sur le signe d'ailleurs ne manque pas de se reconnaître dans le discours critique sur l'argent. Ainsi lorsque J. Derrida fonde sa théorie de l'écriture contre la théorie de la circulation des signes, il écrit : " Ce mouvement d'abstraction analytique dans la circulation des signes arbitraires est bien parallèle à celui dans lequel se constitue la monnaie. L'argent remplace les choses par leurs signes. Non seulement à l'intérieur d'une société mais d'une culture à l'autre, ou d'une organisation économique à l'autre. C'est pourquoi l'alphabet est commerçant. Il doit être compris dans *le moment monétaire de la rationalité économique. La description critique de l'argent est la réflexion fidèle du discours sur l'écriture*[20] "

Il a fallu le long développement de la science du discours, des lois de ses permutations et de ses annulations; il a fallu une longue méditation sur les principes et les limites du Logos en tant que modèle type du système de communication de sens (de valeur), pour qu'aujourd'hui on puisse poser le *concept* de ce " travail " qui " ne veut rien dire ", de cette production muette, mais marquante et transformatrice, antérieure au " dire " circulaire, à la communication, à l'échange, au sens. Un concept qui se forme à la lecture, par exemple, de textes comme ceux de J. Derrida lorsqu'il écrit " trace ", " gramme ", " différance " ou " écriture avant la lettre " en critiquant le " signe " et le " sens ".

Dans ce cheminement notons l'apport magistral de Husserl et d'Heidegger, mais surtout de Freud qui, le premier, s'est penché sur le travail constitutif de la signification antérieure au sens produit et / ou au discours représentatif : sur le mécanisme du rêve. Intitulant un des chapitres de l'*Interprétation des rêves* " Le travail du rêve ", Freud lève le rideau sur la production elle-même en tant qu'un *processus* non pas d'échange (ou d'usage) d'un sens (d'une valeur), mais *de jeu* permutatif qui modèle la production elle-même. Freud ouvre ainsi la problématique du *travail comme système sémiotique particulier*, distinct de celui de l'échange : ce

20. J. Derrida, *De la Grammatologie*, Éd. de Minuit, 1967, p. 424. Nous soulignons.

travail se fait à l'intérieur de la parole communicative, mais diffère essentiellement d'elle. Au niveau de la manifestation il est un *hiéroglyphe*, et au niveau latent une *pensée de rêve*. " Travail du rêve " devient un concept théorique qui déclenche une nouvelle recherche : celle qui touche à la production pré-représentative, à l'élaboration du " penser " avant la pensée. Pour cette nouvelle recherche une coupure radicale sépare le *travail du rêve* du travail de la pensée éveillée : " on ne peut pas les comparer ". " Le travail du rêve ne pense ni ne calcule; d'une façon plus générale, il ne juge pas; il se contente de transformer[21]. "

Tout le problème de la sémiologie actuelle nous semble être là : continuer de formaliser les systèmes sémiotiques du point de vue de la *communication* (risquons une comparaison brutale : comme Ricardo considérait la plus-value du point de vue de la distribution et de la consommation), ou bien ouvrir à l'intérieur de la problématique de la communication (qu'est inévitablement toute problématique sociale) cette autre scène qu'est la production de sens antérieure au sens.

Si l'on adopte la seconde voie, deux possibilités s'offrent : ou bien on isole un aspect mesurable, donc représentable, du système signifiant étudié sur arrière-fond d'un concept non-mesurable (le travail, la production, ou le gramme, la trace, la différance); ou bien on essaye de construire une nouvelle problématique scientifique (dans le sens désigné plus haut d'une science qui est aussi une théorie) que ce nouveau concept ne manque pas de susciter. Autrement dit, dans le second cas il s'agirait de construire une nouvelle " science " après qu'on ait défini un nouvel objet : *le travail* comme pratique sémiotique différente de l'échange.

Plusieurs manifestations de l'actualité sociale et scientifique justifient, voire exigent, une telle tentative. L'arrivée impérative du monde du travail sur la scène historique réclame ses droits contre le système d'échange, et demande à la " connaissance " de renverser son optique : non plus " échange *fondé sur* production", mais " production *réglée par* échange ".

La science exacte elle-même s'affronte déjà aux problèmes du non-représentable et du non-mesurable; elle essaye de le penser non pas comme déviatoire par rapport au monde observable, mais comme une structure à lois particulières. Nous ne sommes plus au temps de Laplace où l'on croyait à l'intelligence supérieure capable d'englober " dans la même formule les mouvements des

21. Freud, *l'Interprétation des rêves*, P. U. F., 1968, p. 432.

plus grands corps de l'univers et ceux des plus légers atomes : rien ne serait incertain pour elle, et l'avenir comme le passé serait présent à nos yeux [22] ". La mécanique des quanta s'aperçoit que notre discours (l' " intelligence ") a besoin d'être " fracturé ", doit changer d'objet et de structure, pour aborder une problématique qui ne cadre plus avec le raisonnement classique; on parle alors d'*objet inobservable* [23] et on cherche de nouveaux modèles, logiques et mathématiques, de formalisation.

Héritant de cette infiltration de la pensée scientifique à l'intérieur du non-représentable, la sémiologie de la production se servira sans doute de ces modèles que les sciences exactes ont élaborés (la logique polyvalente, la topologie). Mais puisqu'elle est une science-théorie du discours et donc de soi-même, puisqu'elle tend à saisir la voie dynamique de la production avant le produit lui-même et donc, rebelle à la représentation tout en se servant de modèles (représentatifs), refuse de fixer la formalisation elle-même qui lui donne corps en la retournant incessamment par une théorie inquiète du non-représentable (non-mesurable), la sémiologie de la production accentuera l'*altérité* de son objet par rapport à un objet d'échange (représentable et représentatif) qu'abordent les sciences exactes. En même temps, elle accentuera le bouleversement de la terminologie scientifique (exacte) en l'orientant vers cette autre scène du travail avant la valeur que nous n'entrevoyons aujourd'hui qu'à peine.

C'est ici que se joue la difficulté de la sémiologie : pour elle-même et pour ceux qui, lui étant extérieurs, veulent la comprendre. Il est effectivement impossible de comprendre de quoi parle une telle sémiologie lorsqu'elle pose le problème d'une production qui n'équivaut pas à la communication tout en se faisant à travers elle, si on n'accepte pas cette *coupure* qui sépare nettement la problématique de l'échange à celle du travail.

Parmi les multiples conséquences que ne manque pas d'avoir une telle approche sémiotique, signalons-en une : elle substitue à la conception d'une *historicité linéaire*, la nécessité d'établir une typologie des pratiques signifiantes d'après les modèles particuliers de production de sens qui les fondent. Cette approche est donc différente de l'historicisme traditionnel, qu'elle remplace par la pluralité des productions irréductibles l'une à l'autre et encore moins à la pensée de l'échange. Insistons sur le fait qu'on ne vise

22. Laplace. *Essais philosophiques sur les probabilités*, Gauthier-Villard, 1921, p. 3.
23. H. Reichenbach, *Philosophical Foundations of Quantum Mechanics*, 1946.

pas de dresser une liste des *modes* de production : Marx l'a suggérée en se limitant au point de vue de la circulation des produits. On vise à poser la différence entre les *types* de production signifiante avant le produit (la valeur) : les philosophies orientales ont essayé de les aborder sous l'aspect du travail pré-communicatif [24]. Ces types de production constitueront peut-être ce qu'on a appelé une " histoire monumentale " " dans la mesure où elle " fait fond ", de façon littérale, par rapport à une histoire " cursive ", figurée, téléologique) [25]... "

3. SÉMIOLOGIE ET " LITTÉRATURE ".

Dans le champ ainsi défini de la sémiologie, la pratique dite littéraire occupe-t-elle une place privilégiée ?

Pour la sémiologie la littérature n'existe pas. Elle n'existe pas en tant qu'une parole comme les autres et encore moins comme objet esthétique. Elle est une *pratique sémiotique particulère* qui a l'avantage de rendre plus saisissable que d'autres cette problématique de la production de sens qu'une sémiologie nouvelle se pose, et par conséquent n'a d'intérêt que dans la mesure où elle (la " littérature ") est envisagée dans son irréductibilité à l'objet de la linguistique normative (de la parole codifiée et dénotative). Aussi pourrait-on adopter le terme d'*écriture* lorsqu'il s'agit d'un texte vu comme production, pour le différencier des concepts de " littérature " et de " parole ". On comprend alors que c'est une légèreté sinon une mauvaise foi que d'écrire " parole (ou écriture) ", " langue parlée (ou langue écrite) ".

Vu comme pratique, le texte littéraire " n'est pas assimilable au concept historiquement déterminé de " littérature ". Il implique le renversement et le remaniement complet de la place et des effets de ce concept... Autrement dit la problématique spécifique de l'écriture se dégage massivement du mythe et de la représentation pour se penser dans sa littéralité et son espace. La pratique est à définir au niveau du " texte " dans la mesure où ce mot renvoie désormais à une fonction que cependant l'écriture " n'exprime " pas mais dont elle *dispose*. Économie dramatique dont le " lieu géométrique " n'est pas représentable (il se joue) [26] ".

24. Pour un essai de typologie des pratiques signifiantes, cf. notre " Pour une sémiologie des paragrammes " in *Tel Quel* 29 et " Distance et anti-représentation " in *Tel Quel* 32.
25. Ph. Sollers, " Programme " in *Logiques*, Ed du Seuil, Coll. " Tel Quel ", 1968.
26. *Ibid.*

Tout texte " littéraire " peut être envisagé comme productivité. Or, l'histoire littéraire depuis la fin du XXe siècle offre des textes modernes qui, dans leurs structures mêmes, se pensent comme production irréductible à la représentation (Joyce, Mallarmé, Lautréamont, Roussel). Aussi une sémiologie de la production se doit-elle d'aborder ces textes justement pour joindre une pratique scripturale tournée vers la production, avec une pensée scientifique à la recherche de la production. Et pour tirer de cette recherche toutes les conséquences, c'est-à-dire les bouleversements réciproques que les deux pratiques s'infligent mutuellement.

Élaborés sur et à partir de ces textes modernes, les modèles sémiotiques ainsi produits se retournent vers le *texte social* — vers les pratiques sociales dont la " littérature " n'est qu'une variante non-valorisée — pour les penser comme autant de transformations-productions en cours.

février 1968. Julia Kristeva.

LA POÉSIE DOIT AVOIR POUR BUT...

à Jacqueline Risset.

La colère qui fait le poète est tout à fait à sa place dans la description de ces anomalies (sociales) ou dans l'attaque contre les chantres de l'harmonie au service de la classe dominante qui les nient ou les enjolivent ; mais combien elle est peu probante dans chaque cas, cela ressort du simple fait que, à chaque époque de toute l'histoire passée, on trouve en suffisance de quoi l'alimenter.

F. Engels, *Anti-Dühring.*

Les " propriétés " du langage.

Sortir le texte poétique de la lecture purement décorative, où il se trouve enfermé, demande un certain nombre de précautions et de précisions historiques. Impossible d'aborder aujourd'hui un texte qui, d'une façon ou d'une autre, se réclame de la poésie sans se trouver dans l'obligation d'effectuer, avant d'arriver à l'activité propre à ce texte, un détour considérable. Mais puisque le chemin de la lecture se trouve ainsi détourné, je voudrais pour commencer, et avant même de mentionner le texte, tenter d'interroger aussi bien ce qui empêche la lecture que le trajet que prend forcément cette lecture empêchée. Poser en quelque sorte cet espace (à qualifier) qui sépare le lecteur du texte (se pose invisiblement sur les textes qu'il adapte à ses dimensions) et en lire la fonction textuelle.

Si au cours de ces dernières années une certaine activité théorique semble avoir réussi à sortir le roman de l'impasse " naturaliste " où il se trouvait enfermé, et suggéré la possibilité d'un espace propre, d'une nouvelle articulation *réaliste*, propre à la lecture romanesque, rien de tel ne s'est produit pour la " poésie " qui reste, qu'elle le veuille ou non, complice d'une lecture esthétisante, décorative ; lecture qui dans le meilleur des cas masque l'activité du texte (ou démasque sa gratuité), remplissant de toute façon sa fonction de censure.

Les choses pourraient très bien en rester là. Il suffirait en somme de déclarer la poésie genre mineur, objet de distraction et de délassement (expression, reflet d'état d'âme), et d'opérer un déplacement sur la modernité du texte romanesque, dès lors seul investi d'une activité de production. Les choses pourraient en somme en rester là si insidieusement une question ne se faisait entendre : Que devient (dans ses manifestations les plus fortes) la théorie du texte romanesque à partir du moment où elle se trouve amputée de la fonction théorique du discours poétique [1] ? Si ces deux questions — abandon de la poésie à un esthétisme décoratif, choix du texte romanesque " polyphonique " (J. Kristeva), si cette double question fait scandale (?) c'est que déjà, à travers ce qui la censure, dans la production littéraire, une théorie de la littérature, une théorie de la production littéraire (théorie qui détourne ces questions) s'est inscrite ; c'est que, dans cet ordre, une autre question doit répondre : Qu'en est-il aujourd'hui des " genres " littéraires ?

La définition (ou la contestation) du texte poétique entraîne obligatoirement l'interrogation et la redistribution de l'espace de lecture à l'intérieur duquel ce texte est appelé à s'inscrire ; espace que détermine, aujourd'hui encore pour nous, la fonction des genres littéraires... puisque le texte, la production littéraire se trouve aujourd'hui encore définie, soulignée par un code qu'elle n'est pas censée comprendre. Je reviendrai plus loin sur les termes du contrat qui donnent autorité à ce code ; je voudrais pour le moment m'en tenir à la convention la plus active, celle du *genre* (de *genus*, *generis* : origine, naissance) littéraire. Convention qui souscrit toutes nos lectures et qu'il serait faux de croire dépassée. C'est bien ce mot (roman, poème) placé sur la couverture du livre qui (dans la convention) produit génétiquement, qui programme, qui " origine " notre lecture. Nous avons là (avec le genre " roman ", " poème ") un *maître mot* qui réduit au départ (d'entrée de jeu) toute complexité, tout parcours textuel à une *fonc-*

1. " Une sémiologie littéraire est à faire à partir d'une logique poétique, dans laquelle le concept de *puissance du continu* engloberait l'intervalle de 0 à 2, un continu où le 0 dénote et le 1 est implicitement transgressé.

" Dans cette " puissance du continu " du zéro au double spécifiquement poétique, on s'aperçoit que " l'interdit " (linguistique, psychologique, social), c'est le 1 (Dieu, la loi, la définition) et que la seule pratique linguistique qui " échappe " à cet interdit, c'est le discours poétique. " (Julia Kristeva, " *Bakhtine, le mot, le dialogue et le roman* ", *Critique*, avril 1967.)

tion de lecture, à une lecture déjà faite dans le cadre (qui n'admet aucune déviation) de la loi de l'unique mot génétique. Le texte n'est que le produit de ce mot et il ne produit que ce mot. Avant même de commencer, il est écrit et c'est dans une langue *finie* qu'il s'achève, n'ayant d'autre rôle que de se constituer en objet (pur objet de la langue) dont la virtuosité technique garantira du langage la fonction " créatrice " (maternelle) [2], le statut achevé d'ordre et de vérité. L'ordre de cette langue produit des objets esthétiques achevés qui garantissent à l'intérieur de la langue la *bonne* circulation du sens et un accueil toujours chaleureux pour ceux qui n'ont d'autre fin que cette vérité. Le texte donne sens au mot qui le définit (catégorie de vérité : roman, poème) et justifie la vérité de celui qui le lit dans l'ordre où il se reconnaît (reflet : microcosme-macrocosme). Le texte ainsi qualifié n'est qu'un objet proposé à la reconnaissance distraite de celui qui se vit comme signe de la vérité dans la vérité du code. Le texte n'est ainsi jamais dans son assemblage possible de signes qu'une façon aimable, décorative de représenter le *modèle*, l'étalon signe. Ainsi retrouvons-nous ce dont nous déplorions l'effet en commençant : la poésie ne peut produire que du poétique parce qu'elle appartient au genre " poésie ".

Mais il ne s'agit là que d'un seul parcours, tracé très schématiquement. Le fonctionnement de l'appareil est bien entendu beaucoup plus complexe où la multiplicité des textes (qui vont du texte académique au texte transgressif, illisible pour ce code) qui semblent pouvoir s'inscrire en toute liberté, permet de brouiller, de recouvrir d'un tissu bigarré de formes, l'action toute-puissante de la structure génétique transcendantale et ses effets réducteurs. La place qu'occupent dans cette structure les textes dits " d'avant-garde " est tout aussi importante que celle des textes académiques. Nous verrons le rôle politique joué sur les textes par l'ordre génétique des genres (qui recouvre, on l'a compris, l'ordre du savoir) déplacer au besoin ses alliances à l'intérieur de cette chaîne " académie-avant-garde " où, par vertu juridique de son contrat de lecture, la loi se trouve toujours normalisée par ce qui la transgresse.

Ceci posé, il devient évident que cette loi des genres sera plus attachée à son rôle qu'à sa lettre. Dans cette perspective, les aventures du mot " roman " sont trop significatives pour les passer sous silence. C'est à ce point que l'objet littéraire est appelé à garantir la fonction de vérité de la langue qu'un des mots choisi

2. Dans ce code où la langue est " maternelle ", l'interdit majeur est l'inceste.

comme « géniteur » formel (roman) désigne dans sa première traduction une manière d'être et un langage (roman) opposés aux mœurs et au langage des Francs — puis, tout en continuant d'occuper le même rôle, se déplace et désigne le français, langue commune, opposé au latin, et enfin, l'ouvrage en français. C'est parce que la loi de la langue est immuable dans sa fonction légale qu'elle peut déplacer, transformer ses statuts et les adapter au besoin à un progrès (et à une modernité) qu'elle comprend « positivement ». Ainsi la connotation du code poétique n'est pas la même au début et à la fin du XIXe siècle ; pas la même pour Lamartine et pour Mallarmé (« Notre phase, récente, sinon se ferme, prend arrêt ou peut être conscience : certaine attention dégage la créatrice et relativement sûre volonté... Accordez que la poésie française, en raison de la primauté dans l'enchantement donnée à la rime, pendant l'évolution jusqu'à nous, s'atteste intermittente : elle brille un laps, l'épuise et attend. Extinction, plutôt *usure à montrer la trame redite* [3]. ») Qu'on songe à la fonction de lecture du texte poétique pour un contemporain de Dante et à celle d'un contemporain de Mallarmé ; puis pour renverser ce mode de valeur (de valorisation), à la fonction de lecture du roman de Mme de Lafayette par ses contemporains et à celle du roman de Proust par les siens, et l'on verra se dessiner ce déplacement d'activité du code littéraire d'un ordre de signifié métaphysique avoué à celui d'une « science » positive [4].

Bien entendu, nous ne prenons absolument pas ici, pour le moment, en considération la production littéraire, mais uniquement le « contrat » de littérature qui lie cette production au social, qui cultive cette production. Les précautions génético-culturelles prises par rapport aux effets de langage ne sont, c'est évident, pas sans lien avec la production textuelle (texte qui ne peut intervenir comme producteur qu'en dialectisant ses rapports) mais leur action sur le

3. C'est moi qui souligne.

4. Voir à propos de ce problème du rôle et de la loi des genres l'article de Tynianov, « De l'évolution littéraire », dans *Théorie de la littérature*, Coll. « Tel Quel », Éd. du Seuil : « En réalité il n'est pas un genre constant, mais variable, et son matériau linguistique, extra-littéraire, aussi bien que la manière d'introduire ce matériau en littérature, changent d'un système à l'autre. Les traits mêmes du genre évoluent. » Il faudrait évidemment revenir sur, questionner, ce concept d'évolution.

D'autre part, il est, je crois, évident que le genre est mis ici en question dans son lieu métaphysique comme exemple (ici proprement littéraire) des *entités* qui, à l'intérieur même du fonctionnement de la langue, en réassurent les propriétés transcendentales. Voir par exemple l'analyse que fait Marx de la critique idéaliste des « Mystères de Paris » par Szeliga, dans *la Sainte Famille* (chap. v), Alfred Costes, Éd., 1947.

texte ne peut être qu'indirecte, jouant précisément sur, à l'articulation de, toutes les structures duelles, non productives, de la langue (" ... à l'intérieur de cette époque, la lecture et l'écriture, la production ou l'interprétation des signes sont toujours seconds : les précèdent une vérité et un sens signifié déjà constitué dans la langue [5] " — signifiant / signifié, parole / écriture, écriture / lecture, auteur / œuvre, etc. (" Externe / interne, image / réalité, représentation / présence, telle est la vieille grille à laquelle est confié le soin de dessiner le champ d'une science [5]. ")

Le détour que doit prendre toute lecture pour en arriver à l'activité propre au texte poétique passe donc par ce lieu linguistique qui garantit en échange d'une soumission à sa vérité et à son ordre un contrat de bonne intelligence dans le procès de communication. C'est la situation historique et sociale de ce contrat qu'il faut à la fois poser comme obstacle et traverser pour comprendre comment, dans un lieu historique et culturel précis, le texte littéraire est appelé à dialectiser son rapport à la convention (au code) s'il veut donner un maximum de rendement. A ceci près que depuis bientôt un siècle le texte poétique en France s'emploie avec force à dominer ce parcours, sans pourtant y être tout à fait parvenu.

Ce constat d'échec qui, d'une certaine façon, justifie la critique d'Engels quant à la peu probante colère poétique, est à méditer. Si l'on écarte l'admirable et radicale production théorique de Lautréamont, on constate que les textes ne manquent pas qui transgressent l'ordre fini de la langue, mais qu'il n'en est pas un seul pour théoriser l'articulation de cette production transgressive avec l'histoire qui plus ou moins la tolère et pose dans ce lieu précis comme transgressif le fait de production. Apparemment dégagé de toute réalité historique, alors que, ne serait-ce que du fait de sa publication, il se trouve forcément inscrit dans l'économie d'une histoire particulière, le texte poétique, si transgressif soit-il, ne peut pas ne pas, en niant sa détermination historique, se trouver récupéré par l'ordre fini de la langue (et par tout ce que cet ordre structure) d'une façon ou d'une autre — et quand cela ne serait que sous le couvert de cet avant-gardisme (pensée comme progrès) [6]. Les signatures *d'avant-garde*, de *jeune* littérature, de *nouveauté*, etc. finissent toujours (et ce qui les qualifie bien entendu le promet) dans ce

5. Jacques Derrida, *De la grammatologie*, Coll. " Critique ", Éd. de Minuit. Il est, d'autre part, fait dans ce texte un très grand, et peut-être trop libre usage des concepts " d'archi-écriture " et de " différance " qui appartiennent à Jacques Derrida.

6. Il faudra un jour établir le bilan de ce mode de réduction textuel dont le futurisme italien offre un exemple trop connu pour que j'y revienne.

Panthéon des Noms propres à la vérité de la langue. Louis Althusser définit bien que devant l'échec de la théorie, " il reste pourtant un recours, mais d'une autre nature : un transfert, cette fois, de l'impossible solution théorique dans l'autre de la théorie : la littérature. Le triomphe fictif, admirable, d'une écriture sans précédent... [7]"

L'inscription des textes, leur activité, doit donc traverser les barrages réducteurs de la langue, barrages qui se manifestent au niveau littéraire (de culture) sous la forme de structure littéraire ou genre, mais qui en fait ne sont que la représentation métaphorique (en abîme) des lois de cette généticité de la parole où s'origine la langue. L'écriture textuelle est sans doute, comme nous l'avons vu, forcément prise dans des structures qui n'ont d'autre fonction que de justifier *le fait* de langue articulé sur ses propriétés, de justifier le droit de langue sur les textes. Toutefois cette appropriation ne se passe pas sans heurt, sans contradictions, et si les structures idéologiques de la langue tentent de jouer le texte (et le plus souvent le jouent), le rôle du texte sur ce théâtre historique (on a vu que les fonctions de réduction textuelle par exemple les genres littéraires, peuvent s'échanger, se transformer) est non moins " pervers ". Il prête apparemment à la langue (encore que depuis bientôt un siècle les spécialistes de la science du langage, les linguistes, nous mettent en garde contre cette similitude apparente de la langue et du texte) mais introduit dans celle-ci un corpus étranger [8] irréductible dans sa réalité (si utilisable dans son apparence : idéologie du texte comme reflet), une langue " étrangère " produit de la langue " d'origine " et de ce qui dans l'idéologie de cette langue " d'origine " se trouve censuré, l'écriture (non plus écriture phonétique, mais écriture non traduite, force, archi-écriture [9], théorie).

Ne pourrait-on pas dès lors imaginer la production textuelle comprise dans le fonctionnement théorique des trois généralités de la dialectique matérialiste, tel que l'expose Louis Althusser [10] : *Généralité 1* (généralité abstraite, travaillée), *la langue ; Généralité 2* (généralité qui travaille, théorie), " *archi-écriture* "; *Généralité 3* (produit du travail), *le texte.* Cela nous permettrait de retrouver à la fois le détour de lecture à effectuer pour arriver à l'activité produc-

7. Louis Althusser, *Sur le Contrat social*, Coll. " Cahiers pour l'analyse ", nº 8.

8. " Elle (la théorie) met en évidence le statut définitivement contradictoire de l'écriture textuelle qui *n'est pas un langage* mais, à chaque fois, *destruction d'un langage*; qui, à l'intérieur d'une langue, transgresse cette langue et lui donne une fonction de *langues*. " (Philippe Sollers, *Logiques*, Coll. " Tel Quel ", Éd. du Seuil.)

9. Jacques Derrida.

10. Louis Althusser, *Pour Marx* (" Sur la dialectique matérialiste "), Coll. " Théorie ", F. Maspero Éd.

trice du texte (dans la perspective où la *G. 3* est reconnue appelée à jouer le rôle de la *G. 1*) et comprenant dans ce détour la non-lecture de la fonction théorique au travail, de revenir dans notre lecture, de faire notre lecture revenir dans les textes au lieu non lu de l'*histoire cultivée* (G. 1) qui tendra à se transformer en *histoire du travail producteur*, texte.

FORME DE LA PRATIQUE.

« *Cette poésie ne peut avoir toute son efficacité que si elle est concrète, c'est-à-dire si elle* produit *objectivement quelque chose du fait de sa présence sur la scène, si un son comme dans le théâtre balinais équivaut à un geste, et au lieu de servir de décor d'accompagnement à une pensée la fait évoluer, la dirige, la détruit ou la change définitivement.* » A. Artaud [11].

Passer la colère qui fait le poète (contre les chantres de l'harmonie qui se confondent aujourd'hui avec l'avant-garde anarcho-révolutionnaire et le jeu mystifiant des formalistes — formes et combinatoire scientistes, garantie vide d'idéologie... ce qui n'est pas peu dire), revenir sur cette histoire cultivée (« Nous revenons arpenter le jardin cultivé », R.C., p. 86) dont la non-lecture peut justement donner lieu à ce n'importe quoi « transgressif » ou sans transgression, exige une pratique dont la complexité opératoire n'offre pas forcément en une seule fois l'articulation de ces lectures [12]. C'est d'abord sur la complexité de ces articulations que doit porter aujourd'hui le travail de l'écriture; ne laissant aucune d'elles inactive, il opèrera par un déplacement de sens qui ne pourra pas ne pas en un lieu ou en un autre, compromettre son lecteur. Lecteur dès lors condamné à parcourir toute la chaîne signifiante (de l'opération) ou à pratiquer censure et dénégation sur tout ce qui n'est pas, de son accord subjectif (le plus souvent esthétique) — ce qui est une autre façon de parcourir la complexité opératoire (en se trouvant inscrit à l'un de ses moments).

En ce sens nous pouvons considérer le travail de Denis Roche comme exemplaire, exemplaires les tentatives de réduction et de dénégation auxquelles il donne lieu, les lectures hâtives (significa-

11. Cité par Denis Roche dans sa conférence sur la poésie. Conférence inédite prononcée lors d'une réunion organisée par la revue *Tel Quel* le 11 juin 1964.

12. « Tout se passe alors comme si l'écrivain, non content d'avoir dressé ses écrits, voulait encore que le lecteur en *construise* la lecture dans un espace à trois dimensions. » (Denis Roche, conférence inédite.)

tivement hâtives), primaires, qui s'empressent d'en reconnaître les effets de surface afin de mieux l'écarter [13].

Pour en revenir à ce que j'ai tenté d'éclairer en commençant à partir des structures de *genre* littéraire et du rôle (c'est bien de rôle ici qu'il s'agit) " génétique " de ces structures, il est par exemple important de remarquer que chacun des trois livres de Denis Roche aujourd'hui publiés porte comme désignation générique non pas " poésie " mais *poèmes*. C'est un des effets, et non des moins violents, de la pratique de Denis Roche que le retour qu'il fait opérer à la " généticité " du poème; et c'est à partir de cet effet d'articulation historique que va pouvoir se déployer la " spatialisation [14] " des lectures requises par l'auteur. Lectures couvertes et découvertes qui imposent à chaque instant que toutes soient pensées en chacune, que rien de ce qu'elles proposent ne soit admis sans questions. Et pourquoi admettrait-on que, dans un livre, la couverture n'est pas à lire, que n'est pas à lire le nom de l'auteur, le titre qui ne saurait être seulement indicatif, le genre, l'éditeur, la collection (et dans ce cas précis le fonctionnement du groupe théorique qui donne titre à cette collection) ?... Trajets didactiques auxquels le texte contemporain (de par les contradictions et la dénégation de ces contradictions au milieu desquelles il doit se déplacer) est obligé; trajets qui traversent, marquent et déchiffrent différents modèles de lectures. Modèles de la structure littéraire, genre, fiction comme représentation symbolique, écriture comme représentation de la parole, livre comme objet, auteur comme sujet, sens comme vérité, etc. Modèles auxquels tout texte contemporain ne peut pas ne pas s'affronter, à l'intérieur desquels il se trouve forcément pris, qu'il ne peut faire jouer et " jouer " que de l'intérieur: " Défigurer la convention écrite, c'est, en écrivant, témoigner de façon certaine que la poésie est une convention (de genre) à l'intérieur d'une convention (de communication) " (E.E., préface, p. 11); limites forcément didactiques de la contradiction dont la mise en situation force l'expérience dialectique et l'inscription du travail. Dans un code où le titre du livre objet est censé désigner, signaler, donner sa particularité au sujet (son nom propre, la spécificité de sa qualité), *Récits complets* ne peut pas ne pas jouer contradictoirement avec des poèmes qui ne cessent de briser le récit, de multiplier les récits incomplets, un tel

13. Pour désigner les livres de Denis Roche, je me servirai dans les textes des abréviations : *R. C.* (*Récits complets*), *les Idées* (*Idées centésimales de Miss Elanize*), *E. E.* (*Éros énergumène*).

14. Le mot qui, bien entendu, ne renvoie pas au spatialisme, mais n'est employé que comme figure, est de Denis Roche, conférence inédite.

titre lit et déchiffre, est à lire et à déchiffrer comme ce qui souscrit la fonction de titre, la convention de titre. Le titre du livre (tel que nous ne le lisons pas comme titre) désigne ce qui le remplit (comme l'homme qui se vit comme signe est censé remplir son nom), comme si l'objet livre devait être considéré comme une forme (définie par le genre), vide qui se remplisse à volonté d'une marchandise mise en circulation par le demi-grossiste (l'auteur), vendue sous une étiquette qui ne trompe pas son monde (le titre) et acheté selon les besoins du consommateur (le lecteur). Les difficultés de lecture que peut poser un texte contemporain n'ont pas d'autres fonctions que de mettre l'accent sur la lecture toujours à faire, sur la non-lecture de qui achoppe à ces difficultés, ou de qui les réduit, n'en pose pas tous les aspects (lisant par exemple le titre comme titre, ne pensant pas ce qu'une telle convention peut recouvrir), et s'inscrit ainsi dans une convention qui, non pensée, l'aliène.

Dans une telle perspective, c'est avec raison que Michel Deguy remarque que le poème de Denis Roche « joue sur tous les tableaux [15] ». Se présentant apparemment dans la convention du « genre » poème et insistant fortement sur cette apparence, sur l'aspect le plus immédiatement reconnaissable de cette apparence (texte à lignes inégales, tenant sur une page et commençant à chaque ligne par une majuscule), le poème ici marque pourtant, dans le même mouvement, le jeu d'un mode de composition qui semble en contradiction avec l'apparence de la convention formelle. La composition du poème se présente en effet comme hasardeuse, comme si, la forme étant choisie, l'auteur pouvait la remplir de n'importe quoi (nous reviendrons sur ce n'importe quoi) : « On vit de quelques mots non parce qu'ils sont ceux-là mâmes que j'ai choisis... mais parce qu'il se trouve, sans aucune raison, que mes yeux se sont épris de ceux-là sans être tombés sur les mots voisins, ni sur une autre page [16]. » Proposition apparemment (nous sommes toujours dans le jeu des apparences mises en scène par l'auteur, encore que nous nous rapprochions de la complexité du texte) inadmissible dans le statut de la convention du poème en vers. Mais les lectures déjà se compliquent (ces deux lectures) l'une l'autre; la convention apparemment respectée de la première et apparemment transgressée par la seconde pose d'abord la question de la non-convention du texte « hasardeux » et à travers cette ques-

15. Michel Deguy, *Sur « Récits complets »*, « N. R. F. », nº 127.
16. Denis Roche, *R.C.*, avant-propos, Je reviendrai sur ce « sans raison ». On trouve en effet quelques lignes plus bas : « Tous les problèmes de la poésie se ramènent à un problème de signification. »

tion celle du texte poétique comme non-hasardeux. S'il y a scandale (ou apparence de scandale) à introduire dans une forme définie, de poème, un langage qui se donne comme indéfini, ce scandale ne peut être posé sans qu'en retour il institue à l'intérieur d'une forme définie de poème, un langage défini — sans que, face à cette déclaration (apparemment) de subjectivité, il institue une déclaration d'objectivité. Or qu'en est-il de l'objectivité du discours pris dans la généticité du genre poème (pour ne pas parler de l'objectivité du discours poétique) ? Et face à la déclaration du choix déterminé " sans aucune raison ", qu'en est-il de la raison poétique ?

Nous retrouvons ici, posée une fois de plus, la fonction génétique des genres et le rôle objectivement *rationnel* de l'irrationalité poétique. Ce " sans raison " met en cause la raison qui s'en scandalise et découvre immédiatement le jeu de cette raison, et tout ce qui est connoté dans les règles du code poétique (dans ce que ce code permet et ne permet pas). Et comment se trouve récupérée et utilisée dans le jeu formel l'irrationalité que ces formes sont censées réduire. Mettant ainsi en évidence dans ce qui se donne comme pure forme décorative, jeu de formes offertes au délassement de l'esprit, une contradiction (dans la *ratio*) contradiction dont chacun des termes n'est là que pour occulter l'autre. La forme sonnet (par exemple) censure par son objectivité l'esthétisme de la langue qui l'inspire, comme cette inspiration censurera le jeu social, objectif, du sonnet.

Denis Roche met l'accent sur la réalité de cette double articulation en une suite de poèmes [17] auxquels il donne pour titre la date et le temps de composition. Pour cette série " l'inspiration " a duré respectivement 22', 7', 6', 12', etc. et ce qui pourrait être lu d'une façon humoristique est corrigé et remis à sa place théorique par le titre de la série : *La poésie est une question de collimateur* — de collimation : action *d'orienter* la vue *dans une direction précise*, le collimateur étant cette partie de la lunette qui *assure* la collimation. Titre qui n'a nul besoin d'interprétation et qui, posant que la poésie n'est pas la lunette qui oriente, mais cette partie de la lunette qui *assure l'orientation de la vue dans une direction précise*, situe bien en son lieu l'efficacité de ce collimateur [18].

17. " La poésie est une question de collimateur ", in *R.C.* (1963).

18. Que Denis Roche donne pour titre à un récent texte théorique : " *La poésie est inadmissible. D'ailleurs elle n'existe pas* " se comprend très bien dans cette perspective. Telle qu'elle est entendue aujourd'hui encore, la poésie est inadmissible, cette poésie inadmissible n'a rien à faire avec la fonction du texte poétique ; comme poésie, cette poésie inadmissible n'existe pas... Et, d'autre part, pas de statut d'existence pour la poésie.

Le travail pratique effectué à ce niveau reste malgré tout insuffisant (sa lecture est loin de rendre compte de la totalité de la mise en scène où se déplace le texte de Denis Roche) et quoique les poèmes ne respectent qu'apparemment la forme du poème ils pourraient encore se trouver réduits au jeu de la gratuité formelle d'un vocabulaire plus ou moins esthétique (par exemple écriture automatique) si ne se dessinait tout de suite derrière ce " sans raison " (avec), derrière cette mise en demeure des apparences (" La poésie n'est pas un problème de représentation [19] "), l'activité des éléments moteurs du texte poétique. A partir de la forme apparemment la plus reconnaissable comme poème, donnant à lire cette forme dans le jeu contradictoire de son apparence, Denis Roche intervient sur le texte (intervention qui, comme celle manifestée à propos de la forme est avant tout mode d'approche critique, fonction théorique et didactique des lectures), cette intervention sur le texte se trouvant commandée par la volonté de respecter l'efficacité de l'apparence du poème. Apparence qui, soulignons-le, déborde la ressemblance. Aussi bien, dans R.C., mais peut-être plus encore dans *les Idées*, le texte dessine sur la page une sorte de rectangle (de caractères) dont les lignes ne sont que de très peu, à peine un mot, inégales de longueur, et semblent vouloir s'aligner dans la marge de droite, comme elles le sont à partir des majuscules dans la marge de gauche. Cette volonté de respect de la ressemblance, de la vraisemblance plus que vraisemblable (du poème apparent à son modèle contesté) va entre autres justifier, apparemment, en fin de ligne la rupture d'un mot en son milieu :

De recommandation, les mains fourrées négligem- [20]

mot qui va se trouver interrompu par un tiret et dont le " reste ", sera porté à la ligne suivante, ligne qui respectant le modèle du poème n'en commencera pas moins par une majuscule :

Ment dans les poches de son pantalon et dont il

Ou bien le vers rompu se trouve achevé par des points de suspension, le vers se trouve suspendu sans fin, sans que sa fin soit reprise... Ceci plus précisément dans *les Idées*.

Même mal que ma familiarité à t'échoir... [21]

19. *R.C.*, avant-propos.
20. *Les Idées*, p. 65.
21. *Ibid.*, p. 97.

La suspension pouvant également se trouver au milieu du vers :

Doctrine... la terre, pour me servir de l'expres- [22]

voire au milieu et à la fin du vers :

Et le carnage... Celle-ci vivait plus en fermée... [23]

Quoique, le plus souvent, mais alors moins marquée, la suspension ne tienne qu'à la juxtaposition de deux vers, de deux unités sémantiques dont le rapprochement suspend en chacune la vérité de sens.

....

Derrière passaient leurs journées plantées sur les arbres / [24]
Ces vitraux sont vibrants / par une vertu sacramentelle /
Ces innombrables cierges allumés / circulent en bras de
Chemise la chaleur devenant à chaque instant plus / précise
Qu'être là signifie / le dernier renard qui / tétera d'elle [25].

Le mode de suspension jouant, comme on peut le voir dans cet exemple, sur la rupture en fin de ligne, et mettant l'accent sur cette rupture en ne systématisant pas sa situation, en la déplaçant (comme l'illustrent plus haut les points de suspension au milieu du vers). Système non de collage (dont la fin est toujours esthétique) mais qui, s'il était besoin de lui trouver une analogie, se rapprocherait du montage idéologique tel qu'il se trouve défini par Eisenstein : " La juxtaposition de deux fragments de film ressemble plus à leur *produit* [26] qu'à leur somme. Elle ressemble aux produits et non à la somme en ce que le résultat de la juxtaposition diffère toujours qualitativement de chacune des composantes mises à part [27]. " Comme il semble bien que ce ne soit pas de collage que parle Tynianov [28] lorsqu'il remarque : " N'importe quel élément de la prose, une fois introduit dans la succession du vers, se montre sous un autre jour, mis en relief par sa fonction et donne ainsi naissance à deux phénomènes différents : cette construction soulignée et la déformation de l'objet inhabituel. " Nous sommes, là encore, déchiffrant

22. *Les Idées.*, p. 90.
23. *Ibid.*, p. 68.
24. J'utilise le signe / pour marquer les ruptures.
25. *Les Idées*, p. 14.
26. C'est moi qui souligne.
27. S. M. Eisenstein, *Réflexions d'un cinéaste*, Éd. de Moscou, 1958.
28. *Théorie de la littérature* (De l'évolution littéraire), Coll. " Tel Quel ", Éd du Seuil.

ce qui contrarie la lecture de convention. Lecture contrariée dont il faut citer le jeu tout particulier de la liaison phonique dans le vers — où la répétition n'a souvent d'autre fonction immédiate, dans sa complexité, que le retour de la lecture sur elle-même — retour déceptif mais qui doit dès lors être questionné.

Comme doivent être questionnées ces propositions toujours déceptives de récits (qu'on retrouve aussi bien dans R. C., *Les idées*, E. E.) qui ne retiennent finalement que le tissu, la pulsion érotisée de leur passage. Puisque c'est bien, à travers l'activité didactique du jeu formel de la convention poétique et de sa transgression, sur le moteur de l'activité de production lecture / écriture que le travail de Denis Roche tend, en fait, à mettre l'accent.

ÉROS ET CULTURE.

« *J'ai été mot parmi les lettres* » (E. E.)

Récit suspendu se trouvant accueilli par un autre récit pourtant lui-même amputé en son commencement et à sa fin — lecture offerte (dans sa forme) et empêchée (dans sa critique) qui trouve en chaque récit (qui trouverait en n'importe quel récit) à prendre et à marquer au moment même où elle lâche et s'efface, qui donne avec certitude et reprend avec violence, qui oblige à une attention qu'elle déçoit... Ces poèmes retrouvent tous, en chaque texte, le corps, l'intrusion d'un corps que le texte ne dit pas, et qu'ils ont pour charge d'éveiller, sans que pourtant ce corps qui n'est pas dans le texte se trouve dans le poème. Par une suite de sous-entendus, de rapprochements, de montages, la langue révèle sa perversion, et, mise en posture d'illustrer la gestuelle amoureuse où elle débat à tout moment son sens, révèle tout ce que son activité (toujours différée dans les textes) peut avoir de suspect : « L'écriture poétique est un spectacle où l'on voudrait faire tout entrer, où l'on voudrait tout voir en même temps qu'on nous regarde » (E. E., préface). Derrière les suggestions, les descriptions prometteuses (promesses jamais tenues), derrière la femme qui d'un poème à l'autre semble s'offrir plus au narrateur, derrière le narrateur qui d'un poème à l'autre semble disposer plus totalement de la femme offerte, derrière la déception systématique marquée par ce « faux » spectacle érotique, de ce « faux » texte érotique où ne passent que de rares détails et des échos lointains de la scène, de l'acte dont la généralisation gomme toute particularité, derrière tout cela s'inscrit dans les mots et au-delà des mots (dans le rapport des mots parmi les lettres) dans le rapport que le lecteur est accoutumé à entretenir avec les mots, derrière tout cela et avec tout cela s'inscrit un *manque* qui, bon gré, mal gré, force l'interprétation :

. . . .
Chez la dame à la douce chair, cette dame a
Le plus beau fessier de la région des solfatares
Alors allongée, rougissant de l'étroitesse de
Nos longueurs et l'illusion qu'elle m'attend
S'assied en bavant pour chuchoter, payant
Ainsi le droit d'occuper la banquette

(E. E., p. 33.)

Sans doute " la douce chair " rapproché du " beau fessier ", rapproché de " allongée ", de " rougissant de l'étroitesse ", de " nos longueurs ", de " bavant ", etc. construit un texte tendancieux dont toutefois aucun des termes pris isolément n'est érotique, et dont la réunion suggestive indique bien davantage les possibilités, qu'elle ne permet de reconnaître l'unité, d'une action. C'est que l'érotisme sous-jacent à ces poèmes n'entend pas se manifester au niveau de la projection fantasmatique d'un sujet qui, se vivant comme signe particulier dans la totalité des signes, va se reconnaître et se projeter et s'exciter sur une série descriptive de signes particuliers (qui renvoient comme lui à une réalité individuelle), de semblables à lui, d'autres mêmes mis en posture d'identification. Nous voyons ici, comme en chacun des lieux de cette vaste mise en scène textuelle, apparaître, en même temps, les divers niveaux du texte, les diverses couches sémantiques mises en relation. Et sans doute parce que nous sommes un peu plus près de l'activité motrice de cette production, chacun des niveaux, chacune des structures mis jusqu'alors en avant sur le mode critique, semble ici retrouver, dans ce qui l'efface, le détruit et le change, la justification de son emploi. La limite de la poésie, comme telle, la généticité du poème, semble signaler l'ambigu rapport que cette lecture de convention entretient avec le texte. Ambiguïté que le poème de Denis Roche va souligner, rattacher à la réalité qui la produit : le rapport lecture / écriture, avoué ou non, est toujours sexualisé. Mais, ici encore, le poème se tiendra dans le lieu même de la contradiction, dans l' " avoué ou non " ; puisqu'en fait la dynamique écriture / lecture n'avoue jamais, ou qu'à de très rares occasions, son rapport au sexe, à la mort, quoiqu'elle ne cesse d'en jouer. Et c'est peut-être justement lorsque cette liaison semblerait devoir être la plus évidente (je veux dire dans le récit érotique) qu'elle est la plus censurée — la littérature érotique met forcément l'accent sur la re-présentativité du signe, sur sa traductibilité, sur son activité de traducteur, la projection érotisante se trouvant déterminée par ce qu'en ce lieu, plus qu'en tout autre, mais comme fond de cette culture, le signe, dans la variété de ses traductions est assimilé au phallus. Le sujet érotise forcément cette absence signifiée dans son autre : le signe. Sur cet " énervement " réalité / fiction, qu'il faut alors marquer réalité / fantasme, le texte de Denis Roche revient, en ne cessant d'en présenter (et d'en critiquer) l'aspect le plus douteux : l'évocation, la suggestion évocatrice. Les titres et les inter-titres seront ainsi prometteurs (d'identifications sujet / signe) : " Vingt-deux poèmes pour Ophélie ", " Les fureurs et les faveurs ", " Éros Volusia " (R. C.), " Animaux moteurs 2 corps ", " Le lever de l'intruse " (*les Idées*), " Éros énergumène ", " Théâtre des agissements d'Éros ", " Lectrice tu frémis d'étonnement ", " Positions respectives de deux amants pour février 1964 " (E. E.), etc. Promesse évidemment adressée à un type déterminé de lecture, et qui à l'intérieur du mode critique du texte de Denis Roche va jouer à la fois sur les déceptions crées par le montage des enchaînements et interruptions de récit :

Elle a cette candeur l'insistance et leur
Tabac de Virgine comme prudence domestique
Comme réserve à moi de répugnance de leur
Sortie serait devinée tantôt (questions ?)

Sortie difficile, à qui vous voudrez
L'exhibition des exemples trop vêtus, il
Fait un peu celui qui manque d'épaisseur
Mais l'absence lui sauve bien des accalmies.

(E. E., p. 82.)

Cette déception, cette lecture déçue, ayant autorisé l'approche du texte érotique dans sa généralité, va se déplacer comme critique généralisée sur l'histoire cultivée (sur l'Éros culturel), faisant apparaître humoristiquement (et avec une force telle qu'elle en est presque scandaleuse) ce qui, se donnant comme culture, a pour fonction de censurer la réalité du texte dans son action... Ainsi, par exemple, dans E. E. sur la page 83, faisant face au poème cité ci-dessus, cette ligne :

Ah ! que vous enflammez mon désir curieux ! Racine

D'un recueil à l'autre, ce mode critique du particulier général (le poème, le récit érotique) au général particulier (fonction du poème, fonction de l'érotisme dans telle situation culturelle précise sous telle rubrique précise de l'histoire littéraire des noms : Kafka, Parménide, Voltaire, Racine, Gautier, etc. [29]), d'un recueil à l'autre ce mode critique s'accentue, rendant de plus en plus urgente la question de cet Éros-plus-ou-moins en activité dans les textes.

Les poèmes de Denis Roche, je l'ai déjà dit, ne sont pas ce qu'on appelle couramment des poèmes érotiques ; ils n'ont de commun avec les textes dits érotiques que le lieu de rencontre critique à partir duquel, ici encore, une fois de plus et définitivement, l'auteur va renverser la situation culturelle à l'intérieur de laquelle il est censé s'inscrire : le code qui détermine, autorise et censure l'activité érotique (qui l'autorise dans les textes et la censure comme activité, comme texte). Le poème érotique se trouve en quelque sorte chez Denis Roche perverti. Le poème qui évoque le poème érotique (par exemple, les citations dans E. E.) retourne celui-ci contre lui-même, lui fait défaut, et c'est ce défaut qui a finalement pour charge de récupérer, non plus du côté du fantasme compensateur, mais du côté de la *réalité* du manque (vers, fiction suspendue, interrompue, etc.) l'activité du texte (de l'éros) que le poème érotique censure en une projection fantasmatique. C'est l'activité même de la *lecture* comme désir que viendrait " satisfaire " une *écriture* qui est ici mise en jeu. Ou, si l'on veut, c'est la reconnaissance (dans son activité) du sujet en un signe (qui comble son désir) qui est ici découverte. Lacan écrit : " ... c'est la connexion du signifiant au signifiant qui permet l'élision par quoi le signifiant installe le manque de l'être dans la relation d'objet, en se servant de la valeur de renvoi de la signification pour l'investir du désir vivant ce manque qu'il supporte [30]. " Arrachée à son partage signifiant / signifié [31], déçue dans ses espérances (celles que lui promet son code culturel), la lecture entre dans une danse, sur une scène où son économie se trouve à tout moment faussée, où, se laisse-t-elle un moment prendre à son jeu, elle doit dans le geste suivant reconnaître ce jeu dans le rire qui l'emporte. Dans de tels textes où s'inscrit, se trace, la modernité, les rôles s'échangent, les figures se distinguent et se

29. Bien entendu, n'est mis en jeu ici qu'un certain usage fait de ces textes. Par exemple l'usage qu'en fait celui qui les réduit au nom de leur auteur.
30. Jacques Lacan, *Écrits*, Coll. " Le champ freudien ", Éd. du Seuil.
31. " De la poésie, je dirai maintenant qu'elle est, je crois, le sacrifice où les mots sont victimes " (Georges Bataille, *l'Expérience intérieure*, Éd. Gallimard).

confondent [32], les partages deviennent impossibles. Il semble que la mise en scène sadienne, retournée, soit brusquement arrachée au ghetto où une culture partagée, duelle, l'enfermait. Le lecteur qui doit constamment ressaisir sa lecture est entraîné par cet emportement en une " gestualité ", en une gymnastique, en une théâtralité monumentale, où tout est possible (puisqu'UN est empêché) où il va prendre, devoir prendre, être pris dans le jeu mortel de ce tout possible (voyeur, voyant, vu — acteur, auteur, critique) ; dé-crivant alors dans son intégralité le code qui force son désir, écrivant l'activité de ce désir telle qu'elle marque le code (le situe dans son actualité), signale et efface les " tics " individuels (personnage, sujet, auteur, lecteurs, etc.), fonde la productivité de l'histoire.

VÉRITÉ (VÉRIFICATION) DE LA PRATIQUE.

Tel serait et tel assurément à travers Denis Roche nous est désigné le déjà là maintenant du texte contemporain [33]. Le *but* de la poésie ne pouvant qu'être ce cheminement, ce chemin des chemins qui mène là où chemine, justement là, la vérité pratique. Et puisque ce concept idéologique de " vérité " fait éclat, je voudrais, qu'on entende bien ici le but de vérité pratique de la poésie comme cheminement, pensée dialectique des formes, de leur activité, de leur histoire, de leur effacement productif-transformationnel. La fonction première et dernière de la poésie qui a pour but la vérité pratique étant une fonction didactique de lecture (d'activité de lecture) ; elle met ce qui la produit en situation de lecture, et c'est cette *situation* de lecture (historiquement déterminée) qu'elle donne à lire à travers un jeu (la mise en jeu d'une histoire culturelle) qui finalement s'efface au profit de la seule complexe productivité démystifiante. La vérité de cette productivité ne saurait être autre que l'efficacité de son travail de transformation. La poésie doit

32. Voir ce que Julia Kristeva écrit à propos de la structure " carnavalesque " : " Celui qui participe au carnaval est à la fois acteur et spectateur, il perd sa conscience de personne pour passer par le zéro de l'activité carnavalesque et se dédoubler en sujet du spectacle et en objet du jeu. " (" Bakhtine, le mot, le dialogue et le roman ", *Critique*, avril 1967.)

33. Peut-on parler d'influence de X ou Y (Pound ou Cummings) sur Denis Roche ? Dans un mode d'activité critique comme le sien, il ne saurait être question d'influence, mais de situation historique vue et utilisée à des fins qui débordent considérablement le lien des influences (lien pratiquement toujours entendu, considéré, à partir d'une pensée culturelle qui se définit au niveau des noms — des mots — d'auteurs).

avoir pour but le récit depuis toujours différé de son activité (de sa vérité) pratique. A travers l'histoire des formes qui, depuis toujours, diffèrent ce « récit », c'est ce récit différé qui aujourd'hui marque toute production d'écriture. C'est le « retour » de ce récit, à travers son histoire (qui est aussi l'histoire des textes) qui détermine aujourd'hui l'inscription d'écriture et répond de la force ou de la faiblesse d'un travail plus ou moins en pression sur le texte de l'histoire. On comprend qu'il ne s'agit plus dès lors d'un espace littéraire (tel que celui auquel tout naturellement nous nous référons) se définissant à partir des concepts de personnalité, d'originalité, mais que pris dans la dialectique de ses contradictions tout texte est un prétexte, n'est jamais qu'un pré-texte. Dans la mesure où il se pense en fonction d'une lecture historiquement déterminée par la culture qui l'a produit, par l'état de la science qui lui permet de penser cette culture, d'en faire apparaître les « décalages » (Althusser), et leur récit, le texte s'abîme (brûle) dans la lecture qu'il produit (dès que produite), pré-texte de cette lecture. Le texte ainsi n'est pas « original », il est plus ou moins efficace, plus ou moins préparé à sa transformation... Pourtant il ne peut être répétitif, et c'est même là une des conditions de sa réalité pratique. A partir du moment où le jeu dialectique de la production textuelle ne renvoie plus à un auteur propriétaire d'une œuvre (auteur et œuvre dont l'addition constitue la culture finie de la société bourgeoise, et finie dès son origine — c'est-à-dire constitue la culture répétitive de cette société), le texte dès que produit entre dans la machine de la lecture productive (et ce aussi bien pour celui dont la signature — l'auteur — va indiquer un mode de « décalage », d'empirisme précis). Mais il faut ici faire intervenir cette structure empirique (des décalages) qui reste comme signature ; c'est par rapport à elle que le texte va se déterminer dans sa plus ou moins grande efficacité. La structure culturelle formelle (poème, roman, etc.) telle que nous avons pu la mettre en question en commençant, n'est en effet qu'une des chaînes d'inscription idéologique, j'appellerai sa lecture, lecture de bonne volonté. Reste que cette culture, la nôtre, programme des sujets particuliers, des textes particuliers, et que c'est même l'économie de ces « particularités » individuelles qui fonde l'idéologie de notre culture [34]. Si le pre-

34. « Penser (...) l'unité d'une pensée idéologique déterminée (qui se donne immédiatement comme un tout, ou une intention de « totalisation ») sous le concept de la problématique, c'est permettre la mise en évidence de la *structure systématique typique*, qui unifie tous les éléments de la pensée, c'est donc découvrir à cette unité un *contenu déterminé*, qui permet à la fois de concevoir *le sens* des « éléments » de l'idéologie consi-

mier déchiffrement, si la première lecture (disons la lecture formelle) découvre un champ d'activité idéologique, elle n'en reste pas moins prise dans la forme de sa découverte (dans la structure individuelle qui oriente ce premier déchiffrement). On peut dire par exemple que la répétition d'une forme de lecture (de déchiffrement) renvoie à une structure individuelle (du sujet) non lue, et dont la non-lecture paralyse une fois pour toute le texte dans sa répétition, dans sa signature. Répétition qui, on le comprend bien, transforme le travail en objet, en produit (telle signature, tel nom propre répétera telle forme où l'on reconnaîtra la signature, " la patte " de l'auteur... d'où la phrase " c'est toujours le même roman qu'un auteur écrit "), et justifie, en fait, la lecture idéologique dont dans un premier mouvement ce travail semblait s'être écarté — justification d'autant plus forte qu'elle joue (sincèrement) de l'espace de déchiffrement formel (contradiction dans la raison du sujet) dont elle ne fait en réalité que déplacer la lecture... Ce type de travail finit toujours par s'adjectiver, il se caractérise finalement comme " poétique ". La seule chose qui puisse répondre, qui puisse vérifier la productivité du texte, c'est la réalité de sa pratique : sa transformation. Transformation qui à partir d'une structure générale (situation du culturel) déplace en la déchiffrant l'empirisme d'une structure individuelle dès lors préparée à un autre travail. L'effet de déchiffrement du code culturel, ne peut en effet être de quelqu'efficacité que dans la mesure où se retournant sur le discours de déchiffrement il découvre, investit et transforme la forme de ce discours (sa forme).

Nous avons là, le schéma de la programmation d'un processus de production en situation (Généralité abstraite travaillée par la Théorie) dont nous n'avons en quelque sorte que décrit l'appareil conceptuel, le fonctionnement de lecture (la Généralité travaillée ou matière première) et dont nous devons maintenant mettre en évidence la spécificité (la Généralité qui travaille). La fonction didactique du texte de la poésie sur laquelle nous avons insisté déploie, en effet, quant au texte, un champ d'activité considérable, qui loin d'en limiter les effets (objection que " l'adjectivation " poétique ne manquera pas de soulever) en décuple le travail [35]. C'est l'expérience de cette structure de fonctionnement didac-

dérée, et de mettre en rapport cette idéologie avec les problèmes légués ou posés à tout penseur par le temps historique où il vit. " L. Althusser, *Pour Marx*.

35. Les aventures du mot littérature, dont le sens passe de " écriture " (1120) à " érudition " (1432) avant de se trouver au XVIIIe siècle ce qui répond de préoccupations esthétiques, nous engage à choisir travail en opposition à tout le vocabulaire

tique sur la spécificité au travail dans le texte de la poésie, qu'il nous faut maintenant reconnaître.

PRODUCTION / TRANSFORMATION.

Cette pratique " transformationnelle " au travail dans la spécificité du texte de la poésie s'élabore d'abord forcément en interdépendance avec les concepts que la pratique de la critique formelle va mettre en situation. Par exemple, et pour mettre l'accent sur le matériel même que la spécificité du texte de la poésie travaille, ce n'est qu'à partir de la pratique de la production " critique " autorisant la question de la généticité des genres comme unité répétitive de production (production d'objet), que pourra se formuler la double question de la généticité (répétitive de son origine) du mot pris comme la plus grande unité du langage " poétique ", et de la logique translinguistique du texte de la poésie (Kristeva) dont l'unité de réduction ne peut plus être le mot (génétique), mais porte sur la séquence historiquement déterminée (l'unité sémantique de la " phrase "). Ce déplacement de la pratique préthéorique (critique) à la pratique théorique (scientifique), ce passage de l'unité génétique roman, poème (avec pour conséquence l'adjectivation " poétique ") à la séquence historiquement déterminée (séquence qui ne peut être entendue que dans un rapport de multiplication textuelle : intertextualité (Kristeva), ce déplacement peut permettre d'éclairer la spécificité au travail dans le texte de la poésie et ce que l'on peut aujourd'hui entendre par production-transformationnelle.

Le texte non plus réduit à la chaîne des mots dans leur unité génétique, mais compris à partir de la multiplication des séquences sémantiques (ou textes) interdit toute lecture qui n'entre pas elle-même comme texte dans l'appareil multiplicatif, qui ne se compte pas dans l'opération (" intertextuelle "). Nous avons ainsi un mode de travail du tissu " littéraire " en état de rupture avec les faits idéologiques qui ont constitué ce " littéraire " (comme littérature, comme esthétique); état de rupture qui tient au passage du mot (maître mot de la loi de l'unique mot génétique : dieu) au texte.

métaphysique qui tend à valoriser la " profondeur " poétique — " profondeur " qui s'abîme toujours finalement dans l'idée de littérature telle qu'elle assure une plus ou moins forte réussite esthétique.

Les trois opérations par lesquelles ce travail se trouve réalisé, pouvant se décrire ainsi :

1. lecture de l'appareil producteur (la langue) dans sa situation historique : lieu théorique / production / contradictions (le sujet occidental et sa science)
   L'opérateur est écrit dans les textes

2. lecture de la mise en effet de l'appareil (la langue) et de sa théorie par leurs contradictions
   L'opérateur écrit

3. lecture du conditionnement opératoire des trois aspects du travail et contradictions qu'il laisse apparaître — ici une fois encore comme " décalages ", limites théorico-historiques : signature de l'opérateur.
   L'opérateur se trouve dès lors engagé dans une pratique de la lecture capable d'investir, d'écrire, de comprendre (de prendre avec) sa mort et son histoire.

L'appareil " supposant " continuellement son histoire, se trouve ainsi et sans fin " souscrit " par la force qui le transforme et qu'il manifeste dans les contradictions qui le déterminent historiquement, livrant un récit historique qui ne peut être jamais que le récit *différé* (Derrida) de cette histoire qui le travaille, le transforme, le travaille. D'où la constante utilité de l'intervention, dans la pratique du texte de la poésie, du texte historique seul capable de manifester le " différé " de ce qui pourrait se donner comme récit (comme fin). Utilité de l'intervention du texte historique seul capable de faire apparaître ces textes en continuelle transformation sémantique (en accumulation souvent contradictoire : textes des " décalages ") que le mot dans son unicité a pour charge de réduire. (On peut imaginer plusieurs façons de faire intervenir, dans le texte, la textualité des séquences historiques, par exemple par la " perversion " critique des formes littéraires (D. Roche), par des " prélèvements " implicites transformationnels ou explicites (Sollers), voire même par des mots datés ayant alors pour fonction de produire comme textualité la séquence historique des " décalages " sémantiques.) L' "intertextualité" dialectisant à l'intérieur d'une histoire de la vérité (qui s'accorderait à l'histoire de la langue) les contradictions que l'originalité, *l'unicité* de la vérité de chaque texte a pour fonction de dissimuler. L'histoire pensée comme réseau de textes à dialectiser, apparaît dès lors à travers ses textes (qui furent pensés comme texte de la vérité) comme la fonction constamment différée du texte de l'histoire. De la même façon c'est ce *différé* (le récit *différé* de l'histoire) qui peut le mieux faire apparaître le rôle d'une langue pensée à partir d'un code fini (à partir de l'unité du mot), où pensée comme infinité du code (à partir des textes). Dans le premier cas la langue a un récit et une histoire qui sont le récit et l'histoire de la vérité et de son code (formes où le sujet de cette vérité vient chercher sa vérification — réduction au mot, roman, poème, nom fonction et fin de la signature comme identité du sujet à la forme de la vérité); dans le second cas le récit et l'histoire de la langue ne sont jamais que le récit et l'histoire du *différé* de l'histoire et de sa productivité : formes dialectiques qui pour nous en tenir à la distinction établie par Lénine restent contradictoires mais cessent d'être antagonistes [36].

La poésie ainsi entre dans le texte et dans l'histoire des textes comme un mode de lecture (production transformationnelle, voir les trois opérations ci-dessus) des écarts du *différé* à travers le récit de l'histoire [37]. Sa fonction, on l'a vu, à tous les niveaux didactique est inséparable d'une pratique générale, dans la mesure où elle accompagne chaque geste de cette pratique, non plus précédant (originaire) ni suivant (descriptive) l'activité pratique des hommes, mais liée à cette activité dans sa force. La poésie dit Lautréamont doit avoir pour but la vérité pratique, la poésie doit être faite par tous et non par un, cela se laisse entendre dans la pratique productive de cette force qui est au travail dans l'histoire et qui ne saurait comme vérité qu'être à tout moment justement le fait de la force de tous.

Marcelin Pleynet.

36. " Antagonisme et contradiction ne sont pas du tout une seule et même chose. Sous le socialisme, le premier disparaîtra, la seconde subsistera. " Lénine, " Remarque sur le livre de N.I. Boukharine ", *l'Économie de la période transitoire.*

37. " La théorie vise par conséquent à mettre d'abord en cause ce concept d'histoire et à mettre en avant " l'histoire " de ce concept comme " littérature " (fiction), de même que les exclusions reconnues donnent l'indication d'une *écriture textuelle* comme histoire *réelle.* " Philippe Sollers, *Logiques.*

NOTES MARGINALES CRITIQUES OU POÉSIE COMME EXPLICATION

" un monde a paru au-delà des bornes du monde "
(à renverser)

Vous lisez le récit différé dont voici la description, le récit en somme. Il commence à l'envers mais non pas par la fin. La fin et le commencement sont du même récit. Ici maintenant, non par ailleurs, mais ici maintenant, dans cette histoire il commence et finit à ce commencement dans cette chronologie à l'envers pourtant puisque pour qui pense le récit tout est renversé. Le fleuve ne remonte pas à sa source, la femme ne remonte pas à sa source ; ils descendent vers l'abîme, c'est ainsi, ils sont dans la nature.

Le récit dit que celui qui récite s'installe dans la mort, dans la langue liée, qu'il pense à partir de la langue morte dans l'histoire; une histoire particulière et unanime qu'il parcourt à l'envers toujours dans la langue morte. Cela désigne un ensemble d'œuvres qui s'échelonnent à travers trois ou quatre millénaires (qu'importe) et qui forme la substance de ce qu'on appelle la religion. Ce sont à bien des égards des documents très importants, sur eux s'est appuyée dans une large mesure l'évolution de la poésie ultérieure. Aujourd'hui ils sont à lire dans le récit de la langue morte cette aventure particulière pour celui qui se lit dans sa particularité, qui doit se lire dans sa particularité pour sortir de la langue, être l'un quelconque parmi beaucoup. Être l'un quelconque (parmi beaucoup) qui parle et ne parle pas, qui commence quand il finit, qui meurt à sa naissance, qui dit deux fois non quand il dit oui. Il n'y a pas d'énigme dans la lecture. Le texte est plus récent, et très ancien, et plus philosophique. Et tout ce qui s'est trouvé accumulé sans vérité siècle après siècle, la masse de corps et de caractères de pages et de livres, elle est égale et semblable comme sont les deux seins d'une femme, et comme elle vraie sans vérité. Et si lorsqu'il est lu le récit n'a d'autre commencement que cet envers, ce renversement qui le rend lisible, c'est évidemment qu'il est déjà lu et qu'il applique sa lecture à ce qui le produit, peut-être pour sortir de la langue et de la vérité déjà dans la langue, pour produire enfin ces trois ou quatre millénaires... Si l'on veut voir plus loin. Car si " l'enseignement " veut que les paroles du poète aillent dans toutes les directions, qu'elles y aillent ! Plus proche le travail du texte de la poésie accomplit sa révolution (1559, cour. — 1727, geom.), *renverse et rend lisible ce qui s'écrit, des choses aux idées et non inversement.*

Le récit que vous lisez (le récit du récit) a deux morales ou mille, en deux logiques :
Dépasser = en finir (et conserver en même temps)
= maintenir
l'autre n'est ni dans le récit, ni dans la langue, et si vous vous demandez comment se dévoile l'opinion au sujet du vide, dites-vous qu'elle est différée parce qu'avant de dire que le vide existe il faut en faire l'expérience, et parce que tout cela, qui est second (et second parce que) ne peut se réciter dans la langue. Le récit, serait-il double, s'en tient à cette série de transformations qui se sont opérées tant sur le plan intellectuel que sur le plan pratique — sans profondeur (jusqu'à la " nouvelle " science) sur le plan. Ce qui hante la langue (et qui fait le poète parlant dans toutes les directions) c'est la disposition de la particularité, de l'un particulier — le spectre : l'un quelconque parmi beaucoup — le texte écrit par tous. Dans ce débat le mort mange le vif, c'est ainsi, lorsqu'il est mort celui qui ne revient plus mange celui qui revient. Le père, celui qui lie la langue, il revient, il revient dans un texte ou dans un autre. Qui est mort ? Tous morts dans le désordre, ne le sachant pas, ne sachant que faire. Et pourtant, avant, rien à dire ; la disparition de la culture tout court... des morts qui mangent des morts. De ceux qui se trouvent réunis (par quel hasard) boudant à la porte de l'histoire qui une fois encore ne se fera pas dans la langue, appliquant les principes de la philosophie dans la langue, essayant de passer de la loi descriptive à sa confirmation expérimentale... Et de cette aventure particulière naissent les formes du récit (qq. siècles plus tôt). Massacre / Théâtre / Dialogue dès lors dissimulés par le mythe religieux.

Lisez donc que ce qui commence à l'endroit et à l'envers, qui remonte dans sa lecture " génétique ", pose que toutes formes entrent dans l'histoire du récit et dans la langue par la science qui la produit... toute forme datée par la science et répondant à la lecture de son histoire par sa satisfaction et son immobilisme (dépassée — finie et conservée en même temps — maintenue dans une autre forme, dans une autre science) si elle ne pense sa disparition et sa négation génétique. (Des poètes toujours pensés par Hegel.)

Et de la même façon que se donne à lire le récit de cette aventure individuelle, vous lisez le récit des formes, vous ne lisez que le récit des formes qui systématisent l'aventure individuelle. Pas de travail, le travail n'est pas fait, ne se fait pas, ne se fera pas, est empêché. Récit dans le récit, interprétation, interprétation de l'interprétation (pas vu), tout reste à faire, l'aventure individuelle et l'aventure collective sombrent ici et là (et très loin en avant, et très loin en arrière) dans l'histoire mythique (les dieux, les poètes, les temples, les statues, le bavardage des névroses).

Un texte plus long, jamais lu, détermine l'analyse, traduction d'une autre langue, traduction dans une autre langue, à traduire d'une langue à l'autre, jamais lu dans la langue, il commence et recommence, dans la langue aussi bien... Ce plus proche, ce presque contemporain, est très lointain (et la phrase peut se lire à l'envers)... celui qui résida longtemps dans les pays rhénans (à Cologne) et qui à l'occasion de persécutions contre les juifs au XIVe *s. et* XVe *s., émigre vers l'est pour revenir de Lithuanie en passant par la Galicie vers un pays de langue allemande... celui qui naît de l'histoire mythologique (celui qui naît) ne traduit que son histoire. Et l'aventure individuelle (serait-elle mythique) n'est autre que celle du père qui lie la langue et la loi, qui revient, commence et recommence la même forme : pas lu (des poètes !). L'aveuglement ne produit rien, et pourtant il aveugle !*

Le récit du récit s'emploie à délier ce qui est lié, ce qui lie et pourtant a les cheveux épars donne de l'essor au jeu ne saurait être lié. C'est bien le fond de la question : le contrôle des choses, le pouvoir de produire qui termine le procès qui détruit toute justice. Ce savoir dans son ordre apparent dans la langue liée est la volonté qui élabore des projets trop faibles de l'autre côté de l'océan. La volonté est forte mais faible est cette force (pas lue).

Description, lecture d'un livre que vous n'avez pas, qui manque à travers les livres... description, lecture du texte qui manque à travers les textes ... récit du texte qui ne peut être traduit que collectivement dans les textes, qui informe l'histoire collective. Rien d'autre pourtant que ce que vous lisez, non plus dans les livres mais à travers les livres, dans les livres à travers les livres, qui n'a aucun titre et qui travaille. La description écrite deviendra la mutation de ce travail, la chaîne logique qui commence avec l'affirmation négative (traverse les logiques) cesse de commencer, ne finit pas, commence avec la négation positive.

N'en parlons plus. Le désir. N'en parlons plus. Le désir, le groupe sanguin écrit dans la nuit. La chute est d'abord un fait que l'on constate mais qui à tout moment peut disparaître comme la pensée du corps dans l'aventure individuelle. Si vous ne voyez pas votre corps, vous ne voyez pas le récit (plus loin). La lecture peut être très longue, les détails traversés n'avoir pas de sens commun. Parmi les notions que véhicule le sens commun la vérité est sans doute une de celles qui paraissent avoir toujours existé et suivi en silence le bord. Dans le récit tout cela noue l'intrigue, se déplace (vous l'avez lu), n'accorde rien ... n'accorderait rien, jouerait l'étonnement... Le texte toujours présent dans la force de censure (2 fois) dans la résistance à l'effraction et dans l'effraction (à lire). Impossible de supposer vide, vidé, le tissu phonétique — extrême rigueur de sa loi. N'*en parlons plus* (*plus loin*).

Le texte dans les livres sur la table, tout ce qui demande à être remis debout : l'articulation phonétique. Pas la poésie. Dans toute discipline il suffit qu'un seul aspect de la production reste impensé pour que tout discours, pour que tout récit soit possible relevant du n'importe quoi (*nous avons là une méthode heureuse qui pourrait être dite de poétisation*). *L'articulation phonétique, quel nom propre ? Un autre point de vue qui semble d'abord plus sérieux pose cet impensé comme point obscur et comprend ce point comme inconnu dans toutes les équations critiques* (*nous avons là une méthode plus tourmentée qui pourrait être dite de formalisation*). *Ce qui précède est une esquisse, il n'empêche que le lieu du discours reste métaphysique. La lecture des livres sur la table : à appliquer — à appliquer au récit qui autorise les livres sur la table. Le texte n'est pas celui de l'auteur* (*jamais*)... *comprenez l'aventure de ce volume qui autorise la sixième partie du monde en sa force productive. Et dès ce moment plus de chronologie, noir sur blanc. Et sans départ, pourtant ces livres sur la table, leur arrivée là, leur situation chronologique, qu'un volume marque et qu'un volume efface. Aplatissement du récit, coloration du texte plus inattendu que ce corps qui capte la lumière et la renvoie balayer un champ nouveau. Ainsi doit s'organiser le récit s'il est de la même lecture. Quel objet grimaçant fait figure de poème, que le travail est mince en ce lieu charmant !* N'*en parlons plus. Parlons-en. Mais pourquoi encombrer inutilement cette feuille, ce n'est pas par accident que se soude la langue.*

SECONDE NOTE MARGINALE CRITIQUE

Entendez autant de volume qu'il y a de dents (*quelle gueule !*). *La page, ainsi que vous pouvez le constater, coupe le discours tout net, il faut la tourner, chercher de l'autre côté la face opaque ou la face réflexive* (*illisible entre les deux*), *pourtant inscrite inévitablement entre les deux. La lecture sauvage attachée au processus d'économie et de transformation dans le texte* (*négation de la négation*) *— l'exemple de la graine et de la pourriture dans le texte —* (*La pensée contraire pas lue, à ne pas lire.*) *Le blé russe et le blé canadien : à développer comme condition du texte poétique. Cette gueule pleine de volume !*

. . . .

Ne dites jamais... Dites... Métaphore, métonymie... les figures de rhétorique sont dans le récit de la langue et l'aplatissement linéaire —

jamais dans les textes. Le texte rhétorique. Le récit, vous le lisez, n'a d'autre fonction que ce texte dans les textes, le rêve de ce texte. Et pourtant dans le récit, le texte de la graine, le texte de la terre, le texte de la saison, le texte de la récolte, le texte de la réserve en blé, qui est aussi le texte de la faim, qui est aussi le texte de l'économie, qui est aussi le texte de la dépense... ne sont jamais lus, jamais écrits (à écrire — cette gueule pleine de livres).

Il faudra reprendre sur le texte de la faim et sur le texte du désir. Le récit montre (et démonte) son articulation (aliéné) métaphorique.

Scandale (?) à lire : Le texte de la poésie n'est pas étranger au texte de la faim (Lisez les) — illisible.

Textualité (à reprendre) comprendre la lecture phonologique (phoné), Après avoir tiré du monde réel la catégorie mystère, ils tirent de cette catégorie le monde réel. Philosophie spéculative. Vous y trouverez la poésie telle qu'elle se pense aujourd'hui, déclarant que son activité est l'activité même du sujet absolu, ou dans la formalisation d'un jeu, catégorie de la danse qui ne se danse nulle part si ce n'est dans la cervelle poétique. Pas de jeu dans la pourriture qui transforme le corps (les espèces changent avec une extrême lenteur) — désir — consumation — moment de la première négation (le spécifique retrouve le général — théorie de la théorie)/désir — transformation (le corps disparaît en tant que tel, remplacé par la plante née de lui — travail)/désir — production moment de la seconde négation — un corps nouveau semblable et multiple en proie à la théorie, au travail, à la production, à la naissance, à la mort — pas plus au commencement qu'à la fin (textualité).

Vous lisez le récit renversé qui pense et déplace le récit chronologique. Les formes et les genres qui donnent ordre au récit de la métaphysique tirent une catégorie du monde réel puis spécifient le monde réel à partir de cette seule catégorie génétique : Une fois en pleine mer l'homme attache la plus jeune par une corde et le désir couvre tout l'océan gagné à cet attachement. Telle est la fonction de la lecture poétique. Ce n'est pas là la fonction de la lecture. Le corps particulier est imprimé dans la lecture phonétique, mais le corps particulier n'est pas tout le corps, et le corps n'est pas une catégorie. Le récit récite la lecture du corps. Il en dénonce les catégories — l'organe sexuel n'est pas seul à déterminer l'individu mais il est dans la première lecture. La première lecture est la lecture poétique — à distinguer de la lecture spéculative. La première lecture ne travaille pas elle est travaillée (expressive). La seconde lecture ignore la première lecture, elle travaille, elle traverse le chemin, elle est expressive, elle signale les textes. Il n'y a pas de troisième lecture. La troisième lecture est sans exemple.

En me voyant celle dont les cuisses sont pareilles aux eaux du fleuve, cache ses seins et son ventre comme si dans sa crainte elle voulait se rendre invisible... C'est pour répondre à ce qui est dans leur corps que le récit commence et s'achève. Elle se lève et le récit commence. Elle s'affaisse et le récit commence. Elle est celle qui convient à la terre et à la science. Rien si ce n'est d'abord sa crainte ne la distingue ; ses cuisses, ses seins et son ventre appartiennent à la terre et à la science. Le récit pourtant commence avant la crainte dans le corps vivant et mort, dans la strophe que module le chant. Et toutes les formes se retrouvent ou s'achèvent dans l'union de la strophe et du chant... mais qu'une s'impose et le chant peut-être s'achève en sanglot. Elle s'affaisse sur la terre sèche et le récit de la terre sèche commence. Ou bien elle lève la terre fertile et la révolution commence avec un autre récit très ancien, toujours commencé, courant aussi bien sous le récit de la terre sèche — caché. Lorsque le récitant commente le réel, elle cache ses seins et son ventre comme si dans la crainte elle voulait les rendre visibles. C'est pour répondre à ce qui est dans leur corps sans commentaire que le récit commence. Si l'on en croit la tradition les textes qui seraient à l'origine de la plupart des branches du savoir seraient perdus, et ce qui nous retient ne serait que remaniement, non pas même le récit, mais ce qui affirme le récit qui s'affaisse et sèche sur la terre prétendant que ce que je vous dis est vérité.

Où donc commence le récit, sèche la terre. Vous le lisez dans les signes de la terre sèche, non plus métaphoriquement, ici aussi bien. C'est ce que confirment l'archéologie et l'histoire. Mais ce qui importe ce n'est pas tant la durée que la multiplication — la terre fertile sous la terre sèche — la terre sur le bois — l'irrigation de la force dans le corps peint que son action déplace à travers les corps. Telle ou telle aventure spécifique du récitant les bras brusquement chargés de son récit (les bras brusquement chargés du récit de son nom).

— laissant en blanc sur la largeur et sur l'épaisseur ce qui n'appartient pas à la ligne, ce qui s'inscrit sans nom dans la profondeur du récit, ce qui vient de la profondeur du récit charger le récitant de ce que la ligne ne peut se doser que comme désir... ces constantes transformations de la forme qui sont hermétiques, sourdes et emmêlées : grappes, cuisses, terre humide, roue féconde de la réalité, portée ailleurs de longue date et que le récit ne peut distribuer qu'en multipliant son théâtre, qu'en chargeant le chœur et le texte anonyme.

De cette rencontre rien ne peut être permanent sans mouvement et modification, le récitant se retrouvant dans le récit, déjà placé dans le récit dans les accidents du récit, et dès lors, chargé de tout ce qu'il prononce, faisant appel au chœur. Le lieu de rencontre et d'échange se jouant non sur les formes mais sur ce qui produit. Le texte qui produit n'est pas un texte arrêté, il est dans la lecture diachronique et dans la lecture synchronique mais il n'est pas dans la lecture des formes arrêtées. La rencontre de celle qui passe dans l'aventure individuelle n'est pas dans la lecture des formes arrêtées... elle cache son ventre et ses seins, donne l'exemple, prend son plaisir dans le mouvement et la modification, donne son ventre et ses seins, charge le récitant de cette histoire sans nom dont elle est le lieu vide et plein, si elle n'est rien d'autre que ce qui élève ou abaisse le chant (le champ) se donne comme le pain (le pin). Si la lecture peut se faire hors de la chaîne symbolique (on dirait que la terre (la taire) rit), ou encore la lecture a pour articulation la pensée des contraires, elle avance chargée d'un travail anonyme et traverse l'aventure individuelle avec la femme dont les cuisses s'ouvrent jusqu'à la loyauté anonyme du travail.

> " *l'homme est en train de ne pas se tromper* "
> " *pleynet est un vocable vide de sens* "
> " *vivre et mourir c'est un va et vient* "
> " *vivre et mourir c'est un va et vient* "

. . . .

Les Préliminaires portent ce nom parce qu'ils sont mis en œuvre avant la représentation. C'est ce qu'il importe de répéter lorsqu'on distingue le genre poétique et son histoire, il est dans la représentation souscrit par le code de la représentation et n'a d'autre fonction que de justifier ce code. Lorsque l'homme ne portait pas de nom propre il était reconnaissable comme signe et comme destiné (et comme destinée de ce signe) et comme producteur de signe, il n'avait d'autre destinée que son activité et les conditions de son activité passant littéralement dans la machine... non pas signe de, non pas producteur, mais dans l'économie de la production (tout cela est traduit). Le récit décrit le fonctionnement de la machine, son âge — la machine et l'âge du récit, le lieu producteur / consommateur ; il pense les discours anciens et l'ancienne rhétorique dans leur vieillissement. Le récit s'installe dans la traduction des récits plus proche que jamais de la figure (la figure) traduite, mais ce plus proche est son éloignement. Vous le lisez dans son parcours (féod.) *quoique ce parcours ne soit pas dans le récit qui commence à l'envers mais non par la fin. Puisque à chaque parcours* (XIXe) *le récit commence dans son vieillissement. Tout cela tient du récit, non des Préliminaires. Les préliminaires portent ce nom parce qu'ils sont mis en œuvre avant la représentation.*

Tout se joue entre la pensée singulière et le champ idéologique, c'est qu'ils sont mis en œuvre avant la représentation.

Tout se joue entre la pensée singulière et le champ idéologique, c'est leur rapport qui est ce commencement et ce commencement n'aura pas de fin. Ce n'est pas là le commencement du récit, la pensée singulière fut et restera le commencement du récit et le récit — elle commence où elle veut (c'est bien dire qu'elle commence où elle peut). Dans ce moment où tous ceux qui ont échappé à la mort brusque sont en leur abri, sauvés de la bataille et pris du désir de marquer le chant (le champ) non dans la mélodie mais dans la force du combat et de " reverser " le retour qui garde et éteint.

SECONDE NOTE MARGINALE CRITIQUE

Et dans ce récit jamais lu, l'ancien récit (E.,*S.*), *l'ordre clanique* (1939) *lu par la matrice* (techn.) *bourgeoise : (le choix symbolique de S.). L'ordre clanique lu comme ordre de la famille. L'invisible fonction matricielle de la mère et la loi de cet invisible dans la société bourgeoise. Qui connaît que de nouveaux mythes viennent couvrir l'acte de la loi (meurtre rituel, mutilation du père : Ouranos / Cronos /) ? Mais quand la poussière a bu le sang d'un homme une fois qu'il est mort il n'y a plus de résurrection pour lui. Mais quand la poussière a bu le sang d'une femme... ? Le jeune résonne-t-il juste ? (Ce n'est pas la mère qui engendre celui qu'on nomme son enfant : elle n'est que la nourrice du germe qu'elle a reçu.) Non. Mais qui est le jeune ? Si le meurtre du père devient symbolique pourquoi tuer le père, et pourquoi ne pas le tuer ? Et la mère... ? Que faites-vous de la femme " analogique "* (gr.) ?

Dans le récit il n'y a pas de père (le sens de ce récit c'est l'arrivée tardive du père). La femme, celle qui passe les limites est (la) lecture. L'ancien récit l'appelle Grande. Faut-il qu'il y ait retour dans le récit ? Et sinon quel récit lisez-vous hors de l'analogie ? La folie en gagne les tempes où arrive le sang (illisible). Il faut être sourd et ne plus entendre que le sang qui gagne pour voir — montre (montrer et se montrer et montrer avec) celle (l'elle) que destine l'analogie. L'immédiate limite c'est l'horreur ! Mais déjà l'odeur âcre, épaisse, fertile) et le corps défait comme un lit ... tandis que l'ombre s'élargit et ferme les dents (fonction symbolique — à relire).

Si ce récit était le plus ancien il serait le plus proche incontestablement. Contradiction dans le récit : la matrice bourgeoise / l'ordre matriciel de la mère (1 / moule qui après avoir reçu une empreinte en creux et en relief permet de la reproduire — 2 | étendue dimension espace durée modération juste-milieu règle loi borne limite). Contradiction trop proche dans le récit où le récit s'agace et s'étonne — s'arrête — où dépasser et conserver en même temps ne parvient pas à en finir. L'espace n'est pas une étendue simple, la durée n'est pas la répétition, la succession monotone d'une même unité : juste milieu ou milieu juste. Suivant la dimension de l'aventure individuelle et de la pensée singulière l'espace et la durée sont du récit et de sa (la) lecture ... juste-milieu (illisible) l'espace et la durée sont espace du récit : durée de sa lecture | espace de la lecture | durée du récit | espace du récit. Juste-milieu, loi, groupement concret d'occurrences (1440) *de mutations. Principe analogique dans ce récit et différent en son dehors, l'immédiate limite, l'autre récit ... et qui se formule alors A*⊂⊃B *— A est A parce qu'il est* $\bar{A}$ *(empreinté) — ainsi de la théorie — ainsi du corps le plus ancien et le plus jeune.*

Mais déjà l'oreille est assourdie par son bourdonnement, ce qui se sent n'a plus d'odeur, le corps ne cesse de se refaire, l'ombre qui s'élargit n'est plus une ombre, manger, vivre et nourrir ont la même fonction qui s'élargit, brise ce lyrisme que marque la légèreté (conceptuelle) du désire l'inappétence de ce récit, et entre dans la force de la dépense productive : Une tout autre histoire.

En même temps fiction de l'oreille.

Il la retient revient vers elle se retourne la touche la serre contre lui sentant bien que ce désir cette douleur qu'il lui inflige est pour elle comme la douleur qui la traverse. Petite histoire dans l'histoire de la langue ; dans son récit : femme | eau lune — femme | bison — ou transformée femme phallus entrant dans l'obscurité de l'histoire... Douleur du message intense et répétitif qui passe sa vitesse de traduction (dans un système de traduction). Corps sans douleur et sans message dans l'économie.

En même temps le récit que vous lisez, encore, toujours pris dans l'acte de la parole et l'aventure individuelle. A penser pourtant dans son rapport constant avec les généralités qui le penseraient. Le texte dans sa folie se réduisant d'abord à quelques initiales (consonne ou voyelle), tentant dans l'étymologie d'en finir avec ces caractères en plus. Le récit individuel surgissant (pour défendre ses dividendes (specialt.) *à effacer). Surgissant — à effacer. Surgissant en tout point semblable à lui-même dans la linéarité descriptive, revenant dans son discours, réduisant tout à son discours dont l'objet a pourtant finalement une valeur sociale qui dépasse — et de loin — l'individu qu'il justifie (valeur sociale d'individualisation). Communiquant non pas son ignorance (s'il y a censure il n'y a pas ignorance dans ce discours) mais son contrat d'aliénation. Ne communiquant en fait jamais que son contrat théorique qui est refus de la théorie. Ainsi de la poésie. Ainsi de l'accumulation (non pensée) des récits. Ainsi de la poésie hors de l'histoire, hors de la science nouvelle. Ainsi du lyrisme et du non lyrisme (nom) qui passent dans le discours du récit-appareil bavard jusque dans sa discrétion et qui ne pratique que la diversion de la théorie. Tout ce qui touche à la politique peut être mortel pour la poésie car elle en vit. Elle vit ce nom pensé (matrice / matrice) — hégélienne, et surtout dans ses plus fortes manifestations. Installée dans la bouche et dans l'oreille conceptuelles comme un chancre donnant fonction à la bouche et à l'oreille — instaurant les couples sans accouplement (ancien récit fonction métaphorique de la mère), signifiant / signifié (travail).*

La langue est forcément difficile, initiatique en son procès ; mais les actes de ce procès sont politiques. La langue est forcément difficile, initiatique dans son rapport à la théorie de la production de la langue. Tant que la poésie ne reconnaîtra pas l'inscription de son texte et de sa pratique dans l'histoire, elle restera aussi peu probante et comme la fortune aveuglée (?) que ses yeux mènent où il se doit. Les éléments contraires ne s'opposent pas dans les mêmes proportions. La poésie doit cesser de spéculer sur les proportions (il l'a plus petite, il l'a plus grosse), les proportions se jouent avec le reste (quand allons-nous donc renoncer à cette prosternation fétichiste devant les cas d'espèce) mais les proportions ne sont qu'un des symptômes ( ) de la contradiction. Le récit forcément est symptomatique (cour). *L'unité minimale du récit est le mot. La poésie n'a jamais fait que fétichiser le mot (forcément). Le mot de ce récit différé que vous lisez pourrait en somme ne pas être sur la ligne — le récit ne le supporte dans ses multiples fictions que pour ce qu'il en autorise de* rapport. *En tant que fétichistes ils ont défendu précisément le mot et non le principe* (1902) *alors qu'il faut commencer par la recherche des premières causes, c'est-à-dire des principes* (XVIIe).

Forcément la langue est difficile qui doit dans le récit traverser les formes de la langue : l'immédiate limite c'est l'horreur ! L'horreur forcément initiatique. Qui touche jamais à sa langue ? Forcément l'immédiate limite, l'accouplement et le retour du mot, la vocation (1190 — mot articulé dans le récit sur la traversée de son aventure métaphysique) *ici de ce travail qui force l'aventure individuelle (produit contradictoire du rapport à l'immédiate limite : la critique de cette individualité bornée et la fonction de travail critique)... Qui travaille dans sa langue défaite comme un lit ?*

Dans l'ancien récit — mais qui écrit " ancien ", s'il n'est différé le récit est ancien, perdu dans une histoire où l'ombre ne cesse de s'élargir (fonction mythique) ignorant la science nouvelle qui diffère le récit — Dans l'ancien récit jamais lu, lisible pourtant dans son rapport au récit différé, les corps tombent parce que la terre les attire. Mais qui lit (lie) le mouvement et la vitesse des corps dans l'ancien récit ?

M. P.

FREUD ET LA “ CRÉATION LITTÉRAIRE ”

L'apport essentiel de la découverte freudienne, qui confère à la psychanalyse son importance et son actualité, semble être pour la plupart des successeurs de Freud resté inaperçu, incompréhensible, ou du moins a été mal vu, en raison de l'obsession centrale qui hante la pensée occidentale, et Freud lui-même : l'obsession du sujet et l'incapacité à peu près générale de penser hors de cette référence. Freud pourtant, à partir du travail effectué sur les névroses, constate qu'il y a une *déperdition de texte* due en premier lieu à l'organisation répressive de la société [1], et que le texte perdu peut être retrouvé, mais déformé (terme d'ailleurs suspect car il laisserait croire à l'expérience et à la permanence d'un texte premier), travaillé, transformé, soumis à des opérations analogues à celles qui sont en action dans la production du texte proprement littéraire. Le concept d' “ inconscient ”, opératoire, et lié à un certain état du texte, servira à définir à la fois le lieu de récupération du texte perdu et les mécanismes de transformations auxquels est sujet ce texte. Dès l'*Esquisse*, Freud montre l'intérêt qu'il porte à ce qu'on pourrait appeler la dynamique du texte; son procès d'inscription et d'apparition où se reconnaîtront les caractères spécifiques de l'écriture : “ trace ”, “ frayage ”, “ effraction ”, “ après-coup ” [2]. La *Traumdeutung* et la *Psychopathologie de la vie quotidienne* seront avant tout des analyses textuelles permettant de découvrir la grammaire, les réaménagements et la redistribution du texte perdu. Dans le champ qui est le champ propre de la psychanalyse, c'est-à-

1. Que cette répression soit inévitable ou non est un autre problème. Il est cependant intéressant de remarquer que cette répression se marque chez Freud par le terme de *renoncement* : l'enfant est obligé de renoncer à ses satisfactions (de les différer), et que ce terme est fondamental de l'idéologie chrétienne et l'arme idéologique privilégiée de la classe dominante.

2. Voir Derrida, “ Freud et la scène de l'Écriture ” in *l'Écriture et la Différence*, Éd. du Seuil, Coll. “ Tel Quel ”.

dire dans le meilleur des cas celui d'une récupération du texte perdu par l'effet du système de la société occidentale, système de pensée et système économique [3], Freud, avant le développement de la linguistique, montre une connaissance remarquable de la production et de la dynamique textuelle, des glissements, des permutations, des réinvestissements auxquels ce texte se trouve soumis, comme des échanges inter-textuels (conversion organique, symptômes de déplacement, de substitution, etc.). Il semble qu'on soit là en présence de tous les procédés, de toute l'organisation textuelle dont le texte écrit (la littérature) se trouve être le lieu privilégié. On devrait donc s'attendre à voir chez Freud pour le fait proprement littéraire une pénétration égale à celle qu'il montre pour le déchiffrement du texte " inconscient ". Il est vrai que Freud est un lecteur passionné, " infatigable " comme il le dit lui-même de Léonard. Il sait d'ailleurs à la manière des bourgeois cultivés de son époque, agrémenter sa correspondance et entrecouper ses écrits de citations appropriées. Mais il y a plus. C'est le nom d'un personnage qui appartient à la littérature qui va devenir un des concepts fondamentaux de la psychanalyse et c'est, dès la Traumdeutung, l'analyse d'un autre personnage de théâtre, Hamlet, qui par comparaison avec le premier, servira à montrer le renforcement du refoulement dans notre société et les effets névrotiques qui en résultent.

Si la littérature assure des repères et confirme les hypothèses de la recherche analytique, elle sera amenée par un pivotement nécessaire à être elle-même objet d'une question. La continuité du même mouvement conduit Freud à chercher d'abord dans la littérature un soutien exemplaire de l'investigation analytique (d'autant plus que ce texte-là est lisible pour tout le monde) et à demander ensuite à la littérature la raison de ce soutien, à en faire un des domaines de l'exploration, de la " curiosité " analytique. Il ne sera donc pas étonnant de rencontrer chez Freud une conception de l' " artiste ", du " créateur ", du " romancier ", du " poète ", une conception de l' " œuvre " et de ses processus de " création ", de la lecture et du lecteur, ces conceptions étant évidemment dépendantes les unes des autres.

Plus qu'une simple analyse des rêves et du délire, le commentaire écrit par Freud de la *Gradiva* de Jensen paraît soulever surtout un

3. Il semble bien que tout mouvement, tout système de pensée déterminé par la dimension du *sens* et de la *vérité* ait pour inévitable conséquence une perte de texte.

problème théorique. Dès les premières lignes, Freud annonce les données de ce problème lorsqu'il dit que " la curiosité s'éveilla un jour à propos des rêves qui ne furent jamais rêvés, mais attribués par les romanciers à leurs personnages imaginaires. L'idée de soumettre à un examen cette classe de rêves peut sembler surprenante et oiseuse; envisagée sous un certain angle, elle n'a rien d'injustifié ". Cependant Freud va consacrer une grande partie de son travail à essayer de la justifier. La question qui paraît se poser à Freud pourrait se formuler ainsi : Comment se fait-il que des rêves imaginés par un auteur et attribués pour les besoins de sa fiction à un personnage soient susceptibles de l'interprétation analytique tout comme les rêves " réels " ? Comment se fait-il de même que des personnages fictifs soient décrits de telle sorte qu'ils paraissent être soumis aux mêmes forces psychiques que des personnes réelles ? Freud établit donc d'abord une distinction entre réalité et imagination. Toutefois cette distinction ne passe pas par les frontières de la psychologie classique pour laquelle le rêve appartient à l'imagination et ne saurait en aucune façon être qualifié de " réel ". Freud pose donc les rêves réels (wirklichen Träume) — rêves vécus par un sujet réel — d'un côté, et rêves imaginés de l'autre (" les rêves réels passent pour ne connaître ni frein ni lois, alors que dire de la libre production des rêves dans la fiction "). Le champ conceptuel qui détermine ce partage n'est pas au départ établi. S'agit-il de l'opposition conscient / inconscient ? Mais les productions du romancier n'échappent pas à l' " inconscient " qui couvre toujours la production " consciente ". S'agit-il de l'état dans lequel se manifestent ces productions, sommeil d'une part, veille de l'autre ? Peut-être, et nous verrons plus tard comment Freud établit le terme intermédiaire qui permet de passer des uns aux autres. Mais il est déjà important de noter que ce partage laisse de côté ce qu'ils ont en commun, à savoir leur caractère textuel qui ferait que l'écriture, le texte écrit, pourrait sans la nécessité d'une médiation relever d'une lecture semblable à celle dont sont susceptibles les rêves; et que ce partage fondé sur la position centrale qu'occupe le " sujet ", est à l'origine des difficultés de Freud. La différence entre " rêve réel " et " rêve imaginé " met l'accent non sur les différenciations textuelles qui pourraient apparaître de leur comparaison, donc sur une lecture du texte lui-même, mais sur un état et une faculté (imagination) attribués au " sujet ". Au contraire, à partir de l'opposition réel / imaginaire, Freud pour expliquer que des rêves " imaginaires " sont interprétables comme des rêves " réels " est obligé d'avoir recours à des médiations. Et d'abord au niveau le moins apparent, il semble bien adopter sans la discuter la théorie de l'art conçu comme imitation. La *mimesis* est impliquée par les termes de sa question : si œuvre et réalité sont substituables l'une à l'autre comme objet d'un savoir nouveau (la psychanalyse) que le romancier ne pouvait pas connaître, c'est bien que l'une imite l'autre et que l'imitation est parfaite. Mais alors d'où lui vient cette perfection ? " Nos lecteurs ont dû être étonnés de nous voir traiter Norbert Hanold et Zoé Bertgang, dans toutes les expressions de leur psychisme, dans leurs faits et gestes, comme des personnages réels (wirklichen Individuen) et non comme les créatures d'un romancier (Geschöpfe eines Dichters). " Et Freud tient tellement à la conformité de l' " œuvre " avec la réalité que sur les deux points où la *Gradiva* laisserait apparaître des invraisemblances, il s'emploie à montrer qu'il n'y a pas incompatibilité avec la réalité, d'autant plus que cette dernière peut être élargie et intéresser " les sources où le romancier puisa cette partie de son œuvre ". Cet élargissement de la notion de réalité qui englobe l' " inconscient " est essentielle à Freud pour qu'il puisse préserver la conception réaliste qu'il a de l' " art ". De toute façon, Freud admet qu'il existe entre l'œuvre et son " créateur " une relation telle que si l'œuvre montre un certain savoir (savoir qui fait question pour autant que la science y reconnaît celui qu'elle a obtenu par ses propres voies), il est nécessaire de rapporter ce savoir à un " sujet " qui en sera délibérément ou non, consciemment ou non, le dispensateur. Nous pouvons nous demander si, dans les termes où elle est posée, cette question ne révèle pas le sol même sur lequel s'appuie la " science " qui la pose, à savoir sol *métaphysique* par des dualismes qui y sont impliqués — réel / imaginaire, signe et sens, signifié et représentation, etc. — *théologique* — rapport du créateur à sa créature, d'un sujet à son prédicat dans une relation telle que si $P \in S$, S ne saurait jamais se réduire à l'ensemble de ses prédicats, autrement dit que le " sujet " n'est jamais un effet du texte, mais existe avant lui comme la substance causale nécessaire à sa production — *idéologique* enfin dans la mesure où les présupposés qui fondent ce discours ne sont pas eux-mêmes discutés. Ces présupposés métaphysiques et théologiques sont d'ailleurs inscrits en clair dans le texte de Freud : " [Les poètes et les romanciers] connaissent, entre ciel et terre, bien des choses que notre sagesse scolaire ne saurait encore rêver. Ils sont, dans la connaissance de l'âme, nos maîtres à nous, hommes vulgaires, car ils s'abreuvent à des sources que nous n'avons pas encore rendues accessibles à la science... " et un peu plus loin " ces profonds connaisseurs de l'âme humaine que nous sommes accoutumés à honorer dans les poètes ". Mais une fois admis le rapport, et le rapport de causalité, d'appartenance, entre le " poète " le " romancier ", et son " œuvre ", nous voyons Freud hésiter sur les caractères particuliers de ce rapport. S'il semble être enclin à faire du " poète " un " sujet " privilégié apparenté au *Créateur*, placé entre ciel et terre, ayant accès à une connaissance que les autres hommes, les " profanes " ignorent, et par là même destiné à être l'objet d'une vénération méritée, il glisse cependant une autre réponse : " Mais la vie psychique a beaucoup moins de liberté et de caprice qu'on ne tendrait à le croire; peut-être même n'en a-t-elle pas du tout. Ce que dans le monde extérieur nous appelons hasard, finit par se résoudre, comme nous le savons, en des lois, ce que dans la vie psychique nous nommons caprice, repose aussi sur des lois — que nous ne pressentons qu'obscurément encore. " En ce point Freud laisse entendre que l' " œuvre " est moins le lieu d'un savoir inexplicable, surnaturel, qu'objet *pour* un savoir qui s'appliquera à elle. Entre ces deux possibilités, Freud n'ose d'ailleurs pas se décider. Il ne peut se résoudre à considérer la production artistique comme n'importe quelle autre production du psychisme, mais il ne peut pourtant pas davantage l'abandonner à la seule appréciation esthétique. Les indices de ces hésitations sont nombreux. Ils se perçoivent par la forme interrogative souvent adoptée, par des paragraphes interrompus un peu trop vite. Le terme de *profane* prend alors tout son sens. La démarche de Freud est singulièrement prudente et respectueuse un peu trop même pour ne pas montrer le désir d'y renverser quelques idoles. " Mais notre héros, Norbert Hanold, étant une pure création du romancier, nous voudrions adresser à celui-ci timidement cette question : son imagination a-t-elle été soumise à d'autres forces que le propre arbitraire de celle-ci ? " Question timide, et question pour l'instant sans réponse (mais celle-ci a déjà été supposée un peu plus haut quand Freud évoque l'unité de la vie psychique et des lois qui la fondent), indiquant sans doute une arrière-pensée et laissant prévoir le procédé dont Freud veut user, mais question insistante qui peut se formuler diversement : de quel savoir dispose le romancier ? quelles en sont les " sources " ? quels sont les rapports de ce savoir avec celui de la science (l'ancienne, la psychiatrie classique, et la nouvelle, la psychanalyse). Freud, ne l'oublions pas, veut assurer la validité de la méthode analytique et de ses résultats sur des œuvres de fiction, il veut parvenir à une confirmation de ses vues sur l' " inconscient " et le rêve par les conclusions qui s'imposeront de l'étude des œuvres littéraires. Cette confirmation est d'ailleurs importante pour des raisons méthodologiques : en effet, ce dont la psychanalyse fait effectivement l'analyse, l'œuvre romanesque en présente la synthèse. Il s'agit de montrer que les mêmes éléments, les mêmes processus psychiques, se rencontrent que l'on opère selon une voie ou selon l'autre, que l'on traite un patient ou que l'on " crée " un personnage. Il s'agit donc pour Freud de comprendre le statut de l'œuvre, de déterminer la place qu'elle occupe parmi les autres productions du psychisme, de ressaisir les processus de la " création artistique " et de découvrir pourquoi certains hommes sont capables d'une telle production alors que les autres ne le sont pas (la position de Freud à ce sujet, nous l'avons vu, étant celle, courante, qui veut que, contrairement à ce qu'affirme Lautréamont, la poésie ne peut être faite que par un et non par tous). Sans doute " romanciers et poètes connaissent, entre ciel et terre, bien des choses que notre sagesse ne saurait encore rêver " (et ici la conception de Freud ne diffère en rien de la vision romantique, bourgeoise et chrétienne du poète), cependant dans un autre passage Freud écrit : " Si l'intelligence qui a amené le romancier à créer son roman fantaisiste de telle sorte qu'il puisse s'analyser à la façon d'une réelle observation médicale, si cette intelligence est de l'ordre d'une connaissance, nous serions curieux d'en connaître les sources. " Le commentaire de la *Gradiva* est écrit dans les années 1906-1907. Si Freud, à cette époque, est sorti de son " superbe isolement " et si la psychanalyse commence enfin à être reconnue, elle doit encore lutter contre les préjugés de la psychiatrie classique et s'assurer la conquête de nouveaux territoires. On sent que *Délires et Rêves* répond à ces deux objectifs. Freud, d'une part, n'est pas mécontent de prendre pied un peu plus fermement dans le domaine littéraire — et l'appendice à la deuxième édition montrera sous forme d'un bulletin de victoire qu'il a réussi dans cet objectif (" Dans les cinq années qui se sont écoulées depuis que j'ai écrit cette étude, l'investigation psychanalytique s'est enhardie et a abordé, à d'autres points de vue, la création littéraire ") — et, d'autre part, il est assez heureux de montrer que la psychanalyse se trouve en accord avec une œuvre littéraire et est capable de donner une interprétation correcte des rêves et des délires d'un personnage de fiction, alors que la science, l'ancienne, la psychiatrie " suivant sa conception simpliste " ne saurait que ranger le délire dans une " classification " " défectueuse " et d'ailleurs impropre, et formuler sur le héros des jugements à caractères nettement moraux (" le psychiatre stigmatiserait notre héros de dégénéré "). Si bien que, grâce à la psychanalyse, le romancier se trouve revêtu d'un statut qui n'est pas très éloigné du statut scientifique. " Peut-être rendons-nous aussi un mauvais service au romancier, aux yeux de la plupart, en considérant son œuvre comme une étude psychiatrique. Le romancier, dit-on, doit se garder de la psychiatrie et laisser aux médecins la description des cas morbides. En réalité, aucun romancier véritable n'a observé cette règle. La représentation de la vie psychique humaine est en effet son domaine propre; il a toujours précédé l'homme de science, et en particulier le psychologue scientifique... Le romancier n'a pas à céder le pas au psychiatre, ni le psychiatre au romancier; et sans rien lui faire perdre de sa beauté, un romancier peut traiter, en toute correction, un thème psychiatrique. " Mais Freud va encore plus loin. La comparaison entre la science (l'ancienne) et le romancier tourne nettement à l'avantage du dernier : " C'est la science qui ne tient pas devant l'œuvre du romancier. Entre les prédispositions hérédo-constitutionnelles et les créations du délire qui apparaissent toutes faites, la science laisse subsister une faille que nous trouvons comblée par le romancier. La science ne soupçonne pas encore l'importance du refoulement, elle ne reconnaît pas qu'elle a absolument besoin de l'inconscient pour rendre compte de l'univers des manifestations psycho-pathologiques, elle ne cherche pas la cause du délire dans un conflit psychique, elle n'en conçoit pas les symptômes comme produits de compromis. Le romancier se dresserait-il seul contre la science ? Nullement, si l'auteur de cette étude (Freud) peut qualifier ses propres travaux de scientifiques... " Freud ici annonce les rapports qui peuvent s'établir entre le romancier et la science nouvelle — la psychanalyse — et comment le savoir de cette dernière est à même de faire apparaître le savoir, qui pourrait sans elle passer inaperçu, du romancier. " L'auteur, qui s'était depuis 1893, consacré à la genèse des troubles psychiques n'aurait jamais pensé à chercher la confirmation de ses résultats chez les romanciers et les poètes; aussi sa surprise fut-elle grande, lorsque, en 1903, au moment où parut *Gradiva*, il s'aperçut que le romancier avait pris pour base de son œuvre cela même que lui, l'auteur, avait cru découvrir de neuf aux sources de l'observation médicale. Comment le romancier était-il parvenu au même savoir que le médecin, ou du moins comment en était-il arrivé à faire comme s'il savait les mêmes choses ? " Mais sans doute cette question est-elle encore posée trop timidement puisqu'une fois de plus Freud s'abstient d'y répondre. Remarquons cependant que Freud dans ce passage commet une légère erreur. Il n'a pas attendu la *Gradiva* de Jensen pour chercher une confirmation de ses résultats chez les poètes. C'est en effet dans la Traumdeutung chapitre IV, 4, 2, lorsqu'il traite du *rêve de la mort des personnes chères*, que Freud analyse assez longuement l'Œdipe de Sophocle dont il dit que " la pièce n'est autre chose qu'une révélation progressive et subtilement différée — comparable à une psychanalyse " et qu'il poursuit la trace de l'Œdipe dans le personnage d'Hamlet. C'est là que nous pourrons peut-être trouver une ébauche de la réponse à la question que Freud pose si timidement, mais avec une telle insistance. Après avoir montré que les désirs de l'enfant, dans *Hamlet*, contrairement à ce qui se passe dans Œdipe, sont refoulés, Freud entreprend d'expliquer par le même refoulement les hésitations du " héros " à venger son père. Mais lisons :

" L'horreur qui devrait le pousser à la vengeance est remplacée par des remords, des scrupules de conscience, qui lui représentent qu'il ne vaut strictement pas mieux que le criminel qu'il doit punir. Je viens de traduire en termes conscients ce qui demeure inconscient dans l'âme du héros; si l'on dit après cela qu'Hamlet était hystérique, ce ne sera qu'une des conséquences de mon interprétation. L'aversion pour les actes sexuels, que trahissent les conversations avec Ophélie, concorde avec ce symptôme, aversion qui devait s'emparer de plus en plus de l'âme du poète dans les années suivantes, jusqu'à ce qu'elle s'exprimât dans *Timon d'Athènes*. Le poète ne peut avoir expliqué dans *Hamlet* que ses propres sentiments. Georges Brandes indique dans son Shakespeare (1896) que ce drame fut écrit aussitôt après la mort du père de Shakespeare (1601), donc en plein deuil, et nous pouvons admettre qu'à ce moment les impressions d'enfance qui se rapportaient à son père étaient particulièrement vives. On sait d'ailleurs que le fils de Shakespeare, mort de bonne heure, s'appelait Hamnet (même nom qu'Hamlet). De même qu'Hamlet traite des relations du fils avec ses parents, *Macbeth*, écrit vers la même époque, a pour sujet l'absence d'enfant. De même que tous les symptômes névropathiques, et le rêve lui-même peuvent être interprétés de plusieurs façons, et doivent même l'être si on veut les comprendre, toute vraie création poétique, jaillie des émotions de l'auteur, pourra avoir plus d'une interprétation. J'ai essayé ici d'interpréter les tendances les plus profondes de l'âme du poète. "

Cette citation, il était nécessaire de la prendre d'assez haut pour rendre sensible le surprenant décrochement qui apparaît au cours de la démonstration. " L'aversion pour les actes sexuels que trahissent les conversations avec Ophélie (il s'agit donc bien de l'aversion d'Hamlet), concorde avec ce symptôme (l'hystérie d'Hamlet), aversion qui devait s'emparer de plus en plus de l'âme du poète dans les années suivantes, jusqu'à ce qu'elle s'exprimât clairement dans *Timon d'Athènes.* " Cette aversion n'est donc pas celle d'Hamlet mais bien celle de Shakespeare. Avant cette phrase, il n'a pas été question de Shakespeare et ce n'est que la référence à une autre pièce de celui-ci qui nous fait comprendre que le poète n'est pas Hamlet (pourquoi pas ?) mais bien l'auteur. Tout se passe donc comme si, pour Freud, sans qu'il prenne d'ailleurs la peine de nous en avertir, l'analyse d'un personnage de fiction et la détermination de ses symptômes névropathiques coïncidaient naturellement, sans qu'il soit besoin de la justifier, avec l'analyse des symptômes de l'auteur. Si nous adoptions la propre démarche de Freud, nous pourrions nous demander si la précipitation dont il fait preuve, si la négligence de style inhabituelle chez lui, ne trahit pas une " timidité " soudaine devant le sentiment d'une " profanation " (comme il serait, du reste, assez facile de rapporter le Shakespeare dont il parle de la propre biographie de Freud, de cette même Traumdeutung issue de l'auto-analyse, commencée juste après la mort du père de Freud). Dans ce passage une certaine conception de la " création littéraire " se laisse pressentir : l'œuvre par ses thèmes renvoie d'abord à la biographie de l'auteur : la mort du père, l'absence d'enfant. Elle jaillit ensuite des émotions de l'auteur. Celui-ci exprime ses propres sentiments, et de telle sorte qu'à partir de l'œuvre, l'interprétation des tendances les plus profondes de l'âme du poète (son " inconscient ", ses conflits) soit rendue possible. L'œuvre est expression d'un psychisme. Elle est hantée par un personnage invisible mais présent qu'elle masque et révèle. Elle lui échappe peut-être comme le rêve échappe au dormeur et le symptôme au malade, mais elle le dénonce et le trahit. L'aversion d'Hamlet pour les actes sexuels *est* l'aversion propre de Shakespeare. La preuve, pourrait-on dire, sans trop forcer le texte de Freud, est que Macbeth a pour sujet l'absence d'enfant. L'œuvre renvoie à un sens situé en dehors d'elle et désigne non le texte lui-même, mais l'auteur de ce texte. Nous avons là l'ébauche de toute la critique littéraire d'inspiration psychanalytique, de son champ idéologique et de ses méthodes. Si son point d'arrivée est légèrement déplacé par rapport à la simple critique biographique (l' " inconscient " de l'auteur, ses pulsions, ses conflits, ce qui, lui demeurant caché, détermine ses thèmes et ses images, au lieu de la trop simple réduction aux événements de la vie, aux épisodes sentimentaux, etc.), on voit que le rapport fondamental de l' « œuvre » à l' « auteur », du texte au « sujet », reste inchangé. Expression d'un auteur, signifiant d'un signifié qu'il a pour fonction de représenter, le texte est toujours second, c'est-à-dire, en définitive, réductible à un autre texte plus essentiel. Le seul pouvoir qui lui appartienne en propre, nous le verrons plus loin, est d'apporter un « bénéfice secondaire » de plaisir, une « prime de séduction ». Il ressort aussi de ce passage de la Traumdeutung qu'un personnage de fiction est assimilable à une personne réelle. Il y a là le même mécanisme d'illusion et d'hypostasie qui détermine tout le discours de la critique littéraire. Pourtant dans *Délires et Rêves*, Freud manifeste une certaine prudence à ce sujet et semble soucieux de montrer qu'il est conscient du glissement qu'il effectue : « Nos lecteurs ont dû être étonnés de nous voir traiter Norbert Hanold et Zoé Bertgang, dans toutes les expressions de leur psychisme, dans leurs faits et gestes, comme des personnages réels, et non comme des créations poétiques... » et il termine même son étude par un rappel au caractère fictif des personnages qu'il a par ailleurs analysés : « Mais arrêtons-nous là, sans quoi nous risquerions d'oublier que Hanold et Gradiva ne sont que les créations d'un romancier. » Mais c'est, nous l'avons vu, la possibilité de considérer des personnages de fiction comme des personnes réelles qui fait, entre autres, dans ce texte, problème pour Freud. Sa position dans *Délires et Rêves* paraît en retrait sur celle qu'il a déjà adoptée dans la Traumdeutung, mais le même schéma se laisse percevoir : Freud hypostasie les personnages et c'est d'eux qu'il entreprend l'analyse. Le sujet de la *Gradiva*, le caractère névropathique du héros, le sert d'ailleurs dans son entreprise. Il s'en tient d'abord aux symptômes des personnages, puis effectue un renversement laissant entendre que les personnages et l'œuvre elle-même peuvent être considérés comme des symptômes. Symptômes, il est vrai, d'un type particulier qui donneront au « romancier », au « poète », à l' « artiste », leur statut spécifique dans — ou en marge de — la névrose. Freud dit bien que Hamlet est hystérique, mais si l'aversion du personnage pour les actes sexuels est celle de Shakespeare, Freud laisse bien entendre, mais ne dit pas, que Shakespeare était lui aussi hystérique. La conclusion attendue de ce qui paraît bien être un syllogisme [4] est « oubliée ». Cette conclusion a-t-elle involontairement sauté (censure d'un acte profanatoire ?) ou bien Freud l'aurait-il volontairement tue dans la mesure où elle continue de

4. Syllogisme qui fait apparaître clairement le présupposé métaphysique, la faute de raisonnement, et l'empirisme sur lequel il se fonde : Si A est compris dans B et si A est C, B doit aussi être C.

faire problème pour lui, à moins qu'elle n'amorce justement une question qu'il s'efforcera de résoudre plus tard ? Lorsqu'il décrit le caractère du personnage de Jensen, Freud remarque : " Une telle séparation de l'imagination d'avec la pensée raisonnante le destinait à devenir poète ou névropathe; il était de ces êtres dont le royaume n'est pas de ce monde. " Ainsi donc, après avoir affirmé que le romancier " ne doit pas céder le pas au psychiatre, ni le psychiatre au romancier ", après avoir reconnu que " poètes et romanciers connaissent, entre ciel et terre, bien des choses que notre sagesse scolaire ne saurait encore rêver " et que le romancier " a toujours précédé l'homme de science et en particulier le psychologue scientifique ", Freud ne semble pas loin de considérer que le romancier, le poète, c'est-à-dire celui à qui sont attribués des textes qui le définissent comme romancier ou poète, et en raison même de ces textes, relève au même titre que le névropathe, de l'investigation analytique. C'est ce qui est dit en clair dans l'appendice à la deuxième édition de *Délires et Rêves* : " Dans les cinq années qui se sont écoulées depuis que j'ai écrit cette étude, l'investigation psychanalytique s'est enhardie et a abordé encore à d'autres points de vue la production littéraire. Elle n'y cherche plus seulement la confirmation de ce qu'elle a découvert chez les névrosés non créateurs; elle prétend encore apprendre à connaître avec quel fond d'impressions et de souvenirs personnels l'auteur a construit son œuvre, et par quelles voies, quels processus, ce fond a été introduit dans l'œuvre. " Ainsi les " neurotischen Menschen ", les névrosés, paraissent se grouper — c'est ce qui ressort peut-être encore d'une façon ambiguë de la formulation de Freud — en *poetischen* (créateurs) et *unpoetischen* (non créateurs). Cette classification ne se distingue en rien de celle admise par la conception idéologique banale de la " création artistique " et est déterminée par les mêmes présupposés : les créateurs ont un rapport particulier à la folie [5]. L'œuvre est la manifestation d'un délire dont ils sont possédés. " Création ", " folie ", " possession ", " délire " sont termes permutables. Le délire auquel est sujet le personnage de la *Gradiva*, destiné en vertu de son imagination " à devenir

5. Folie dont la définition, en raison de la domination exercée par la linguistique dans les " sciences de l'homme ", dans la psychiatrie en particulier, semble de plus en plus relever d'un écart de langage, donc d'une différence avec un autre langage (idéal) dit normal. Tant qu'on ne sera pas capable d'établir ou d'accepter une théorie satisfaisante du texte et de sa production, ce sera en dernier recours l'appartenance d'un texte à telle ou telle institution qui permettra de décider de sa " normalité ". Il suffira par exemple qu'un texte échappe à l'institution esthético-littéraire, ou ne la reconnaisse pas, pour qu'il soit aussitôt suspecté de " délirant ".

poète ou névropathe ", donne au livre de Jensen ce caractère de composition en abîme que Freud paraît à plusieurs reprises indiquer, le délire du personnage semblant le reflet déformé des mécanismes mêmes qui sont en jeu dans l'élaboration de l'œuvre. Que cette folie du " créateur ", possédé par une " parole autre ", soit exaltée par le romantisme, qu'elle serve de justification à des écrivains en mal de rôle social, ou qu'elle soit, dans la perspective freudienne, dérivée de sa finalité pathologique, désamorcée par la production d'une œuvre, ne change rien à la structure pertinente des termes en rapport : à savoir la relation nécessaire qui existerait entre la production de texte (l'œuvre) et la présence indispensable d'un caractère névropathique chez l'individu producteur de ce texte.

Cependant, même s'il n'est pas inutile de dégager des analogies et un sol idéologique implicite, on ne peut pas réduire la conception freudienne à une formulation trop simple et oublier que pour Freud, il s'agit toujours de mieux comprendre le mécanisme et les formes de la névrose et de montrer que cette névrose loin de toucher seulement " quelque pauvre petit malade ", comme disait Janet parlant de Roussel, recouvre un domaine immense. Les textes ultérieurs de Freud sur la " création littéraire " confirmeront et accuseront la dépendance de la création à la névrose et établiront plus précisément le mécanisme, le schéma de la " création artistique ", tout en renouvelant les thèmes déjà exposés dans la *Gradiva.*

Dans son commentaire de la *Gradiva,* Freud se demandait quelles étaient " les sources " de la connaissance du romancier, connaissance telle que son roman pouvait s'analyser à la façon " d'une réelle observation médicale ". A la suite de cette question, il donnait un début de réponse : " Nous puisons sans doute à la même source, chacun avec nos méthodes propres et la conformité des résultats prouvent que nous avons chacun bien travaillé. Notre démarche consiste en l'observation consciente des processus psychiques anormaux chez autrui, afin d'en pouvoir deviner et énoncer les lois. Le romancier s'y prend autrement ; il concentre son attention sur l'inconscient de son âme à lui, prête l'oreille à toutes ses virtualités et leur accorde l'expression artistique, au lieu de les refouler par la critique consciente. " Formulation paradoxale et même obscure. Freud n'indique pas en quoi consiste l'opération permettant de se concentrer sur son " inconscient ", ni quelles sont les " virtualités " auxquelles l' " artiste " prête une " expression artistique ". Il est au contraire possible de soupçonner une distinction radicale entre la névrose et l'acte d'écrire, et même un principe d'exclusion si la névrose résulte bien des conflits provoqués par le refoulement du texte " inconscient ", alors que l'œuvre littéraire procéderait de son admission et de son inscription (sa double inscription, son redoublement). Ambiguïté de la position freudienne que nous avons déjà soulignée. L'œuvre est-elle située du côté de la science ou comparable aux formations névrotiques ? On peut se demander si le recours à la sublimation ne trouve pas ici son origine, si elle n'est pas un moyen d'échapper à un problème insoluble dans ses termes, une solution spéculative pour lever des contradictions.

C'est dans le texte traduit en français sous le titre *la Création littéraire et le rêve éveillé* (Der Dichter und das Phantasieren ; das Phantasieren pose des problèmes de traduction : peut-être le vieux mot français *imaginative*, puissance d'imaginer, lui conviendrait) et dans la fin du chapitre 23 de l'*Introduction à la psychanalyse* (*les modes de formation des symptômes*) que Freud complète sa conception de la " création " et du travail " créateur ", éclaire ce qu'il entendait par " virtualités ". Certains aspects de la formulation de Freud que nous avons négligés dans son commentaire de la *Gradiva* s'en trouvent précisés.

" Nous autres profanes, nous avons toujours vivement désiré savoir d'où cette personnalité à part, le créateur littéraire (poète, romancier ou dramaturge), tire ses thèmes... et comment il réussit grâce à eux à nous émouvoir si fortement, à provoquer en nous des émotions (Erregungen) dont quelquefois nous ne nous serions pas crus capables. " Les termes de la question : le profane [6], la personnalité à part du " créateur " répètent ceux employés dans *Délires et Rêves* et ils se retrouvent dans l'*Introduction à la psychanalyse* (" les profanes ne retirent des sources de la fantaisie qu'un plaisir limité "), mais la question est déplacée : alors que dans la *Gradiva*, elle concernait le savoir du romancier et s'adressait à l'homme de science, elle porte ici sur le plaisir et s'adresse au lecteur. Comme c'était le savoir de l'homme de science qui allait permettre de révéler le savoir contenu dans l'œuvre, c'est ici le plaisir du lecteur qui doit permettre de découvrir ce qui fixe l'œuvre du romancier mais se trouve également en jeu dans le psychisme du lecteur. Cette question admet une fonction et un

6. Le terme de " profane " doit se justifier d'autant plus que " l'intelligence la meilleure du choix des thèmes et de l'essence de l'art poétique ne saurait faire de nous des créateurs " malgré ce qu'en disent les créateurs eux-mêmes qui, dit Freud, " se plaisent à diminuer la distance entre ce qui fait leur originalité et la manière d'être en général des hommes ".

effet précis de la lecture : provoquer des émotions, déterminer une jouissance (Genuss). Cette conception de l'œuvre comme source de plaisir et d'émotions, à partir de laquelle Freud entreprend donc de mieux élucider les processus de " création ", diffère évidemment assez peu du rôle que la bourgeoisie assigne à l' " art " ; comme ce sont bien dans le cadre de la distinction usée de la forme et du fond, du contenant et du contenu, les thèmes — le contenu — qu'elle privilégie, leur assignant la fonction représentative qui permettra l'identification du lecteur au " héros ". Le terme allemand de Stoff, tissu, matériau, pourrait laisser subsister une ambiguïté. La suite du texte montrera que le traducteur n'a pas mal choisi en préférant le mot de thème. Thèmes et plaisir, tels sont en fait les matériaux inducteurs de la démonstration de Freud. Il serait nécessaire de suivre d'assez près le texte car seule une lecture à ras de texte, mot à mot, permet de dégager l'idéologie inconsciente qui peut imprégner un discours de caractère scientifique. Elle transparaît par exemple dans des termes ou des formules comme " profane " ou " cette personnalité à part, le créateur ". Nous nous contenterons d'en marquer les grandes articulations.

Freud rapproche l'activité poétique du jeu des enfants. Cette comparaison pourrait être féconde dans la mesure où une analyse du jeu peut d'abord éclairer les opérations de distribution et de permutation, de relance, etc., qui commandent la production de texte. Mais aussi et surtout parce que le jeu renverse le rapport admis de l'inscription à l'expression. " L'avènement de l'écriture, écrit Derrida [7], est l'avènement du jeu. " Une telle pensée du jeu, proche des propositions les plus risquées de Nietzsche, pensée du " jeu du monde ", qui semble annoncer la sortie hors de l'espace de la métaphysique platonicienne [8], fait sauter évidemment la référence au sujet [9] et laisse apparaître tous les modes de défense qui lui sont liés (si bien qu'on peut se demander si la possibilité même de la névrose n'est pas déterminée au départ par un système de pensée qui pose le sujet comme son origine. C'est pourquoi même la pensée de Freud, malgré " la troisième blessure narcissique qu'elle a infligée à l'humanité ", en ne remettant pas véri-

7. *De la grammatologie*, Éd. de Minuit, Coll. " Critique ".

8. " Quand je me représente le monde comme un jeu divin placé par-delà le bien et le mal, j'ai pour précurseur la philosophie des Védantas et Héraclite. "

9. Derrida montre comment le jeu est lié à l'absence de signifié transcendantal, " on pourrait appeler jeu l'absence de signifié transcendantal comme illimitation du jeu ". Cf. *De la grammatologie*, p. 73.

tablement en question la suprématie du sujet, a pu continuer à favoriser, comme on serait tenté de le présumer en observant le développement de la psychanalyse dans le monde, ses résultats et le rôle que la société lui assigne, l'empire de la névrose). Mais Freud, loin d'aller dans ce sens, rétablit immédiatement l'opposition entre le jeu et la réalité. " Le contraire du jeu n'est pas le sérieux, mais la réalité. " " Le poète fait comme l'enfant qui joue, il se crée un monde imaginaire en le distinguant nettement de la réalité. " Le jeu semble relever pour Freud de la simulation et de la représentation. " Le jeu est orienté par des désirs, à proprement parler par le désir de devenir grand, adulte. L'enfant joue toujours à être grand, adulte, il imite dans ses jeux ce qu'il a pu connaître des grandes personnes. " Le jeu serait donc une activité destinée à corriger une réalité non satisfaisante par une représentation imaginaire. Il serait la reproduction et la transformation sur le mode irréel d'une réalité s'opposant à la satisfaction. En soulignant que certaines œuvres littéraires — celles justement destinées à être représentées — sont formées sur le mot allemand Spiel (jeu), Trauerspiel (tragédie), Lustspiel (comédie), Freud semble insister sur cette notion de représentation — *Darstellung* — que nous retrouverons bientôt. On remarque d'ailleurs que le terme français de jeu et le verbe qui lui est associé évoquent davantage une activité productrice marquant plutôt que leur opposition, la complicité du jeu et de la réalité dans la mesure où celle-ci peut se comprendre comme produit du travail et produit de la connaissance. Il serait d'ailleurs intéressant d'approfondir le concept de *réalité* (Wirklichkeit) tel qu'il se propose chez Freud. Sans doute celui-ci est-il directement opposé au Trieb, à la pulsion. On pourrait peut-être dégager une opposition pertinente pulsion / réalité, l'une se définissant par rapport à l'autre. La réalité apparaîtrait proche de l'idée de nécessité, d'Ananké, de force des choses. Elle serait ce qui oblige le " sujet " à renoncer à la satisfaction, et dans ce sens assez proche de la notion de réalité telle qu'elle est répandue par l'idéologie bourgeoise et par sa morale. La réalité est ce qui oblige l'enfant, le " sujet ", (le prolétariat), à renoncer à la satisfaction de ses désirs (mais aussi de ses besoins) [10]. C'est l'analyse

10. Est-il utile de dire que nous n'infirmons en rien la validité du discours freudien, d'autant plus que Freud ne cesse d'insister sur ce qu'a de profondément illusoire le renoncement et sur les ravages qu'inconscient ou non, mais inévitable, il entraîne. Nous marquons seulement les implications d'un tel discours. (Songeons par exemple au sacrement initial du baptême centré sur le renoncement " à Satan, à ses pompes et à ses œuvres ".)

du renoncement qui va d'ailleurs permettre à Freud d'établir une analogie entre le jeu de l'enfant et le fantasme, le rêve éveillé. " Nous ne renonçons à rien, dit Freud, ce qui paraît être renoncement n'est en réalité qu'une formation substitutive... Au lieu de jouer, l'adulte s'adonne à sa fantaisie. " Freud s'attache donc à étudier les conditions d'apparition du fantasme et ses caractéristiques. Cependant ce n'est pas par l'intermédiaire des écrivains, mais bien par les névrosés que l'on a accès au fantasme. A plusieurs reprises, Freud a d'ailleurs regretté que les écrivains se montrent si discrets quand on les interroge sur les " sources de leur œuvre " et déjà dans la *Gradiva* il avait mal pris son parti du mutisme de Jensen. Ce silence, la réticence de l'écrivain, Freud paraît en faire un *symptôme* prêtant à une interprétation (celle qu'il donne de la création) et non le signe d'une incapacité, en fait l'impossibilité de répondre à une question inadéquate à l'objet qu'elle vise : la réalité textuelle.

Le fantasme, dit Freud, est la réalisation d'un désir — ce qui montrerait suffisamment sa parenté avec le rêve d'abord et avec les symptômes névrotiques ensuite, qui sont, on le sait, des formations de satisfaction substitutive. Freud écrit d'ailleurs une phrase bien surprenante : " L'homme heureux n'a pas de fantasme. " Si bien que l'on peut craindre que l'activité artistique si elle est liée, comme il le semble, à la production de fantasmes, est le fait d'individus qui éprouveraient des difficultés particulières à se procurer des satisfactions. Dans l'*Introduction à la psychanalyse*, la position de Freud à ce sujet apparaît avec une netteté singulière : " L'artiste est en même temps un introverti qui frise la névrose. Animé d'impulsions extrêmement fortes, il voudrait conquérir honneurs, puissance, richesses, gloire et amour des femmes. Mais les moyens lui manquent de se procurer ces satisfactions. C'est pourquoi, comme tout homme insatisfait, il se détourne de la réalité et concentre tout son intérêt et aussi sa libido, sur les désirs créés par sa vie imaginative, ce qui peut le conduire facilement à la névrose. " Et dans *la Création littéraire et le rêve éveillé* : " L'envahissement du psychisme par les fantasmes et le fait qu'ils deviennent prépondérants sont des conditions déterminantes de la névrose et de la psychose. " Remarque qui ne manque pas d'être singulière puisqu'il a été dit ailleurs que " le romancier prête l'oreille à toutes ses virtualités au lieu de les refouler par la critique consciente ".

Le fantasme se modèle " sur les impressions successives qu'apporte la vie " et " il flotte pour ainsi dire entre les trois temps, les trois moments temporels de notre faculté représentative (unseres Vorstellens) ". L'analyse temporelle de la formation du fantasme est importante car c'est elle qui va servir à montrer l'identité entre le processus de production du rêve éveillé et de la " création " littéraire. Freud ne précise pas ce qu'est cette " Vorstellen ". On peut penser cependant que la notion de temps lui est attachée. Elle résiderait dans la possibilité qu'aurait le " sujet " à rendre présent par des représentations passé et avenir. Souvenirs et projets seraient donc eux-mêmes des " représentations " suscitées par le désir (" Passé, présent et futur s'échelonnent au long fil continu du désir "). Mais le présent, en quoi ou comment se représenterait-il ? A cette question, pourtant importante, de la représentation du présent dans le présent, Freud ne répond pas. On pourrait penser que cette question ouvre en fait sur le modèle du miroir qui occupe la pensée métaphysique et psychologique, comme opération nécessaire à la connaissance, qu'elle soit celle que le " sujet " a de lui-même par la conscience et l'introspection, qu'elle soit perceptible dans la théorie de la connaissance considérée comme reflet de la chose en soi, ou dans une perspective plus strictement psychanalytique qu'elle soit posée par le problème du sujet avec ses identifications. Faut-il penser que le troisième moment temporel de notre " faculté représentative ", le présent, est défini et épuisé par la perception ? Mais alors à quel moment se situerait le fantasme qui rassemble ces trois moments ? Ne serait-ce pas là une des difficultés qui résulteraient d'un système de pensée solidaire de la linéarité, relevant elle-même d'une problématique du sujet ? Sans doute faudrait-il totalement repenser et dans ses termes mêmes, hors d'une tentation phénoménologique insistante, cette " représentation " du présent comme l'inscription même de l'articulation textuelle, comme la possibilité même de l'écriture dans l' " espacement " et la " différence ". Nous renvoyons aux analyses essentielles de Derrida [11]. Qu'une telle pensée soit à l'œuvre par ailleurs dans Freud, Derrida l'a justement montré ; et peut-être se laisse-t-elle, mais très faiblement, percevoir ici dans la capacité qu'aurait " une occasion présente " " d'éveiller un désir " déjà inscrit " dans un événement infantile où ce désir était réalisé ". " Le fantasme, dit Freud, porte les traces (Spuren) de son origine : occasion présente et passée. " C'est leur articulation même qu'il faut penser comme ce qui, se redoublant, n'admet de présent que redoublé, c'est-à-dire détruit le présent en tant que présence.

11. *De la grammatologie*, p. 96 et suiv.

Le mécanisme de la formation du fantasme est ainsi décrit : " Le travail psychique part d'une impression actuelle, d'une occasion offerte par le présent, capable d'éveiller un des grands désirs du sujet ; de là, il s'étend au souvenir d'un événement d'autrefois, le plus souvent infantile, dans lequel ce désir était réalisé ; il édifie une situation en rapport avec l'avenir et qui se présente (darstellt) sous forme de réalisation de ce désir, c'est là le rêve éveillé ou le fantasme, qui porte trace de son origine. " Origine suspecte dira Freud dans l'*Introduction* à la psychanalyse — désirs d'ambitions et désirs érotiques. Ceux-ci d'ailleurs plus particuliers aux femmes (" car l'ambition de la jeune femme est en général absorbée par les tendances amoureuses ").

Déjà dans *Délires et Rêves* Freud avait donné une analyse du fantasme et l'on pouvait en déduire à partir du glissement effectué dans la *Traumdeutung*, qu'à travers le personnage de Norbert Hanold, c'était l'écrivain et la " source " de sa production qui étaient visés, tout comme Shakespeare à travers Hamlet. Les fantasmes ont une double détermination ; une détermination consciente — " celle qui apparaît aux yeux même d'Hanold " et " qui dérive tout entière du cercle des représentations de la science archéologique " — (les intentions conscientes du romancier et l'œuvre telle qu'il la pense) ; l'autre inconsciente " dérive des souvenirs d'enfance refoulés et des pulsions affectives à eux attachés ". Peut-être faudrait-il comprendre que le silence de l'écrivain s'explique par son incapacité à connaître les " sources " de son roman qui, du fait de leur détermination inconsciente, lui sont effectivement inaccessibles. On retrouve ici un schéma idéologique bien connu. On demande à un sujet psychologique de rendre compte du texte et on profite de la non pertinence de la question, c'est-à-dire de l'impossibilité d'obtenir une réponse satisfaisante pour faire de ce même " sujet " le lieu d'une parole autre, d'une parole pleine exprimant un sens injustifiable. C'est ainsi que sera imposée la figure oraculaire du poète qui aura pour rôle de délivrer un message de vérité qu'il ne serait pas capable lui-même de maîtriser ni de comprendre. Une telle conception se fait une fois de plus au détriment du texte qu'elle rend transparent en privilégiant le sens que celui-ci proposerait, et ne tient absolument pas compte des opérations qui sont nécessaires à sa production.

" Les fantasmes, précise encore Freud, sont des succédanés, les dérivés de souvenirs qu'une résistance empêche de se présenter à la conscience sous leurs traits véritables, mais qui y parviennent cependant au prix des modifications et des déformations que leur imprime la résistance de la censure. Ce compromis une fois établi, ces souvenirs sont devenus des fantasmes que le conscient méconnaît facilement. " L'interprétation de la conception freudienne du fantasme a donné lieu à des divergences [12]. Il y aurait pour certains auteurs un fonctionnement fantasmatique premier dont dépendrait le jeu pulsionnel. Dans les textes que nous étudions le fantasme apparaît sans ambiguïté comme une formation de satisfaction substitutive, " dérivés, succédanés de souvenirs refoulés " et donc secondaires. Ils relèvent de la Vorstellen. Ce caractère d'être des représentants, cette fonction de représentation que Freud leur assigne se trouve reportée sur la fonction de la " création " littéraire qu'il aborde ensuite plus précisément. " Sommes-nous autorisés à comparer le poète au rêveur en plein jour et ses créations à des rêves diurnes ? " L'assimilation, bien que présentée sous la forme d'une question, est immédiate. Cependant Freud va être mis dans l'obligation de distinguer deux catégories d'auteurs, ceux " tels les anciens poètes épiques et tragiques qui reçoivent leurs thèmes tout faits et ceux qui semblent les créer spontanément ". Il écarte les premiers, pourtant " les plus estimés " pour ne s'en tenir qu'aux seconds " ces auteurs de roman, de nouvelles, de contes, qui sont sans prétention mais qui, par contre, trouvent les plus nombreux et les plus empressés lecteurs et lectrices ". En ne tenant pas compte des auteurs qui reçoivent leurs thèmes, leurs matériaux " tout faits " Freud paraît bien éliminer le caractère propre de l'écriture dans sa spécificité et dans sa production, mais aussi la littérarité, l'aspect proprement littéraire à savoir — et l'écriture du rêve si justement dégagée par Freud aurait dû éveiller son attention — qu'il n'y a d'inscription que redoublée, que tout texte redouble et efface un autre texte, et que toute littérature, même celle que Freud prend pour exemple, n'est lisible qu'à partir d'autres textes et relève dans sa production comme dans sa lecture d'une " intertextualité " générale. Lorsque Freud revient un peu plus loin à la catégorie des œuvres qu'il a pour sa démonstration éliminées, celles donc qui consistent non en des " créations librement conçues " mais dans le " remaniement de thèmes connus et donnés " et qui paraissent avoir pour lui, esthétiquement parlant, une valeur littéraire que n'auraient pas les autres, il passe à côté du problème que pose ce remaniement. Une fois encore, il néglige la production textuelle comme possibilité

12. Cf. Michel Tort, " Le concept freudien de " Représentant " in *Cahiers pour l'analyse*, n° 5.

de remaniement et d'action sur un autre texte, il soustrait les « thèmes » de leur inscription. Il traverse le texte pour ne voir que les « sujets » qu'il exprimerait, ceux-ci n'étant que « les reliquats déformés des fantasmes de désir de nations entières, les rêves séculaires de la jeune humanité » donnés sous la forme de « mythes, légendes et contes ». C'est dire que ces « sujets » n'ont eux-mêmes qu'une fonction représentative, qu'ils ne sont rien d'autre que des rejetons, des « reliquats ». Il n'est pas sûr que Freud confère à ces expressions une nuance péjorative, il n'est pas sûr non plus qu'elle n'y soit pas. Peut-être ne ferait-il, dans ses analyses, que subir l'effet du « logocentrisme » dont Derrida a montré qu'il avait pour inévitable conséquence l'abaissement de l'écriture destinée à n'avoir qu'une « fonction seconde et instrumentale ». Fonction effectivement si secondaire que Freud néglige dans tous ses textes sur la création littéraire de seulement remarquer que l'objet dont il s'occupe est un objet *écrit*. Tout le cours de la démonstration suivi par Freud en résulte. Enfermé dans la perspective du sujet, il assimile la production du texte au mode de formation du fantasme, expliquant l'un par l'autre, sans présumer que l'étude du texte comme inscription (bien que le rapport du souvenir au fantasme paraisse y faire allusion) autoriserait une élucidation du mécanisme fantasmatique, ce renversement permettant, entre autres, de faire sauter les difficultés qui tiennent à la temporalité du fantasme [13]. Le choix fait par Freud « des auteurs de nouvelles, de contes, de romans qui sont sans prétention » est donc déterminé par « l'oubli », par le refus de l'écrit et, par conséquent, par le privilège qu'il accorde aux thèmes — identiques aux fantasmes — dans la mesure où ceux-ci se trouvent être les représentants de « quelque chose » qui ne dépendrait pas de l'inscription. Ce « quelque chose », ce « toujours ailleurs », dont nous suivrons la trace plus loin. Les thèmes, c'est évidemment dans un écrit ce qui se laisse le mieux saisir par une lecture orientée vers le sens ; mais c'est aussi ce qui répond le mieux à l'ordre de la représentation et justement à l'activité qui dans notre société est reconnue comme pouvant apporter à la satisfaction du désir des objets de substitution non dangereux. Freud voit bien cette démarche de substitution et de dérivation, mais il ne voit pas, et pour cause, que cette démarche est celle par laquelle l'écriture est occultée. Ce choix est d'autre part favorisé par l'idée que les thèmes se donneraient im-

13. Nous renvoyons ici plus spécialement aux opérations textuelles dégagées par Julia Kristeva dans « Pour une sémiologie des paragrammes », in *Tel Quel*, 29.

médiatement au " sujet ", sans interposition d'une matière textuelle intermédiaire, sans mettre en jeu l'effet sur eux d'autres thèmes (d'autres textes) et cette fiction d'une pureté en quelque sorte originaire des thèmes (fiction d'un appareil psychique produisant son propre langage ; mais le système de réception que cet appareil reproduit, l'histoire du sujet, serait-il donc soustrait au texte général ?) permettant à Freud de les supposer objets d'une meilleure observation scientifique. Il est vrai que Freud dit de ces auteurs qu' " ils *semblent* créer spontanément leurs thèmes ", mais s'ils ne les créent pas spontanément, on ne voit pas très bien en quoi ils se distingueraient des auteurs qui reçoivent leurs thèmes tout faits sinon que les opérations de remaniement textuel seraient, chez les uns, manifestes et contrôlées et, chez les autres, non. En privilégiant l'ordre représentatif, Freud élimine le fait proprement littéraire et tente de ramener l'ensemble des opérations qui sont en jeu dans la littérature à celles, réduites, qui président à la production de feuilleton dont il nous donne un résumé qui en exprimerait en quelque sorte le caractère spécifique. Il est question d'un héros qui perd son sang par de profondes blessures, d'un vaisseau sur une mer déchaînée, d'un naufrage, etc. Les récits auxquels Freud fait ainsi allusion appartiennent à la catégorie des œuvres " traitées " par Lautréamont, soumises par lui à des opérations logiques [14] qui en feront apparaître, en même temps qu'elles l'anéantiront, le système représentatif, pour les rendre à la seule pratique scripturale. Freud précise le caractère dominant de ces œuvres, la présence du héros, qui n'est autre que " sa majesté le moi ". C'est la présence du moi identifié au héros, ou scindé en moi partiels et inspirant la multiplicité des personnages, ou se voyant seulement attribuer le rôle de spectateur (le narrateur), qui serait en définitive responsable de l'effet produit par ces œuvres : du plaisir. Les relations du " créateur " à sa " création ", de l'auteur à sa vie, entrent ici en jeu, relations moins simples, dit Freud, qu'on ne l'a représenté ordinairement, car elles sont déterminées par le chaînon intermédiaire du fantasme. Le processus de création de l'œuvre est identique dans ses termes au processus de production du fantasme : " Un événement intense et actuel éveille chez le créateur le souvenir d'un événement plus ancien, le plus souvent d'un événement d'enfance ; de cet événement primitif dérive le désir qui trouve à se réaliser dans l'œuvre littéraire elle-même : on peut reconnaître dans l'œuvre elle-même aussi bien des éléments de l'impression actuelle que de

14. Cf. Philippe Sollers, " La Science de Lautréamont " in *Critique*, nº 245.

l'ancien souvenir. » Et rien ne distinguerait fantasme et œuvre si celle-ci, au lieu de susciter dégoût, répulsion ou indifférence, comme le feraient des fantasmes qui nous seraient simplement communiqués, n'était pour nous source de plaisir. C'est par l'effet propre de « l'ars poetica », de la technique, que nous pouvons surmonter la répulsion qui dépend « des limites existant entre chaque moi et les autres moi ». Le « créateur » « nous séduit par un bénéfice de plaisir purement formel, c'est-à-dire par un bénéfice de plaisir esthétique qu'il nous offre dans la représentation de ses fantasmes. On appelle prime de séduction ou plaisir préliminaire, un pareil bénéfice de plaisir qui nous est offert afin de permettre la libération d'un plaisir supérieur, émanant de sources psychiques bien plus profondes. Je crois que tout le plaisir esthétique produit en nous par le créateur présente ce caractère de plaisir préliminaire, mais que la véritable jouissance de l'œuvre littéraire provient de ce que notre âme se trouve par elle soulagée de certaines tensions ». Passage déterminé par la pensée dualiste et par l'opposition qui n'a cessé de traverser le discours freudien de la forme et du fond (mais aussi intérieur / extérieur, essentiel / inessentiel, etc.). Produit d'une technique, la forme semble avoir pour but de rendre accessibles et lisibles des « sources psychiques bien plus profondes », elle apparaît marquée par ce caractère de supplémentarité et d'extériorité qui résulte du « phonologisme » (Derrida), présence à soi indépendamment d'une forme qui tient ici le rôle précis d'excitation. La distinction forme / fond entraîne par ailleurs ou explique la discrimination des plaisirs, leur hiérarchisation. Plaisir préliminaire comparable à celui que donnent les gestes qui précèdent le *coitus in vaso naturale* qui seul permet « la libération » d'un « plaisir véritable », d'une « jouissance supérieure » « soulageant le sujet de certaines tensions ». « Prime de séduction » comme supplément de salaire. Sans autrement insister sur ces analogies qui sont cependant inscrites dans la littéralité des termes employés par Freud, il faut souligner que la division signifiant / signifié a rarement été aussi accentuée et, dans cette perspective, aussi radical l'abaissement du signifiant, réduit au pur rôle d'appât.

Entre fantasme et création, nous le voyons, il n'existe pas seulement une analogie, mais une relation beaucoup plus intime, nécessaire même, un engendrement : l'œuvre est représentation du fantasme : « Le bénéfice de plaisir que le créateur nous donne dans la représentation (Darstellung) de ses fantasmes. » Dans l'*Introduction à la psychanalyse* : « *Le véritable artiste* sait d'abord donner à ses rêves éveillés une forme telle qu'ils perdent tout caractère personnel... Il sait également les embellir de façon à dissimuler leur *origine suspecte.* Il possède en outre le *pouvoir mystérieux* de modeler des matériaux donnés jusqu'à en faire l'image fidèle de la *représentation* existant dans sa fantaisie et de rattacher à cette *représentation — fantaisie inconsciente* — une somme de plaisir suffisante pour masquer ou supprimer, provisoirement du moins, les refoulements ! " (Nous soulignons.) C'est ainsi qu'après coup se trouve justifié le rapport entre le jeu et l'œuvre conçue comme représentation. Les œuvres qui se représentent Lustspiel, Trauerspiel, manifestent comme objectivement, sur une scène accessible à nos sens, le caractère essentiel, commun à toutes, d'être représentation. Le choix d'une catégorie particulière de roman est par là même éclairé. En effet dans les romans qui servent d'exemple à Freud, l'écriture et la rhétorique, par l'emploi de clichés, d'énoncés préexistants (et non remaniés), de métaphores usées, d'effets prévus, doivent parvenir à la plus parfaite transparence afin de donner, si extravagantes que soient leurs péripéties, et parce qu'elles le sont, l'illusion de réalité. Leurs procédés sont déterminés par la forme représentative qu'ils essaient d'atteindre. Faut-il ajouter que la pratique textuelle commence avec le gauchissement et la subversion d'une telle fonction de représentation. Subversion que *Lautréamont*, dans les *Chants de Maldoror*, effectue aux dépens de ces mêmes romans que Freud tient pour les plus susceptibles de nous instruire des processus de la création littéraire.

En fait toute la conception de Freud est imprégnée, marquée, conditionnée par l'idée de la représentation. Elle en détermine l'ordre de démonstration et en tire ses matériaux, car le fantasme que l'œuvre représente est lui-même représentation : " [le travail psychique] édifie une situation en rapport avec l'avenir et qui se présente (darstellt) sous forme de réalisation de ce désir : c'est là le rêve éveillé ou fantasme ". C'est ceci qu'aurait pu déjà nous apprendre une lecture plus attentive de *Délires et Rêves.* D'une part l' " œuvre " est représentation, Darstellung. Freud le dit à plusieurs reprises : " Cette représentation (Darstellung) poétique d'une observation clinique est donc entièrement correcte " (*G. W.*, t. VII, p. 70). " Il nous faut rendre la représentation (Darstellung) si juste du romancier dans les termes techniques de la psychologie " (p. 73). Dans la traduction de Marie Bonaparte, le terme de représentation traduit Darstellung mais aussi Schilderung : " la représentation de la vie psychique humaine est en effet le domaine propre du romancier (Die Schilderung des menschlichen Seelenlebens) ". Schilderung caractériserait plutôt l'activité proprement littéraire de la description et Darstellung, l'action de mise en présence [15], la représentation de quelque chose qui vient occuper la scène, là, comme une pièce de théâtre vient à se représenter. Sans doute la Darstellung emporte avec elle le sens d'une actualisation (l'acte théâtral) de quelque chose qui existerait dans le même état antérieurement à sa représentation. Et, d'autre part, si l'œuvre est bien représentation, Darstellung du fantasme, celui-ci est lui-même représentation de représentations, Darstellung de Vorstellungen, de représentations refoulées. Reprenons le texte de Freud : « Nous demeurons en surface tant que nous ne parlons que de souvenirs et de représentations (Errinerungen und Vorstellungen). Toutes les forces psychiques ne comptent que par leur aptitude à éveiller des sentiments. Les représentations (Vorstellungen) sont refoulées parce qu'elles sont liées à des décharges sentimentales qui ne doivent pas avoir lieu ; il serait plus juste de dire que le refoulement concerne les sentiments, mais ceux-ci ne se peuvent saisir que par leur liaison avec les représentations (Vorstellungen) » (*G. W.*, t. VII, p. 75) et un peu plus loin, lorsque Freud indique la double détermination des fantasmes : « La première dérive du cercle des représentations (Vorstellungkreis) de la science archéologique, la seconde des souvenirs d'enfance qui, jusque-là refoulés, commence à l'agiter [Hanold] et des pulsions affectives à eux attachées. » Par ailleurs, les fantasmes « sont des succédanés des souvenirs refoulés qu'une résistance empêche de se présenter (darstellt) à la conscience sous leurs traits véritables, mais qui y parviennent cependant au prix de modifications et des déformations que leur imprime la résistance de la censure. Ce compromis une fois établi, ces souvenirs sont devenus des fantasmes... » (p. 85). Et encore : « C'est surtout dans les états appelés hystérie et obsession qu'il [Freud] a mis en valeur, comme déterminations individuelles du trouble psychique, la représentation d'une partie de la vie pulsionnelle (Trieblebens) — le traducteur dit « instinctive » — et le refoulement des représentations par lesquelles est représentée la pulsion refoulée (und die Verdrängung der Vorstellungen, durch des Unterdrücktetrieb vertreten ist) » (p. 80). Ce montage de citations ayant pour intérêt de montrer *comment à partir de l'analyse d'un roman c'est le fonctionnement de l'appareil psychique que Freud ici ébauche.*

15. Dans *Délires et Rêves*, Freud distingue pour les rapprocher la représentation de la mise en scène : « Un rêve n'est que rarement la représentation, on pourrait dire la mise en scène d'une seule idée. » (Ein Traum ist nur stellen die Darstellung, man konnte sagen : Inszienierung eines einzigen Gedankens.)

La conception, la " représentation ", pourrait-on dire, que Freud a de la " création littéraire " (et qui se laisse pressentir dans l'emploi des mots " création ", " créateur ", " œuvre ", etc.) apparaît donc dominée et guidée par l'idée, l'idéologème, de représentation. Cet idéologème qui marque l'appartenance de Freud à son époque et à une classe, à la fois imprègne la conception que la bourgeoisie se fait de " l'art " et se diffracte dans les textes eux-mêmes de telle sorte que c'est leur textualité qui se trouve par elle dissimulée. Dans la suite de Freud, mais s'éloignant des voies qu'il a par ailleurs tracées, le mouvement psychanalytique et la pensée qui s'en est inspirée a fait preuve de la même incompréhension, d'une impuissance remarquable à l'égard de l'écrit, sans doute en raison de l'attachement de ses représentants à une métaphysique, à une idéologie, aux intérêts de la classe à laquelle ils appartiennent malgré tout.

Dans la perspective des questions qui se posent à propos de ces textes sur la création littéraire, on peut se demander si le modèle déterminant de la représentation ne contamine pas la psychanalyse tout entière, si le fonctionnement du psychisme tel que l'imagine Freud n'est pas interprété dans son ensemble comme dynamique de la représentation, que celle-ci se trouve proposée sous les formes diverses de Repräsentanz, Vertretung, Vorstellung, Darstellung, puisque, quels que soient les " objets " mis en jeu et l'opération particulière de leur représentation, c'est toujours la présentification de quelque chose d'autre qui est entendue par l'emploi de ces termes. L'hypostase biologique du système vient marquer l'extrémité de la chaîne.

En partant des textes sur la création littéraire, on pourrait alors donner le schéma suivant de l'appareil psychique [16].

	Affect	Refoulement		
X somatique	Trieb (pulsion) psychische Reprasentanz	Vorstellung (représentation de la pulsion)	Darstellung (formations de compromis)	rêves symptômes fantasmes → Darstellung (œuvre)

Il faut souligner ce que ce schéma a de sommaire et insister sur le fait qu'on ne saurait réduire ni résumer la pensée de Freud à un tel schéma. Il indique seulement un des courants, parmi d'autres,

16. Nous nous inspirons ici du texte de Michel Tort : " Le concept freudien de " Représentant "."

de la pensée freudienne, le courant qui se laisse percevoir dans les textes sur la création littéraire.

On pourrait d'autre part se demander ce qu'il advient d'une représentation de représentation de représentation, etc. dont l'origine demeure insaisissable et hypothétique. Cette question ouvrirait sur l'autre versant de la pensée freudienne complémentaire mais opposé à la catégorie de la représentation : celle de l'interprétation comme processus interminable de renvoi d'un signifiant à un autre et, en ce sens, inséparable de la production textuelle dans un organisme intertextuel.

" Les désirs non satisfaits, écrivait Freud, sont les promoteurs des fantasmes, tout fantasme est la réalisation d'un désir. " Le " désir " serait-il donc lié, ou devrait-il donc se lier à des représentations ? Ou bien la représentation ne serait-elle pas plutôt ce qui désamorce le désir, le détourne d'être désir d'une pratique, l'écriture, la production textuelle, pour laquelle le terme de " désir " risque même d'être impropre ou inutile ? La représentation ne seraitelle pas en fin de compte ce qui s'opposant à cette pratique, empêcherait que soit brisé le cycle fermé et répétitif du sens, du signe, de la présence, du sujet, de la névrose ? Ne pourrait-on pas dire que le désir lui-même est un effet de la représentation, d'une mise en présence, et que dans la mesure où il est toujours désir de quelque chose (quelque chose qui serait Dieu ou sa représentation dans des substituts trompeurs) il est engagé dans la pensée téléologique du sens ? Cela nous permettrait peut-être de comprendre la complicité qui existe entre un système fondé sur la représentation et la névrose elle-même ; et comment cette dernière se trouverait dans l'obligation de faire obstacle et d'occulter l'écriture pour la même raison qui fait d'elle un mécanisme de défense contre le sexe. Pour la même raison : il n'y a pas plus de " sujet " de l'écriture qu'il ne peut y avoir de " sujet " du sexe ; par une défense identique : si sexe et écriture relèvent de la même opération d'inscription, d'effraction, de dépense. Il s'agit justement de ce rapport à la mort que Freud a remarquablement dégagé pour le sexe dans *Au-delà du principe du plaisir* mais qu'il n'a pu penser pour l'écriture, comme il ne pouvait aller au-delà de (et penser les questions que posait) la " scène de l'écriture " comme métaphore de l'appareil psychique [17].

17. Derrida, " Freud et la scène de l'écriture " in *l'Écriture et la Différence*. Dans ce texte essentiel, on peut lire : " Dans ce moment de l'histoire du monde, tel qu'il

L'impossibilité de penser le texte, de lire l'écriture, détermine le système de la représentation de la même façon que celui-ci a pour conséquence de dissimuler l'écriture. " Il n'y a pas d'écriture qui ne se constitue une protection, écrit Derrida ; protection contre soi, contre l'écriture selon laquelle le sujet est lui-même menacé en se laissant écrire, en s'exposant. " Ne serait-ce pas dire que la névrose est cette surface de protection — pensée irréductible du " sujet ", rétention crispée — par laquelle sexe et écriture se trouvent à la fois dissimulés, recouverts, effacés, mais aussi protégés, thésaurisés, soustraits pour un temps à l'inévitable effacement ? Mais Freud évidemment ne pouvait pas voir que l'appareil qu'il se donnait pour comprendre la névrose était compris dans le système même qui institue la névrose.

Jean-Louis Baudry.

s'indique sous le nom de Freud, à travers une incroyable mythologie (neurologique ou métapsychologique...) un rapport à soi de la scène historico-transcendantale de l'écriture s'est dit sans se dire, pensé sans s'être pensé : écrit et à la fois effacé, métaphorisé, désigné lui-même en indiquant des rapports intra-mondains, *représenté*. "

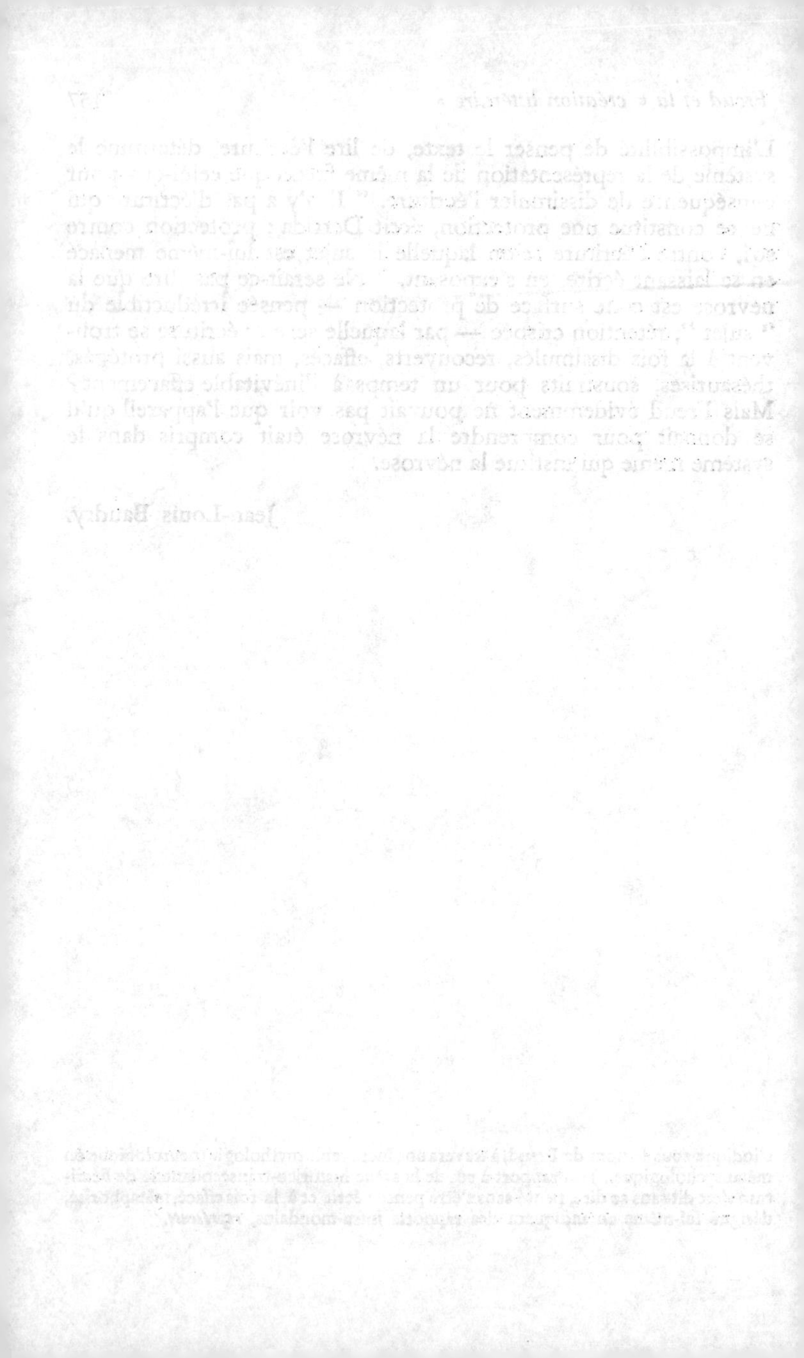

LECTURE DE CODES

Lorsqu'on veut analyser les conditions d'une situation réactionnaire dans un pays donné, ainsi que cette situation, on découvre que ces conditions et cette situation obéissent à leur tour à un ensemble de *conventions*.

2. Conventions morales et religieuses ;
1. Conventions touchant ce qu'on pourrait nommer l'exploitation du code traditionnel qui ne serait autre que le code reconnu par la majorité et l'idée toute faite que cette majorité se fait non seulement de la " vie " mais des " idées ", des obligations diverses que la vie et les idées entraînent, sur un plan ou sur un autre.

Qu'il ne faille pas toucher au code revient aujourd'hui non pas comme une idée mais précisément comme un ensemble de réactions finalement cohérentes en face d'une situation donnée. Tout se passe donc comme si l'interdiction de toucher au code était renforcée lorsque la réaction massive d'un pays *veut dire* en effet que sa volonté la plus générale est qu'il ne soit pas touché au code. Il y a donc bien cloisonnement renforcé, participation au code traditionnel sur la base d'un tel renforcement des cloisons. Et c'est ici précisément que l'*analyse de la situation* doit être marquante, c'est ici qu'il faut intervenir.

En fait, intervenir en face d'une attitude massivement réactionnaire demande un ensemble de *conditions* qui sont précisément les conditions de l'analyse de la situation.

1. CONDITIONS DE L'ANALYSE DES CONVENTIONS MORALES ET RELIGIEUSES.

Si l'on prend pour base *à la fois* un fait qui est bien une telle réaction *et aussi* un second fait : cette réaction doit être à son tour analysée, nous trouvons dans l'épaisseur de la réaction, dans son tissu aussi bien, un certain nombre d'indications valant historiquement, géographiquement, culturellement. Parmi ces indications on retiendra celle-ci, qui semble avoir joué fortement : *La terre a été valorisée dans l'histoire de manières tout à fait diverses mais qui, justement, montrent toutes comment fonctionne un pays, soit qu'il valorise la terre hors de la propriété individuelle, soit qu'il valorise la terre en tant que propriété individuelle.*

Or, que trouvons-nous en France, ici, aujourd'hui ? Un fait d'observation d'ordre tout à fait général est que, comme leurs pères et leurs ascendants les plus anciens, les Français *continuent de valoriser la terre à l'intérieur d'une conception parcellaire, conception effective du tout séparé en parties, à l'intérieur d'un psychologisme terroriste, à l'intérieur d'une référence morale, religieuse, totémique.*

Contrairement à une idée toute faite qui sert l'idée dominante, laquelle exerce ce qui a été nommé un terrorisme psychologique, la convention n'est nullement préservée de conflits de type analytiques et économiques. Ici, en effet, le croisement de Freud et de Marx serait décisif. C'est au contraire *à l'intérieur de la convention* que se retrouvent les poussées réactionnaires dont le but n'est jamais seulement une sorte de référence innocente à une idée ou à un objet qui ne ferait aucun doute quant à sa nature, quant aux modes de référence qu'il implique.

En 1848, un ensemble d' “ habitudes communautaires ” sont là pour résister à l'implantation capitaliste. Et le problème qu'elles posent est aujourd'hui entièrement neuf, pour autant que justement le problème est bien celui des archaïsmes considérés d'une manière générale, en entendant par là que *nous ne cessons d'avoir sous les yeux des archaïsmes et qu'il s'agit de les lire et de les déchiffrer.*

Et l'on sait justement que les regroupements réactionnaires se font sur une convention qui est, notamment, la convention suivant laquelle *on saurait tout* des archaïsmes, suivant laquelle les archaïsmes seraient à la fois des archaïsmes, moins que des archaïsmes, plus que des archaïsmes. Comme on le voit, la réaction déplace le problème par lequel elle se forme et se regroupe, use de fait d'un terrorisme de type psychologique, moral, économique, totémique, religieux, historique, géographique, culturel.

Dès lors la *méthode* d'analyse doit prendre un certain nombre de mesures.

A. *La rétention quantitative.*

La réaction réalise une agression qui la caractérise *et dégage une certaine énergie*. Si l'on pose par exemple la différence $Q_2—Q_1$, elle servira à tenir la situation réactionnaire en deux moments. On aura par exemple une série possible de schémas pouvant représenter cette saisie. Ainsi :

$$\overline{Q_2—Q_1}$$

Le problème du choix d'un tel schéma est bien de *répondre* à la situation réactionnaire et, ensuite, de trouver sa validité par rapport à *une écriture*, laquelle se diversifie, ne cesse cependant de faire référence à soi à travers la lutte qu'elle mène contre les conventions. La rétention quantitative doit servir à éviter l'effet traumatisant de la réaction, en posant par conséquent ceci qu'*en face de toute réaction une différence quantitative doit assurer des conditions d'analyse aussi diverses que possible*.

B. *Le document.*

La notion et le terme de document se trouvent retenus. Document, le fait d'inscrire le Capital sous la forme d'un Δ marqué +. Il s'agit bien de retenir le Capital dans la valorisation même qu'il exerce et, ensuite, de le placer de telle manière qu'il soit soumis, *quelles que soient ses différences* à lui-même, à la différence quantitative mentionnée. Ainsi :

$$\frac{\Delta^{+}}{Q_2—Q_1}$$

On peut écrire, comme commentaire de la présentation du schéma, qu'il ne s'agit pas d'*envelopper le Capital par une méthode mais de placer toute méthode sous la barre de séparation d'avec le Capital*. On peut écrire par conséquent qu'on reconnaît ici 1° Une opération de base ; 2° Les composantes de cette opération ; 3° Que la méthode d'analyse est donnée comme méthode d'*analyse par différences sur des différences* (et tout le problème est seulement mais précisément de savoir reconnaître des différences réelles d'avec des différences seulement soumises au déplacement du Capital, à l'effort du Capital pour sa conservation intégrale et intouchée).

Lorsqu'un auteur écrit : " Il semble donc que l'homme soit définitivement *marié* avec la technique scientifique expérimentale ", il semble bien, d'abord, qu'il *veut dire quelque chose* et que sa phrase dégage une signification. Mais précisément il se trouve que cette phrase est prise dans le texte d'un article dont le titre est *Les contraintes de la société scientifique*, en conséquence de quoi ce n'est justement pas *la même chose* que d'écrire une telle phrase dans un texte et un contexte donné ou dans un autre texte et contexte. Or, que fait l'auteur en question ? Pratiquement, il conserve la phrase donnée sur la ligne du Capital tel qu'il a été représenté par le cône marqué + et, par conséquent, il exerce une réelle *coercition linguistique*, cela à des degrés divers. Ce que cet auteur *ne fait pas* c'est une certaine différence à même d'établir la phrase qu'il écrit à un niveau autre que le niveau de *la seule crédibilité* (laquelle, pour finir, renforce la coercition linguistique, c'est-à-dire la répression et la réaction dans le cadre de la société bourgeoise). On pourrait distinguer en effet :

1. Une coercition linguistique *répondant* à une idée convention nelle touchant la notion du mariage et le possible emploi d'un adjectif susceptible de rendre compte d'un lien entre " l'homme " et la " technique scientifique expérimentale ";
2. En conséquence de quoi la coercition linguistique serait aussi une coercition *sociologique* (car si cet auteur voit un tel lien, on peut être assuré que cela répond plus généralement à une conception sociale et à un certain régime sociologique qu'elle commanderait).

Si l'on rappelle maintenant que la terre a été valorisée dans l'histoire de manières tout à fait diverses, on est en droit de *se demander* quel aliment une telle phrase apporte à une certaine conception de la " vie ", des " idées ", sur quel fond elle vient se déposer, apportant une confirmation ou non *à une idée préalablement reçue et qui est bien une " vision du monde "* (et par conséquent une politique). Or, une phrase comme celle-là vient alimenter une " idée " statique, suivant laquelle les contraintes sont pratiquement des stades de la vie, suivant laquelle nous serions, pour finir, *commandés* par des nécessités de nature, inévitables.

Il s'agit d'un fait de code et précisément, aujourd'hui, les codes non seulement restent soumis à des coercitions extrêmement diverses (égales à la puissance de coercition générale de la société bourgeoise) mais ne sont pas *lus* dans leur travail, dans le fait qu'ils dégagent cependant, de l'intérieur de telle ou telle coercition, une différence quantitative du type Q_2—Q_1. En fait

1. Les rapports entre les termes dans tel ou tel code sont *naturalisés et rendus mécaniques dans la même proportion où les rapports sociaux, inter-individuels sont mécanisés, naturalisés* ;
2. *La production du code est méconnue ;*
3. *Une compréhension déformante du code, de caractère névrotique en général, est à la place de l'étude des faits de code.*

La situation est doublement analytique et marxiste. Si l'individu a valorisé la terre il n'a valorisé la femme que dans une certaine proportion à la valorisation de la terre. A travers un ensemble de raisons, il reste que la *compréhension* qu'il a de la production refuse de s'étendre, de se généraliser et, constamment, il retourne un ensemble d'obstacles sociaux sur des rapports interindividuels qui devraient être *sa lecture* (sa prise de possession successive des codes). Constamment il s'agit d'une pré-lecture, d'un phénomène de répression de la lecture laquelle, s'exerçant dans les conditions et la situation d'une société *favorable* à cette répression générale, prend un caractère de plus en plus enfoui, dévitalisé, répression renvoyant à l'archaïsme la commandant, devenant l'ensemble archaïque commandant cette lecture.

Naturalisme, mécanisme, spéculation s'exercent et développent une situation réactionnaire. Ils sont tous trois pratiquement la *réponse* de l'individu à la généralisation inconsciente. Entre ces trois emplacements l'individu se déplace et s'assure du pouvoir que ses ascendants lui accorderaient à proportion de sa fidélité au code, intouché, à l'égal d'un totem. *L'individu justifie ainsi l'ensemble de ses rapports interindividuels voire sociaux.*

En raison même du fonctionnement qui *naturalise* le fonctionnement des codes, la plupart des individus, lorsqu'ils sont regroupés selon tel ou tel modèle sociologique (une guerre par exemple), croient bon d'affirmer leur *point de vue* sur tel ou tel code. Si l'on distingue par exemple trois généralités touchant les codes : 1. *Les codes se détruisent* ; 2. *Ils ont plus ou moins de rapport avec la science ;* 3. *Ils ont une symbolique et entretiennent des rapports symboliques*, tout individu, pratiquement et théoriquement, est à même d'avoir un point de vue sur telle ou telle généralité du code. Mais, soit précisément la généralité 1, le point de vue suivant lequel se trouve envisagée la destruction des codes, *reste* local, partiel, point de vue par lequel un individu (dans les conditions et la situation d'une guerre) *affirme* quelque chose d'un point de vue apparemment dialectique, qui *répond* à la demande géographique, historique, culturelle, religieuse, totémique, psychologique, économique, morale que *représente* la guerre en question dans ses déplacements et ses condensations. Mais précisément le naturalisme *agit* ici comme régionalisme par lequel l'individu d'un peuple juge et émet des jugements sur tel individu d'un autre peuple. Le naturalisme, attaché comme il peut l'être au mécanisme et à la spéculation, constitue à la fois *le seuil* de compréhension et *le frein* voire l'obstacle déterminant d'une réelle compréhension généralisée entre peuples à travers les codes.

Il se trouve par conséquent que la réaction profite de *réponses prématurées* à l'appel entre peuples. La réaction use, dans des conditions et des situations extrêmement diverses, d'une apparente objectivité de la situation, laquelle entraîne en fait ceux qui s'y trouvent insérés dans des *dénégations* successives et reposant sur l'inconscience de leur fonctionnement. Il faut donc ne cesser de faire la mention d'un certain nombre de tâches à remplir, lesquelles concernent les codes et les rapports avec ces codes et entre ces codes.

1. La rétention quantitative (Q_2—Q_1) est en somme la généralité 2 du rapport avec la science, *ce qui veut dire* que, suivant telle ou telle situation, elle sera plus ou moins applicable;
2. En conséquence de quoi c'est bien en somme sur la base du Capital marqué + que se porte l'intervention et la possibilité d'intervention, *afin* de montrer que le Capital, comme racine de la réaction, manipule constamment du code dans le but de cacher et de faire oublier la rétention quantitative qui, elle, se trouve placée *sous* le Capital et le traite.

Ce qui veut dire évidemment ceci qu'*on n'intervient pas sur la symbolique des codes* d'une manière directe. Le Capital est là qui manipule intensément cette symbolique et parvient à des résultats considérables. En conséquence de quoi les individus, soumis *à la fois* au Capital et à tel ou tel code, ne cessent de valoriser le seul Capital et exercent une dénégation farouche (plus particulièrement dans la situation d'une guerre) à l'égard de *ce qui ne serait pas* le Capital. L'histoire constituée a joué si fortement que *seule* la lecture des manipulations exercées par le Capital, et cela suivant certaines règles, est à même de faire céder quelque peu le cloisonnement extrêmement serré qui est la répression et la réaction dans les conditions et la situation du Capital. Dès lors c'est la position et l'intervention de « l'intellectuel » qui se trouve redistribuée.

Son rôle est constamment alors de saisir les cloisonnements et de *faire parler* les individus en face des cloisonnements. S'il est analyste, il cesse d'entretenir une fonction rénumératrice à tous les niveaux de la société dans laquelle il s'insère et contre laquelle il lutte. En fait, il porte son attention sur *une généalogie* constamment active sur la surface du Capital, laquelle, et justement en tant que telle, n'est jamais *seulement et uniquement* l'alliée du Capital. Pour autant, le repérage scientifique se fait par *régions*, dans des sens aussi divers que possible de ce terme.

Au contraire de quoi l'attitude moyennement réactionnaire et répressive permet de penser et d'écrire : " Cependant, il suffit d'observer les hommes vivants pour constater combien la presque totalité de leurs attitudes est peu scientifique. Rêve, sentiment, besoins de liberté et d'originalité, s'opposent en général à la *réalité froide et dure ;* la vision globale, artistique et poétique, à l'analyse expérimentale; l'unicité de la pensée à la complexité du réel. "

La réaction a besoin d'être répressive pour s'affirmer comme réaction. La répression s'exerce en priorité à l'égard d'un certain nombre de *besoins* qui sont présentés comme étant les besoins des " hommes " mais qui sont, en même temps, *distribués* dans un rangement antérieur. En fait d'antériorité, il s'agit de la " science " présentée comme *une expérience* à laquelle ne peut accéder " la presque totalité " des hommes en question. Le mécanisme de la réaction est *temporel et spatial*, car la réaction a besoin de se faire passer pour une expérience valable pour tous et, en somme, *comme l'expérience même des limites.*

1. Si la réaction *regroupe* ainsi les " hommes " en leur déclarant leurs limites qu'ils *reconnaissent*, la réaction, *en tant que devant servir au pouvoir*, en tant qu'instrument du pouvoir, doit faire *plus* (plus et moins à la fois);
2. Et par conséquent la réaction trouvera son *relais et son complément* dans une certaine écriture, une écriture qui, pratiquement et théoriquement, soit *un constat* des limites rencontrées par les " hommes " et de leur reconnaissance à ce sujet.

A propos de cette " écriture " réactionnaire et répressive on pourrait faire observer qu'*elle doit convaincre au plus vite* et qu'en dehors du fait d'une telle adhésion elle s'efface, pour laisser à nouveau place à *une manipulation* qui la précède, l'ordonne, prépare le terrain de son efficacité. Au contraire de l'écriture envisagée dans un tout autre sens (et précisément à l'opposé de " l'écriture " répressive et réactionnaire) *le pouvoir de convaincre ne se fait jamais sur texte*, le texte n'est pas travaillé dans ce sens, et ce pouvoir de convaincre est, en fait, posé antérieurement, suivant certaines conditions de la nécessité réactionnaire et répressive, suivant certaines conditions d'une situation *politique*.

Le style de la répression est un style s'étalant sur une surface préparée par le travail politique réactionnaire, et ce style n'a d'autre allié que le Capital, pour autant que *le Capital demande et exige une incessante valorisation du signe + dont il use pour combattre les différences du type Q_2—Q_1, qui ne sont autres que le travail de la socialisation dans la différence au Capital.*

Tandis que la réaction procède, au fond, à l'affirmation perpétuelle que « la presque totalité » des hommes est incapable de se saisir de son style, de son écriture, de sa langue, de ses codes, de ses capacités d'analyse, incapable de reprendre à son compte les archaïsmes, le problème opposé proposé par une recherche de *socialisation générale* montre, immédiatement, que l'accès n'est nullement un accès réservé. Socialiser un certain nombre de problèmes qui doivent tous servir à un décloisonnement des disciplines, c'est, de l'intérieur d'un pays donné, poser qu'IL Y A COLONISATION INTÉRIEURE, et que précisément cette colonisation touche l'ensemble des disciplines, de sorte qu'à moins de reprendre un certain nombre de problèmes suivant une véritable *progression dans la socialisation*, il n'y a, à l'intérieur de ce pays, que les manifestations de plus en plus claires des volontés farouchement réactionnaires et répressives.

En fait, les problèmes intéressant la progression de la socialisation générale des disciplines sont les problèmes mêmes du *peuple, lequel doit être découvert comme texte progressif.* Ces problèmes sont notamment :

1. *La terre* vérifie pour les « hommes », dans les conditions du Capitalisme, la possibilité d'*un retour* aux racines de leur population de base. En conséquence de quoi *quelle va être la suite donnée* à cette histoire de la terre (histoire de la terre qui, pour eux, pour une grande majorité d'entre eux se présente, en effet, comme *la seule* conception de la propriété individuelle à l'intérieur d'une certaine conception de la propriété collective) ?
2. Dès lors que peut être le problème de *la culture*, compris comme le problème d'une compréhension progressive des problèmes se posant de l'intérieur du Capitalisme ? La culture, à cet égard, *agit* à chaque moment décisif, montrant comment a) *un passé historique est encore à comprendre* (déposé dans des textes que le

Capitalisme a enfouis) ; b) *c'est précisément ce passé* (comme archaïsme) *et autre chose que ce passé qui agit* (sur le Capitalisme). Cette culture ne met pas en cause le fait qu'elle doit agir, ici, maintenant, mais précise *en l'écrivant* que, tout d'abord, il faut prendre connaissance de la colonisation intérieure réalisée par le Capital et la signaler sur ses points décisifs.

« Le monde entier finit quelquefois par être frappé d'impossibilité » (Freud). Encore que la phrase freudienne ait une valeur d'indication valant pour une quantité de conditions et de situations, elle peut être comprise de manière restrictive voire locale, sans cependant qu'il s'agisse d'une attitude répressive et réactionnaire à l'égard d'une telle phrase. Autrement dit c'est un certain *ici, maintenant* qui se trouve frappé d'impossibilité.

Donnons, une fois encore, quelques raisons pouvant expliquer comment, de l'intérieur du Capitalisme, il se passe ceci qu'un ensemble de paralysies se mettent à jouer (et, par contre, en ce qui concerne ces raisons, il faut les *comprendre* dans leur extension inverse du caractère *local* du Capitalisme) :

1. Un certain *foyer révélateur* est aujourd'hui absent, oublié, détruit ou masqué. Foyer révélateur n'est pas à comprendre autrement que dans son sens *physique*, traitant d'un phénomène qui se rapporte à la photographie, laquelle, prise dans des conditions strictes d'expérience et de compte rendu d'expérience, peut rendre un certain nombre de services. En général, on peut écrire qu'un certain nombre de phénomènes se rapportent à *une chambre noire*, laquelle traite donc notamment des phénomènes d'ordre mental, inconscient, organique, social;
2. Une certaine colonisation intérieure exercée par le Capitalisme apparaît aujourd'hui comme de faible profit voire comme de *profit nul*. Ce dont il s'agit, en écrivant cette phrase, c'est de rendre compte de ceci qu'un ensemble coercitif fait un constat d'échec sur les plans suivants :
   a. Le Capitalisme *n'est pas parvenu* à rassembler autour d'une censure suffisamment générale et efficace une totalité non seulement « d'idées » mais bien entendu de comportements, de décisions sociales consenties à tous les niveaux d'une population, de conditions et de situations de « vie » en général;
   b. Ce qui veut dire que *sociologiquement le Capitalisme est en défaut voire en retard par rapport à son propre programme* ;
   c. Ce qui veut dire que *l'état de culture correspond à un rassemble-*

ment hétérogène de besoins non satisfaits dans les conditions et la situation du Capitalisme vu de l'intérieur.

Une fonction symbolique est faite pour circuler et, suivant les communautés, elle circule en effet plus ou moins. Une fonction symbolique, se rassemblant (à l'inverse de la censure capitaliste) autour *d'états* variables mais aussi constants, propose par exemple *un certain type de récit touchant les états interdits* (menstruation, accouchement, possession des objets tels que outils, les armes, les vêtements, liens divers avec les animaux, *culture*). Non seulement le Capitalisme est incapable de dégager un tel récit (lequel exige en effet *une langue reconnue* par une population de base, c'est-à-dire un peuple) mais il l'interdit, et, *en l'interdisant, se trouve dans une situation culturelle inférieure aux communautés qui ont pu, au temps de Freud, fournir la description de ces états interdits.*

Et en effet les " états interdits " exigent un récit fondé dans une langue, c'est-à-dire fait pour et par un peuple, c'est-à-dire *fondé sur une différence du type* Q2-Q1. Qu'il s'agisse de la menstruation, de l'accouchement, de la possession des objets, des liens divers avec les animaux, de la *culture* alors exerçable, il s'agit de *forces*, de réalités vitales demandant à être comprises dans leur différence. On pourrait, du reste, reprendre ici une formule citée auparavant et écrire que " l'homme ne peut *se marier* avec les états interdits qu'en abolissant sa valorisation sur une fausse base, qu'en reprenant le problème de *la science* dans sa totalité en face et de l'intérieur de tels états ". Pour dire quelque chose qui ne soit pas répressif ni réactionnaire, il faut *vouloir reconnaître une certaine chambre noire* au fond de laquelle se rassemblent les états interdits, au fond de laquelle il y a impression de plusieurs images sur le même cliché. De sorte que, dans les conditions et la situation du Capitalisme, il faut placer cette chambre noire dans l'interdit lui-même : il faut que la chambre noire en question devienne elle-même interdite pour que, du fond de la chambre noire (*du fond de l'interdit*) se détachent non des images mais des forces vitales, des réalités sociales. La chambre noire ne fait pas partie d'une " technique scientifique expérimentale " donnée par avance mais, précisément, ne se trouve qu'à la suite de la traversée de l'interdit, en tant que technique expérimentale scientifique à ceci près que *c'est la science* qui se trouve alors entièrement remise en perspective.

A propos du Capitalisme on rappellera encore ceci (qui est dans Max Weber, *l'Éthique protestante et l'esprit du capitalisme*) :

— Condamnation du théâtre;
— Élimination de l'érotisme et de la nudité;
— Jugement sur le vêtement;
— Opposition à la jouissance;
— " L'homme a des *devoirs* à l'égard des richesses qui lui sont confiées ";
— La division du travail est comme l'émanation directe du plan divin de l'univers.

Pour autant qu'il s'agit pour le Capitalisme d'*empêcher* la fonction symbolique de circuler, ce n'est par conséquent pas seulement sur les états " interdits " que porte l'interdiction capitaliste, mais aussi bien sur *un ensemble* de fonctions se rapportant (ou ne se rapportant pas) à de tels " états interdits ". L'interdiction capitaliste, au lieu de suivre la loi des cloisonnements *scientifiques* (laquelle est compréhensible en tant que telle), porte à travers les cloisonnements sur le proche, *sur une proximité* qui lui semble toujours dangereuse ou inquiétante.

Mais c'est aussi, bien entendu, que contrairement au *seul rapport* qui lierait la loi capitaliste et le texte en général interdit, le problème du capitalisme est un problème précisément historique, vérifiable par exemple sur le schéma suivant :

— Commune primitive
— Esclavage
— Féodalité
— Capitalisme
— Socialisme *Écriture*
— Communisme

Sur ce schéma classique, on a appliqué en plus le concept d'*écriture* comme possibilité historique de passage au Socialisme et au Communisme. Bien entendu, dans les conditions et la situation du capitalisme, *l'écriture* est entièrement recouverte par les interdictions capitalistes mentionnées, c'est-à-dire que, par le même mouvement, l'ensemble se trouvera interdit. Et précisément ce qu'il s'agit alors, pour le Capitalisme, d'interdire se fait *lire* de la manière suivante :

1. *Interdire le passage au Socialisme et au Communisme ;*
2. *Interdire (dans le même mouvement) ce qui de près ou de loin pourrait évoquer le Socialisme ou le Communisme.*

Or, placer *l'écriture* en face du Socialisme et du Communisme, c'est affirmer la possibilité de faire correspondre à chaque stade une forme qui rassemble des " états interdits ", un texte interdit en général, une fonction *historique*. Et c'est ainsi qu'en face du Capitalisme on pourra placer *une condamnation du théatre*, en face de la féodalité *une peinture*, en face de l'esclavage et de la commune primitive *une tragédie*. A chaque stade historique correspond une ossature et une musculature particulière, et précisément le problème du Capitalisme aujourd'hui *est d'empêcher que cette musculature et ossature vienne à jour*. Mais alors le problème, inverse, de *l'écriture* apparaît comme plus vaste que prévu, en ceci qu'il doit tenir compte et traiter les différents stades historiques mentionnés. *L'écriture*, dans cette perspective, est un véhicule historique, un trait historique qui *sert* au repérage historique. *L'écriture* en ce sens, est vide de contenu mais trouve son contenu à tel ou tel stade historique suivant tel ou tel repérage.

Ainsi le concept d'*écriture* comprend-il la signification de la condamnation capitaliste du théâtre, de l'érotisme et de la nudité, son jugement sur le vêtement, son opposition à la jouissance. *Comprendre*, ici, veut dire envelopper une signification du fait historique et prendre les mesures en conséquence. Conséquence ou suite historique du *fait de censure* qui, effectivement, entraîne une suite historique : *l'écriture* comme concept, comme véhicule, comme traitement de significations historiques.

Une relation spatio-temporelle se trouve ainsi déterminée qui, d'un côté, pose *l'écriture comme le mobile* en direction du Socialisme et du Communisme et qui, d'un autre côté, pose *l'écriture* comme un mobile ayant pour but d'effectuer l'ensemble de la trajectoire historique (dès lors les problèmes sont des problèmes de freinage, problèmes devant comprendre des censures diverses en fonction d'une science de la Mécanique devant constamment être surveillée, voire rectifiée).

Dans le but d'achever ce travail, on peut rappeler que les *Conventions morales et religieuses* sont le cadre et la rubrique dans lesquels ont été placées des analyses diverses. Et précisément l'achèvement de ce travail pourra être ici de rappeler un second cadre et une seconde rubrique, touchant les *Conventions quant à l'exploitation du code traditionnel*. D'où :

2. CONVENTIONS QUANT A L'EXPLOITATION DU CODE TRADITIONNEL

La majorité reconnaissant un tel code se retrouve dans une interdiction sociale précise qui a fourni l'analyse de ces dernières pages Le problème peut être retrouvé entièrement comme étant celui de la terre et du mode d'exploitation qu'elle commande, lequel est ou non reconnu. A l'intérieur de la convention la plus générale et la plus hétérogène, la somme des contradictions est telle que le code, comme objet à lire, ressort constamment, malgré la volonté conventionnelle de le maintenir enfoui. En tout état de cause, si la majorité reconnaissant cette convention propose une définition de la " vie ", des " idées ", des liens divers entre " idées " et " vie " sur différents plans, cette définition sera aujourd'hui constamment changée, bougera à partir d'interrogations qui n'auront pas été faites par une convention, cette définition, pour finir, rendra compte constamment du fait d'un renversement historique extrêmement vaste, agissant sur l'ensemble des cloisons dans lesquelles continuera de s'enfermer une volonté répressive, réactionnaire.

L'achèvement d'un travail propose déjà un autre travail, lequel doit servir une socialisation progressive de quelques problèmes.

Pierre Rottenberg.

MARX ET L'INSCRIPTION DU TRAVAIL

> *Ce logocentrime, cette* époque *de la parole pleine a toujours mis entre parenthèses*, suspendu, *réprimé, pour des raisons essentielles, toute réflexion libre sur l'origine et le statut de l'écriture.*
>
> Jacques Derrida, *De la grammatologie*, p. 64.

> *Dans sa forme* valeur, *la marchandise ne conserve pas la moindre* trace *de sa valeur d'usage première ni du travail utile particulier qui lui a donné naissance* [1].
>
> Karl Marx, *le Capital*, Livre I, chap. III.

Valeur d'usage et valeur d'échange.

D'une façon privilégiée et souvent exclusive le langage est conçu (dans l'histoire occidentale) comme un ensemble de signes d'échange. Que ce soit sous l'aspect communicatif, expressif, ou encore, plus subtilement, dans le choix du critère de traductibilité comme caractéristique de tout langage, il s'agit toujours du signe considéré comme un élément d'une transaction commerciale. L'accent est mis d'une façon unanime (d'Aristote à Martinet) sur la *valeur d'échange* des signes — leur fonction dans le procès de circulation.

Or nous poserons que le signe (*comme tout produit*) a aussi une *valeur d'usage*. Historiquement méconnue. Passée sous silence. — Par valeur d'usage d'un produit on entend non seulement le fait qu'il peut servir " immédiatement " comme objet de consommation, mais aussi le fait (plus décisif dès le départ, pour affermir l'analogie entre signe et produit) qu'il sert " par une voie détournée [2] " comme *moyen de production*. Or, tout comme un produit

1. Nous soulignons.
2. *Le Capital*, I, chap. I.

est le moyen de production d'autres produits (le *détour* par lequel on fabrique d'autres produits — moyennant une certaine dépense de force de travail) les signes (ensembles de signes, ou parties d'ensembles) forment les moyens de production d'autres signes (d'autres combinaisons de signes).

La méconnaissance de la *valeur d'usage* des signes n'est donc pas autre chose que l'occultation de leur valeur productive. Occultation du travail ou du jeu des signes, sur et avec d'autres signes. La valeur opératoire, l'efficace propre des signes dans la production du sens, le *calcul*, l'instance purement combinatoire, ce que nous pourrions nommer d'un mot heureusement ambigu la *fabrique* du texte (travail et structure, fabrication et façon) se trouve gommée (ou plutôt oubliée / refoulée) sous la transparence négociable (du sens).

Sur la base de cette opposition, empruntée à l'économie politique, entre valeur d'usage et valeur d'échange nous pouvons donc faire un départ essentiel, impliquant tout le champ du langage et de l'écriture, départ qui devra prouver sa pertinence par les prolongements et les rapprochements qu'il semble pouvoir nous permettre avec l'instance de l'économie.

Mais comment se nouent, plus précisément (dans le champ de l'économie) les rapports entre la valeur d'usage et la valeur d'échange ? Suivons un instant l'analyse de Marx.

Le point de départ essentiel est que « l'on fait abstraction de la valeur d'usage des marchandises quand on les échange; et que tout rapport d'échange est même caractérisé par cette abstraction [3] ». Chacun des produits échangés est réduit à une commune mesure, est ramené « à une expression tout à fait différente de son aspect visible ». Donc, premièrement, si « tous les éléments matériels et formels qui donnaient aux produits leur valeur d'usage disparaissent à la fois », du même coup, deuxièmement, disparaissent aussi (et ce double effacement est pour nous décisif) « toutes les formes concrètes diverses qui distinguent une espèce de travail d'une autre espèce de travail ». Ce qui entre en jeu par conséquent dans le procès d'échange ce n'est que « le résidu des produits du travail ». « Chacun d'eux ressemble complètement à l'autre. Ils ont tous une même réalité fantomatique. » Écrivons ou recopions encore que du point de vue unilatéral de la sphère de la circulation

3. *Le Capital*, I, chap. 1.

tous les produits du travail sont " métamorphosés en *sublimés* identiques " (nous soulignons).

Or, d'une manière générale " le quelque chose de commun qui se montre dans le rapport d'échange des marchandises est leur *valeur* ".

Il est clair que ce processus, décrit ici dans le champ de l'économie politique, trouve son homologue exact dans le champ du langage et de l'écriture. L'opposition entre signifiant et signifié n'est pas autre chose (mais cela devra être fortement confirmé et analysé dans ses conséquences) que cette " scission " entre la valeur d'usage et la valeur d'échange. Ce qui reste à l'issue d'une traduction (d'un échange des signifiants) c'est le signifié. Celui-ci est conçu d'une manière générale comme ce qui (idées, sens, concept) peut demeurer intact (inchangé) malgré les différentes *formes* par lesquelles il s'*exprime*. C'est le *fond* conçu idéalement comme pouvant être isolé de la forme. Et l'on peut affirmer que, de même que le procès de l'échange des produits, " c'est-à-dire l'assimilation et la désassimilation sociale, s'opère dans une métamorphose formelle où se montre une double nature de la marchandise, tantôt valeur d'usage et tantôt valeur d'échange ", — le procès de l'échange des signes (le dialogue, la traduction, — l'assimilation et la désassimilation langagières) s'opère dans une métamorphose formelle où se montre la double face du signe, la dichotomie en apparence irréductible : signifiant / signifié.

Posons que si d'une manière historiquement datable " quels que soient la forme et le contenu de l'activité et du produit, nous avons affaire (dans la sphère de l'économie) à la valeur " — (pour autant que " l'échange l'a emporté sur tous les rapports de production " —) nous nous trouvons au prise, dans la sphère du langage, effaçant les différences, avec cet autre " sublimé " " fantomatique " qu'est le sens. Comme s'abstraient " le corps de la marchandise " " et les formes concrètes diverses qui distinguent une espèce de travail d'une autre espèce de travail [4] " dans le procès de production bourgeois dominé par la valeur que décrit Marx, de même, le corps de la lettre (et tout ce qui dans la lettre signe son irréductibilité à toute traduction) est abstrait et réduit dans l'élément du sens, à l'intérieur d'une certaine période historique dans laquelle nous sommes pris.

D'un façon limitée et précise, à partir de ce constat de l'hégé-

4. *Le Capital*, I, chap. I.

monie parallèle du *sens* linguistique et de la *valeur* d'échange des marchandises, il va donc s'agir pour nous de tracer les contours que propose cette homologie, et d'en reconnaître les décisives implications. Ce qui est en jeu ici, en effet, c'est d'abord le principe d'étagement signifiant / signifié / référent (dont le procès de circulation des marchandises peut, nous allons le marquer, éclairer la généalogie) et plus profondément encore c'est le processus d'effacement de l'*écriture* — qui se confond d'une façon indissoluble (nous y insisterons) avec celui de l'occultation et de l'exploitation du *travail*.

La parole et l'argent; les équivalents généraux.

L'analyse que fait Marx de la marchandise dans le livre premier du *Capital* ne montre rien moins qu'une chose : si, « à l'origine », l'ensemble des marchandises formaient entre elles « une mosaïque bigarrée d'expression de valeurs opposées et différentes » il s'est trouvé peu à peu que se sont exprimées « les valeurs de toutes les marchandises dans une seule et même espèce de marchandise, détachée de l'ensemble ». Il s'est trouvé une marchandise pour devenir « expression générale de valeur », « équivalent général ». « Toutes les autres marchandises ont exprimé leur valeur dans le même équivalent. » Et plus précisément « cette marchandise spéciale avec la forme naturelle de laquelle la forme équivalent s'identifie peu à peu dans la société, devient *marchandise-monnaie* ou fonctionne comme monnaie; sa fonction sociale spécifique et conséquemment son monopole social, est de jouer le rôle de l'équivalent universel dans le monde des marchandises ». Or il est immédiat, à suivre fidèlement cette analyse, que nous pouvons affirmer en toute rigueur (et ce parallélisme est décisif, — ainsi que *la genèse* homologue qu'il suppose) que si dans la sphère économique « la forme d'échangeabilité directe et universelle, c'est-à-dire la forme équivalent général, s'est identifiée, par suite d'habitude sociale, dans la forme naturelle spécifique de la marchandise-or », elle se trouve s'être identifiée, dans la sphère des signes, sous la forme des *signes de la parole*. Il faut bien remarquer en effet que l'*usage* des signes n'est pas d'une manière d'abord privilégiée celui des signes linguistiques. Que ce soient des gestes, des dessins, des signaux, des « symptômes », et finalement des objets quelconques, rien ne limite la notion d'*usage* des signes. Or il se trouve pourtant qu'un certain type bien particulier de signes a pris

— parmi tous ces signes — une importance privilégiée : les signes de la parole. Les signes de la parole ont été investis d'une manière très particulière du pouvoir de retenir le *sens*. Ils *valent* pour n'importe quels autres signes. Et ceci, évidemment, dans le cas de la marchandise-monnaie comme dans le cas de la parole pour des raisons de commodités sociales. En fait, il faut que la marchandise-or (ou argent) " soit susceptible de différences purement quantitatives; il faut qu'on puisse la diviser et la recomposer à volonté ". Pareillement, nous suivrons ici la remarque de Merleau-Ponty (avant, plus loin, de réfuter son texte sur un autre point) suivant laquelle " le geste verbal " n'est qu'un geste parmi d'autres " mais c'est une gesticulation tellement variée, précise et systématique " qu'il est capable de recoupements et de différenciations plus nombreux que n'importe quels autres gestes ou signes. Ajoutons : que n'importe quels gestes ou signes si facilement *disponibles* en toutes occasions. Les signes de la parole ont le caractère de *disponibilité*.

Or, conséquemment, et ceci est capital, de même que " la forme argent n'est que le reflet, attaché à une marchandise spéciale, des rapports de toutes les autres marchandises " on peut affirmer que le langage parlé, en tant que système de signes (la langue) n'est que le reflet attaché à un type de signes spéciaux du rapport de tous les autres signes. Le mouvement dans les deux cas est identique. Dans l'économie " il est nécessaire que, par opposition aux corps variés des marchandises la valeur revête en fin de compte cette forme bizarre, mais purement sociale " (la monnaie). Et ceci est possible, quoique " dans les appellations monétaires disparaisse toute trace du rapport de valeur ", comme tout de même, " le nom d'une chose est complètement étranger à sa nature ", et que " je ne sais rien d'un homme quand je sais qu'il s'appelle Jacques ". Et en fait " à voir la monnaie on ne devine pas l'espèce de marchandise qu'elle représente; toutes les marchandises se ressemblent à cet égard. La monnaie peut donc être de la boue, bien que la boue ne soit point de la monnaie ". Or de même il n'y a aucun rapport, au terme d'un processus qui fait de la parole l'équivalent général de tous les autres signes, entre les signes linguistiques et ce qu'ils représentent. Si " la forme argent des marchandises, est comme leur forme valeur en général, une simple forme idéale, distincte de leur forme physique réelle et tangible ", de même la *forme parole* des signes est une forme idéale, distincte de leur forme non linguistique, mais dans laquelle cependant ils reflètent leurs rapports.

Or il est remarquable que l'analyse critique de Marx, à la prendre dans son rapport à l'écriture, ébranle le système du signe. Ce qui est dénoncé ici, en même temps que l'assurance d'une distinction entre signes linguistiques et signes non linguistiques, n'est rien moins que la mystification linguistique (et politique) de l'étagement signifiant / signifié / référent. Et en effet, nous l'avons marqué, " de même que la forme argent n'est que le reflet, attaché à une marchandise spéciale des rapports de toutes les autres marchandises ", nous devons considérer que la parole n'est que le *reflet* (et c'est ici qu'il faut faire reposer une théorie formelle du reflet) attaché à *un* type de signes des *rapports* de tous les autres signes. L'argent et la parole ont ce statut privilégié de voir en eux converger l'ensemble du système des marchandises (pour l'un), l'ensemble du système des signes quelconques (pour l'autre). Et pourtant, fondamentalement, de même qu'il n'y a aucune opposition entre la monnaie (le métal argent ou or) et les autres marchandises, mais que le métal argent ou or est l'une des marchandises (plus maniable, divisable, etc.,) il n'y a aucune opposition entre les mots (le matériel graphique ou phonique) et les autres signes (les autres *choses*). Or cependant, que fait le système de la valeur ? C'est de donner l'*illusion* que le métal argent ou or, loin d'être lui-même un produit (du travail), une marchandise, *et de n'avoir comme tel de valeur qu'en tant que produit dans lequel se trouve cristallisé un certain travail social*, n'est qu' " un simple signe " de la valeur. Le rôle de l'or ou de l'argent se déplace. D'incarnation matérielle et privilégiée de la valeur ils deviennent simples signes de cette valeur qui désormais les transcende. Simple *représentation*. " Parce que dans certaines conditions déterminées, l'argent peut être remplacé par de simples signes de lui-même, écrit Marx, on se figura qu'il n'était lui-même qu'un simple signe. " Mais " en donnant pour de simples signes, continue Marx, les caractères sociaux que revêtent les choses, ou les caractères matériels que revêtent les déterminations sociales du travail d'après un mode particulier de production, on déclare en même temps que ce ne sont que des créations arbitraires du cerveau humain " ... C'est bien dans le même geste que se forme le système du signe linguistique. On donne les matériaux phoniques ou scripturaux pour de " simples signes ", de simples *signifiants* (d'un sens extérieur, transcendant) ; on leur dénie leur caractère opératoire (de moyen de production) et leur caractère opéré (de produit). On masque le fait que le sens n'est qu'un produit du travail des signes réels, le résultat de la fabrique d'un texte, tout comme on camouflait le caractère de marchandise de l'argent (métal travaillé, n'ayant de valeur que par ce travail) pour en faire un signe arbitraire secondaire — « un simple signe ».

Saussure en effet ne fait pas autrement. Et le recoupement est remarquable. « Il est impossible écrit Saussure que le son, élément matériel, appartienne par lui-même à la langue. Il n'est pour elle qu'une chose secondaire, *une matière qu'elle met en œuvre*. Toutes les valeurs conventionnelles, ajoute-t-il, présentent ce caractère de ne pas se confondre avec l'élément tangible qui leur sert de support. » Et il précise, en une comparaison qui trahit sa complicité avec l'idéologie monétaire (sa méconnaissance de la fonction de la monnaie métallique) : « ainsi ce n'est pas le métal d'une pièce de monnaie qui en fixe la valeur, il vaudra plus ou moins avec telle ou telle effigie, plus ou moins en deçà et au-delà d'une frontière politique [5] ». Il est donc clair que c'est dans une même attitude idéologique que l'on constitue le métal-argent en « simple signe » d'une valeur idéale et que l'on constitue le signifiant (dans sa secondarité matérielle) vis-à-vis d'un signifié. L'on masque, dans les deux cas, qu'il n'y a que des produits, qu'il n'y a pas de valeur (de sens) sinon par un travail producteur. Écrivons encore que le mouvement qui distingue l'argent des autres marchandises (en le prenant comme équivalent général) et en fait un fétiche hors-production, est homologue à celui qui distingue la parole des autres *signes*, la sépare de l'ensemble des signes sociaux quelconques pour constituer dès lors ces signes en choses extérieures au système des signes (en *référent*). La triplicité signifiant / signifié / référent, dénonce sa complicité radicale avec l'illusion monétaire qui sépare définitivement l'argent d'avec la valeur, et la valeur d'avec la marchandise [6]. La valeur cependant n'a pas une existence transcendante ; et elle ne se rapporte pas, non plus, à un objet naturel (les objets naturels n'ont pas de valeur [7] — contrairement à l'illusion naïve qui confère à l'or par exemple un caractère naturellement précieux) mais la valeur ne se rapporte qu'à un produit ouvré. De même le sens n'est pas transcendant aux signes qui le manifestent ; et il ne se rapporte pas à un référent en soi (la chose elle-même, dans son existence naturelle) mais à d'autres signes, à l'écriture des signes sociaux totaux.

Ajoutons une remarque. Le fait que dans certaines conditions

5. *Cours de linguistique générale*, p. 164.
6. *Le Capital*, I, chap. III.
7. « Un terrain inculte n'a point de valeur parce qu'aucun travail humain ne s'y trouve représenté » (chap. III).

historiques le métal argent ou or (qui seul représente un travail abstrait matérialisé) puisse être remplacé par un numéraire (monnaie de papier ou scripturale, ou métal quelconque) n'apporte rien de nouveau ni de différent au processus que nous venons de décrire. Il ne fait qu'entériner (et favoriser encore davantage) l'illusion que l'argent est un " simple signe ". "Puisque le cours de la monnaie, écrit Marx, fait une distinction entre le contenu réel et le contenu nominal de la monnaie, entre l'existence métallique et l'existence fonctionnelle des espèces, il implique la possibilité latente de remplacer le numéraire, dans ses fonctions de monnaie, par des jetons fabriqués avec un autre métal, c'est-à-dire par des symboles. " Ou encore : " la monnaie passant toujours d'une main dans l'autre il suffit donc qu'elle ait une existence symbolique. Son existence fonctionnelle absorbe pour ainsi dire son existence matérielle. Reflet objectif mais éphémère des prix des marchandises elle ne fonctionne plus que comme signe d'elle-même, et peut donc être remplacée par des signes. " Ce passage d'une monnaie-or ou argent à une monnaie scripturale n'est pourtant pas sans importance. Il explique, marginalement, la secondarité et le *discrédit* de l'écriture (au sens restreint) par rapport à la parole. De même que le numéraire est un " simple représentant " de la monnaie-or qu'il " remplace ", l'écriture est conçue comme un simple système de remplacement qui ne vaut qu'en tant qu'il est *couvert* par une parole. La lecture moralisante et psychologisante de l'écriture (de la littérature) qui s'interroge sur la sincérité de l'auteur renvoie d'une manière très précise au problème du *crédit* et de l'*inflation*. Il s'agit toujours de savoir si la couverture-or de l'écrivain (sa parole) correspond à son écriture. S'il possède le *fonds* qui *couvre* sa forme. Les rapports entre le fond et la forme que soulève la lecture moralisante se réduisent donc à la crainte du chèque sans *provision*, du faux-monnayage. Cette crainte n'est possible que pour autant que l'écriture visée n'est pas elle-même *opératoire*, productive, et qu'elle se confine, suivant la même idéologie, dans un simple rôle de numéraire de remplacement d'une parole pleine. Le soupçon d'une falsification possible qui s'attache au matériel signifiant, par opposition à l'honnêteté foncière du signifié, dont la transparence, et l'immédiateté vivante ne peuvent tromper, et la métaphore monétaire qui commande cette opposition, se trouvent, entre autres, chez Hegel. " Du cuivre au lieu de l'or, de la monnaie fausse au lieu de bonne peuvent être mis en circulation d'une façon isolée... ; mais dans le savoir de l'essence, où la conscience possède la certitude immédiate de soi-même, la pensée de l'illusion est entièrement à écarter » (*Phénoménologie de l'Esprit*). Schopenhauer de son côté écrit : « Le savant, lui, a sur les autres l'avantage de posséder tout un trésor d'exemples et de faits, etc. Mais l'intuition manque au savant ; aussi sa tête ressemble-t-elle à une banque dont les assignats dépasseraient plusieurs fois le véritable fonds. »

L'ABSTRACTION DU TRAVAIL.

Les conséquences de l'illusion monétaire ne sont pas seulement remarquables en ce qu'elles séparent l'argent de la valeur, et la valeur de la marchandise. Ce triple étagement trouve sa fonction et son fonctionnement dans la dissimulation essentielle qu'il rend possible : — celui de la production concrète.

Mais qu'en est-il d'abord dans la langue. « Le moyen de production du signe, écrit Saussure, est complètement indifférent, car il n'intéresse pas le système... Que j'écrive les lettres en blanc ou en noir, en creux ou en relief, avec une plume ou un ciseau, cela est sans importance pour leur signification [8]. » Ce point est essentiel. Le système du sens est indifférent à la production du signe. La trace travailleuse, comme usage producteur ne fait pas partie, en tant que telle, de la sphère du sens. Or ce même processus d'effacement de la trace par la valeur a lieu, aussi bien, dans la production/circulation des marchandises. Marx écrit d'une façon remarquable : « dans la forme valeur, la marchandise ne conserve pas la moindre trace (*Spur*) de sa valeur d'usage première ni du travail utile particulier qui lui a donné naissance [9] ». Mais non seulement c'est le travail producteur qui est effacé par le sens (la valeur) cristallisé dans la parole (la monnaie) mais ce sont encore les rapports de production qui se trouvent occultés. « La marchandise disparaissant au moment où elle devient monnaie, écrit Marx, nous avons beau examiner la monnaie, nous ne voyons pas comment elle est parvenue entre les mains de son possesseur ni de quelle chose elle est la transformation. Elle n'a pas d'odeur, quelle que soit son origine [10] ». Le sens, comme l'argent, n'a pas d'odeur. Il est impossible de le suivre à la trace, et de suivre sa trace. Le travail (d'écriture) et les modalités du procès d'échange s'évanouissent dans la transparence du sens. « Le mouvement qui a servi d'inter-

8. Saussure, *Cours de linguistique générale*, p. 165-166.
9. *Le Capital*, I, chap. III.
10. *Idem.*

médiaire disparaît dans son propre résultat, sans laisser de trace [11]. » Cet effacement de la trace est en même temps effacement des différences, puisque dans ce processus, « les divers produits du travail sont en fait égalisés entre eux [12] ». La valeur n'apparaît que comme égalisation, nivellement, homogénéisation, polissage ; (et dans tous les sens de ce mot comme *usure*.) « Le capitalisme écrira Marx, est niveleur de sa nature [13]. »

Or c'est au niveau du travail même, à la racine de la production que ce nivellement se trouve en action. La valeur, en effet, n'est pas expression du travail concret (qu'elle occulte) mais expression du *travail abstrait*. Réduction de toutes marchandises au quantitatif du travail abstrait. Celui-ci est le *principe d'échangeabilité générale des marchandises*. Or, ceci nous paraît essentiel, la même figure se retrouve dans la sphère du langage. De même en effet que le travail abstrait constitue la commune mesure des marchandises différentes, quelles que soient leurs substances et leurs propriétés, et que « la détermination de la quantité de valeur par la durée de travail est donc un secret caché sous le mouvement apparent des valeurs des marchandises [14] », ce que Derrida a appelé en des travaux décisifs, l'*archi-trace* ou *archi-écriture*, constituant le schème unissant la forme à toute substance graphique ou autre, est ce qui rend la possibilité d'un système significatif indifférent à la substance d'expression — et reste comme l'invariant de toutes les substitutions entre les différents types de signes. Ou encore, autrement formulé, de même que la quantité de travail abstrait fonde la possibilité de la valeur et règle les substitutions entre les marchandises quel que soit le corps des marchandises échangées, un certain principe de systématicité préalable (antérieur en droit) est la condition de la traductibilité générale des signes (échanges, remplacements) qui fonde (à travers l'arbitraire de leurs manifestations empiriques) la possibilité d'un sens. La figure est identique. Une certaine forme qui « imprime aux produits du travail le caractère de marchandise » doit « être considérée comme existant avant toute circulation de marchandises [15] » — de même que l'archi-trace renvoie, dans son originalité irréductible à la possibilité d'un sys-

11. *Le Capital*, I, chap. III.
12. *Idem*, chap. II.
13. *Idem*, chap. XV. Sur le thème de la monnaie et du nivellement recopions ici une autre formulation. « Dans la monnaie se trouvent effacées toutes les distinctions qualitatives des marchandises ; et la monnaie, niveleuse radicale, fait disparaître toutes les différences » (chap. III).
14. *Le Capital*, I, chap. III.
15. *Idem*, chap. I.

tème total, ouvert à tous les investissements de sens possibles [16]. Mais l'homologie sur tous les plans sera complète. Car de même que la parole (ou la graphie) se constitue sur l'effacement de cette archi-écriture (" à partir du mouvement occulté de la trace " — [17]) on peut poser que le travail abstrait est l'archi-écriture (la trace abstraite) qui fonde la valeur de la marchandise et qu'efface l'écriture monétaire.

Ainsi se dénonce la complicité entre le logocentrisme et le fétichisme de l'argent et de la marchandise. D'une façon générale, de même que " la circulation fait tomber les limites que le temps, le lieu, l'individu, fixent à l'échange des produits [18] " et rend ainsi possible l'hypostase de la valeur, le sens hypostasié (le logos) résulte non seulement de l'occultation de la valeur productive des signes, mais aussi de la mise entre parenthèses des rapports de production des signes. Si " la scission du produit du travail en objet d'utilité et objet de valeur ne se réalise pratiquement qu'au moment où l'échange est déjà devenu suffisamment important et étendu pour que les objets utiles et le caractère de valeur des choses soient déjà envisagés lors de leur production [19] " et donc " lorsque l'échange l'a emporté sur tous les rapports de production ", de même le logocentrisme apparaît lorsque la valeur d'usage des signes est occultée par la considération exclusive de leur valeur d'échange. Le logocentrisme est le nom linguistique d'un principe universel et dominant de vénalité, fondé sur le travail abstrait.

Le détour de production.

Le produit économique n'a été envisagé jusqu'ici qu'en tant qu'il exigeait un certain travail abstrait. Travail dont la quantité mathématique, exprimée en unité de temps, fournit " la loi régulatrice [20] " du principe de l'échange des marchandises. Cette loi régulatrice, nous l'avons marqué, joue le même rôle dans le domaine des marchandises que la synthèse transcendantale de l'archi-écriture appelée par le thème de l'arbitraire du signe. Mais le temps de travail, comme l'archi-écriture (si on la considère d'abord comme " une structure donnée ") (principe régulateur

16. *De la grammatologie*, p. 67.
17. *Idem*, p. 69.
18. *Le Capital*, I, chap. III.
19. *Idem*, chap. I.
20. *Idem*, chap. I.

de la traductibilité générale), ne fait pas intervenir le *travail concret*, celui " dont l'utilité est représentée par la valeur d'usage de son produit et fait de ce produit une valeur d'usage [21] ". Nous avons noté par quel geste Saussure élimine les moyens de production (et donc le travail de production lui-même) du système de la langue. Mais là encore, si le travail doit être considéré non seulement dans son aspect abstrait, (dans le quantitatif du temps de travail), mais aussi dans son aspect concret, pareillement " l'immotivation de la trace doit être maintenant entendue comme une opération et non comme un état, comme un mouvement actif, une dé-motivation, et non comme une structure donnée [22] ". C'est là qu'intervient le concept de *différance*. " La différance, concept économique désignant la production du différé, au double sens de ce mot [23]. "

Qu'en est-il de ce mouvement pour l'économie politique ? Le produit, comme valeur d'usage peut avoir, écrit Marx, une utilité " immédiate " ou bien être consommé " par des voies détournées si c'est un moyen de production [24] ". En effet " le travail consomme des produits pour créer des produits, ou bien emploie des produits comme moyens de production de produits nouveaux [25] ". Il s'ensuit que " si l'on considère l'ensemble de ce mouvement au point de vue de son résultat, le produit, alors tous les deux, *moyen* et *objet* de travail, se présentent comme moyens de production et le travail lui-même comme travail productif [26] ". Le moyen et l'objet de travail sont donc tout entiers pris dans un *détour*, et le travail lui-même est fondé sur un *détour*. Il représente un usage détourné, et les moyens de production en eux-mêmes sont les instruments d'un *détour de production*.

Ce sont donc les deux concepts corrélatifs de différance et de réserve que nous retrouvons ici. La différance, production du différé. La réserve " accumulation, capitalisation, mise en sécurité dans la décision déléguée ou différée [27] ". Le travail diffère. Il diffère " la consommation des produits comme moyen de jouissance [28] " pour les " consommer comme moyens de fonctionnement du travail ". Différence donc entre le principe de plaisir et le principe de réalité. Qui est " la possibilité dans la vie, du détour,

21. *Le Capital*, I, chap. I.
22. *De la grammatologie*, p. 74.
23. *Idem*, p. 38.
24. *Le Capital*, I, chap. I.
25. *Idem*, chap. VII.
26. *Idem*, chap. VII.
27. *L'Écriture et la Différence*, p. 285.
28. *Le Capital*, I, chap. VII.

de la différance [29] ". Le travail concret est trace, réserve, différance. Tout travail est détour; toute jouissance est raccourci. Ce qui est réservé, dans la différance de la consommation, est *versé* au travail. " Mais il n'y a pas de vie *d'abord* présente qui viendrait *ensuite* à se protéger, à s'ajourner, à se réserver dans la différance. [30] " Elle est condition de la *survie*. Le mouvement de différance n'est pas ajournement d'un plaisir possible (déjà là) mais évitement, par un stratagème de production, d'une mort certaine. Il est la déviation *escomptant* une jouissance à long terme, sans laquelle aucune jouissance n'aurait été dans l'instant même (sans délai) possible. L'opposition entre le détour (de souffrance et de production) et le raccourci (de jouissance) ne serait donc ni le thème de la sexualité, ni celui du travail, il serait le fondement de leur instauration et de leur séparation.

L'interdit — pour l'écrire plus précisément — n'est qu'une législation du travail, la gestion du détour. " La base sur laquelle repose la société humaine est, en dernière analyse, écrit Freud, de nature économique : ne possédant pas assez de moyens de subsistance pour permettre à ses membres de vivre sans travailler, la société est *obligée* de limiter le nombre de ses membres et de *détourner* leur énergie de l'activité sexuelle vers le travail " (*Introduction à la Psychanalyse* — nous soulignons). Il y a donc *corrélation* complète entre la nécessité économique du détour de production et les prescriptions de l'interdit — qui ne sont fondamentalement que prohibition du raccourci (inceste, onanisme). Corrélation, donc, entre l'embauche et la débauche.

Marquons encore que par la production de moyens de production le détour du travail est diminué à long terme. En faisant dévier le travail de son but immédiat (par la construction d'outils) on augmente la *productivité* du travail. Qu'elle soit machine-outil ou machine d'écriture, " la productivité de la machine a pour mesure la proportion suivant laquelle elle *remplace* l'homme [31] " (nous soulignons). Par exemple, les allées et venues entre l'habitation et le point d'eau sont remplacées par une canalisation dont la fabrication, dans un emploi du temps modifié, a introduit, comme en incise, un travail indirect, en vue, à moyen terme de diminuer le travail général. C'est ainsi que l'économie politique (la plus classique) définit les moyens de production (ou *capital constant*, qu'elle prend d'ailleurs pour le tout du capital, afin de mieux occulter le

29. *L'Écriture et la Différence*, p. 295.
30. *Idem*, p. 302.
31. *Le Capital*, I, chap. xv.

rôle de la force de travail — *capital variable*) — comme « un stock de biens intermédiaires et reproductibles dont l'emploi permet par des *détours de production* d'accroître la productivité du travail » (Barre).

L'EXPLOITATION DU TRAVAIL.

Le travail concret, mouvement de production (trace, différance, réserve) est bien cette force d'écriture, cette « inscription violente d'une forme, tracé d'une différence dans une nature ou une matière, qui ne sont pensables comme telles que dans leur *opposition* à l'écriture [32] » — au travail concret. « Le travail, écrit Marx, est de prime abord un acte qui se passe entre l'homme et la nature [33]. » L'objet de travail devient *matière première*, « après avoir subi une modification quelconque effectuée par le travail [34] ». Mais aussi l'homme en « même temps qu'il agit par ce mouvement sur la nature extérieure et la modifie, modifie sa propre nature. »

Or si « la trace est l'origine absolue du sens en général, ce qui revient à dire qu'il n'y a pas d'origine absolue du sens en général [35] » d'une façon identique « le travail est la substance et la mesure inhérente des valeurs, mais il n'a lui-même aucune valeur [36] » Autrement, encore (il faut y insister); « la trace est, pour Derrida, la différance qui ouvre l'apparaître de la signification [37] » mais cette position « originaire » la place *en dehors* de toutes les conceptualités qui ne s'ordonnent que par elle, — la situe dans un dehors que seule une transcendantalité (raturée) peut, comme moment provisoire, désigner. Or, de même, pour Marx, « la grandeur de valeur d'une marchandise ne représente que la somme du travail qui s'y trouve incluse [38] » mais précisément, « cette propriété du travail de créer de la valeur le distingue de toutes les marchandises et l'exclut, comme élément formateur de la valeur, de la possibilité d'en avoir aucune [39] ». L'origine du sens de tous les signes dans le mouvement de la différance, transcende le monde des signes. Le travail concret, la force agissante dans le détour de pro-

32. *L'Écriture et la Différence*, p. 317.
33. *Le Capital*, I, chap. VII.
34. *Idem*.
35. *De la grammatologie*, p. 95.
36. *Le Capital*, I, chap. XIX.
37. *De la grammatologie*, p. 95.
38. *Le Capital*, I, chap. I (et *Contribution à la Critique de l'Économie politique*).
39. *Idem*, chap. XIX.

duction, fonde la valeur de toutes les marchandises, mais n'est pas lui-même une marchandise.

La figure, marquons-le encore une fois, est homologue. D'une homologie pour le moment difficile à sonder à sa juste profondeur. S'il faut raturer, après l'avoir posé, le sens ou l'origine de la trace, si tout commence par la trace mais que la trace n'a pas de sens, d'une façon identique " dans l'expression *valeur du travail* l'idée de valeur est complètement éteinte; c'est une expression irrationnelle, telle que par exemple *valeur de la terre* [40] ". — Cette non-appartenance essentielle du travail concret au monde de la valeur, dont il est la seule " origine ", — et cette non-appartenance de " la production de la trace ", du " travail de l'écriture ", de " la force de l'écriture " au système de la signification, comment ne pas les interroger ensemble ?

C'est suivant la même problématique, suivant la même figure, que se développe, en effet, la question de la signification de la trace et celle de la valeur du travail. Ou plutôt celle de leur non-signification, de leur non-valeur. Et ce qui recouvre sans cesse (par un mouvement identique) l'impossibilité de leur *traduction*.

Ce que marque fortement Derrida est que la force de l'écriture, comme frayage, inscrit, dans une matière, une gravure qui n'est pas traduisible. " *Une intraduisible gravure* ". Cette écriture, en effet, cette production de la trace, " n'est pas le déplacement des significations dans la limpidité d'un espace immobile, prédonné, et la blanche neutralité d'un discours. D'un discours qui pourrait être chiffré sans cesser d'être diaphane. Ici, l'énergie ne se laisse pas réduire, elle ne limite pas mais produit le sens ". C'est ainsi que " la métaphore de la traduction comme transcription d'un texte original séparerait la force de l'étendue, maintenant l'extériorité simple du traduit et du traduisant [41] ". Or si le travail de l'écriture ne peut donner lieu à " la transparence d'une traduction neutre ", le travail concret, comme force et corps, comme usage et création de valeur d'usage est aussi *une inscription hiéroglyphique* qui ne souffre aucune substitution, aucun échange. " Un corps verbal ne se laisse pas traduire ou transporter dans une autre langue. Il est cela même que la traduction laisse tomber. " De même le travail concret ne peut être évalué sans être *subtilisé*. " Dans la production de valeur d'usage le procès de travail, écrit Marx, se présente au point de vue

40. *Le Capital*, I, chap. XIX.
41. *L'Écriture et la Différence*, p. 336.

de la qualité. C'est une activité qui fonctionne avec les moyens de production conformes à un but, emploie des procédés spéciaux, et finalement aboutit à un produit usuel. Par contre, comme production de valeur le même procès ne se présente qu'au point de vue de la quantité. Il ne s'agit ici que du temps dont le travail a besoin pour son opération [42] ". Ce qui fonde la vente de la force de travail (son exploitation) c'est l'établissement d'un code de traduction. La sphère de la circulation *impose* un code de traduction du travail. Elle traduit l'intraduisible. Elle fait du travail un travail salarié. Du point de vue linguistique " il n'y a de traduction, de système de traduction que si un code permanent permet de substituer ou de transformer les signifiants en gardant le même signifié, toujours *présent* malgré l'absence de tel ou tel signifiant déterminé. La possibilité radicale de la substitution serait donc impliquée par le couple signifiant / signifié, donc par le concept de signe lui-même [43] ". Or un mouvement identique se retrouve au niveau de l'économie. " La différence entre le travail concret et le travail source de valeur " (qui n'apparaît que par la traduction forcée, le marché du travail) "vient se manifester, continue Marx, comme différence entre *les deux faces* de la production marchande [44] " (nous soulignons). La différence valeur d'usage /valeur d'échange est donc le principe (et au principe) de la même occultation (nous le vérifions cette fois sûrement), que la différence signifiant /signifié. Que la marchandise nous apparaisse comme " quelque chose à double face, valeur d'usage et valeur d'échange [45] " et que le signe se présente comme réalité à double face ne constituent pas deux phénomènes étrangers. Par le concept de signe le langage discursif occulte le " travail de l'écriture " (l'indistinction entre la force et le sens) qui le rend possible, comme la forme marchandise masque le travail — et impose le travail, qui la produit. Transcrire l'écriture intranscriptive du travail en valeur-argent, et inversement convertir une somme d'argent en force de travail à l'issue d'un marché, dans la sphère de la circulation, telle est la transaction qui fonde le *profit* (capitaliste) et l'assignation, l'imposition du travailleur. Transcrire de même l'écriture non-transcriptive (celle qui opère) dans l'élément commercial du sens et du langage c'est profiter en le masquant du travail de l'écriture. Certes, en apparence " la loi des échanges a été rigoureusement observée ", " le

42. *Le Capital*, I, chap. VII.
43. *L'Écriture et la Différence*, p. 311.
44. *Le Capital*, I, chap. VII.
45. *Idem*, chap. I.

vendeur de la force de travail, comme le vendeur de toute autre marchandise, en réalise la valeur échangeable et en aliène la valeur usuelle [46] " mais ce qui, cependant, diffère d'une façon radicale d'une autre transaction c'est que le travail est cette marchandise incomparable, exceptionnelle " dont la valeur d'usage est douée de la propriété singulière d'être source de valeur [47] ". La valeur, l'argent (la circulation monétaire) n'est concevable qu'à partir du travail concret, de la création des valeurs d'usage, source unique de toutes valeurs marchandes; de même qu' " il faut comprendre la possibilité de l'écriture se disant consciente et agissante dans le monde (dehors visible de la graphie, de la littéralité, du devenir littéraire de la littéralité etc.) à partir de ce travail d'écriture ", de cette production de la trace [48].

La notion de valeur, devons-nous écrire, se superpose, en la masquant (par l'intermédiaire de l'argent) à celle fondatrice de travail, comme la notion de sens se superpose en la masquant (par l'intermédiaire de la parole) à celle fondatrice de production de la trace.

En la masquant, c'est trop peu indiquer. Cette valeur d'usage des signes (leur travail, la fabrique du texte) est cela même qui partout et toujours est masquée. Car si l'écart entre la valeur d'échange du travail et sa valeur d'usage (qui est mise hors-commerce pour rendre possible l'échange) fonde et entretient le profit (capitaliste) l'idéologie dominante occulte la valeur d'usage des signes (l'écriture — et sa *productivité* spécifique), qui devient proprement l'*inconscient*. Ce qui est inconcient *c'est* la valeur d'usage des signes, la productivité de l'écriture. L'inconscient est un effet de la production " marchande "; ce qui du travail en général (production concrète, combinatoire, corps) est mis hors-commerce, pour fonder d'une manière masquée l'exploitation de la force de travail.

Le refoulement du " corps de la trace écrite " est l'occultation du travail concret. Occultation qui se fait au profit de qui n'échange le travail qu'au *prix* du travail abstrait.

Ce n'est donc pas en vain que Marx pourra souligner " l'immense importance que possède dans la pratique ce changement de *forme* (nous soulignons) qui fait apparaître la rétribution de la force de travail comme salaire du travail, le prix de la force, comme prix de la fonction ", car elle a pour but d'entretenir cette apparence " que rien ne distingue au premier abord l'échange entre capital et travail

46. *Le Capital*, I, chap. VII.
47. *Idem*, chap. IV.
48. *L'Écriture et la Différence*, p. 344.

de l'achat et de la vente de toute autre marchandise [49] ". Quand rien ne peut rétribuer le travail à sa juste " valeur ", car il n'entre pas dans la sphère de la valeur marchande, (de même qu'aucun langage discursif ne peut traduire — acheter — une écriture productive) " la fiction du libre contrat " (de la traduction universelle et réciproque dans l'élément du sens) ne fait que " moyenner et en même temps dissimuler [50] " la servitude de la force ouvrière.

L'asservissement du travailleur, par le capital, perpétué par l'intermédiaire de la forme argent, est donc identique à la servitude de l'écriture opératoire abaissée par l'élément du sens, réprimée par la subsomption logocentrique. Assujettir l'écriture à la sphère de l'échange (du langage) alors que l'efficace et la réalité de son action appartiennent à la production et à l'usage (écriture productive : " poésie ", mathématiques, sciences) c'est occulter, par l'éclat du discours marchand, le travail (ou le jeu) qui permet et *entretient* ce discours.

L'EXPLOITATION DE L'ÉCRITURE.

Un homme public et dans les grandes affaires, un ministre, ne peut, ne doit pas écrire l'orthographe. Ses idées doivent courir plus vite que sa main, il n'a le temps que de jeter des jalons ; il faut qu'il mette des mots dans des lettres et des phrases dans des mots ; c'est ensuite aux scribes à débrouiller tout cela.

Napoléon Bonaparte.

Operarius : manœuvre, ouvrier, homme de peine, secrétaire, scribe.

L'écriture a toujours été taxée, consignée, imposée, assignée, par une parole pleine. Termes qui doivent signifier ici une rature, une occultation (par la force politique) en même temps qu'une exploitation *de* la force de travail. La parole impose l'écriture comme le travail est *taxé* par l'idéologie dominante. (Il est blâmé, en même temps qu'il *sert*; il n'est qu'une tâche). La dissimulation historique du texte, le *déclassement* de l'écriture, est la censure portée sur la fabrique (travail, structure) de la valeur d'usage qui entretient la valeur et le sens. Il signifie la domination (politique) d'une classe, sur une classe *ouvrière*.

49. *Le Capital*, I, chap. XIX.
50. *Idem*.

Il est donc possible maintenant d'énoncer plus précisément que l'effet de sens naît d'un certain écart masqué entre l'inscription travailleuse (l'écriture opératoire) et la pseudo-transcription monétaire ou linguistique. De même que le capitalisme s'installe dans la différence " entre le prix de la force de travail et la valeur qu'elle crée par sa fonction [51] " tout se passe dans le discours logocentrique comme si le signifié *profitait* du signifiant pour apparaître — mais pouvait subsister sans lui. Le signifié est le *revenu* du signifiant, la *plus-value* du travail des signes. Parler, comme le fait Merleau-Ponty, d'un " dépassement du signifiant par le signifié que c'est la vertu même du signifiant de rendre possible " n'est-ce pas constater, dans le registre du langage, que " les moyens de production sont transformés en marchandises dont la valeur excède celle de leurs éléments constitutifs " ? Comme le dit (on ne peut mieux) Merleau-Ponty, " la merveille du langage est qu'il se fait oublier ". L'écriture " n'est que le minimum de mise en scène nécessaire à quelque opération invisible. L'expression s'efface devant l'exprimé, et c'est pourquoi son rôle de médiateur peut passer inaperçu [52]". Le travail des mots est sublimé dans l'élément du sens. Quel que soit le travail, l'opération de l'écriture, il y a un fond (un revenu — un fonds) qui peut se rendre indépendant des signes (de la forme). Croire ainsi que le fond est séparable de la forme c'est avoir le même geste que " le capitaliste qui sait que toutes les marchandises, quels qu'en soient l'aspect minable et la mauvaise odeur, sont vraiment et réellement de l'argent " — " et par-dessus le marché des moyens merveilleux d'augmenter sans cesse l'argent par l'argent " [53]... Le médium, dans le mouvement qui va de l'argent à la marchandise et de la marchandise à l'argent importe peu. L'argent donnera de l'argent. " Les actes qui pourraient se passer entre l'achat et la vente, *en dehors de la sphère de la circulation* ne changent rien à ce mouvement [54] " (nous soulignons).

51. *Le Capital*, I, chap. XIX.

52. *Phénoménologie de la Perception*, IIIe partie, chap. I.

53. *Le Capital*, I, chap. IV.

54. *Idem*. — On peut écrire aussi, en tenant compte cette fois du rôle du capital commercial, que le *fond*, opposé à la forme, ne représente pas autre chose que *le fonds de commerce*. Un fonds de commerce, en effet, se compose de divers éléments matériels, marchandises, machines, immeubles, etc. " Mais l'existence de celui-ci ne suppose pas nécessairement celle de tous les éléments. Certains d'entre eux peuvent manquer et il existe cependant un fonds de commerce. " Et cependant " il est un élément essentiel sans lequel on ne peut parler de fonds de commerce, c'est *la clientèle*. " " C'est le droit à la clientèle qui constitue l'essence même du fonds de commerce " (d'après Bertrand-Durtis, *Leçon sur la fiscalité*). Il apparaît ainsi que le *fonds* (économique) et le

Écrivons donc que tout travail sur les mots qui n'a en vue que le revenu d'un sens détachable de sa fonction (langage discursif, expressif) correspond au mouvement de valorisation d'un " capital industriel ". Il s'agit de faire travailler l'écriture pour faire le plus de sens possible. On peut énoncer de même, qu'à la limite, (cette limite est celle de la philosophie idéaliste) la résorption de toute trace (de tout travail) dans la présence pleine du sens, correspond en tout point au mouvement de valorisation d'un *capital usuraire* ou d'une manière générale à l'ignorance (à la dispense) de tout travail, de tout médium entre valeur et valeur. " Dans le capital usuraire la forme A-M-A est ramenée, par suppression du moyen terme à la forme A-A, de l'argent qui s'échange contre de l'argent [55]. " De même que la forme argent, détachée de toute trace de travail, de tout rapport à la marchandise, permet la *spéculation* financière, l'hypostase de la valeur d'échange des mots, en un élément propre, permet la *spéculation* philosophique. " La valeur devient valeur progressive, argent progressif, et comme tel capital. Elle sort de la circulation, y entre, s'y maintient et s'y multiplie, en ressort augmentée et recommence sans cesse le même cycle A-A, c'est-à-dire l'argent qui couve de l'argent [56] ." Cette circulation " en abrégé, dans son résultat, sans les termes intermédiaires [57] " est celle qui fonde la philosophie spéculative idéaliste qui court-circuite la valeur d'usage des signes (le travail de l'écriture) pour s'installer dans l'élément d'un logos en qui se résorbent (s'évaluent, s'apprécient) toutes choses, — de même que pour la monnaie" celle-ci ne révélant pas la matière qu'elle remplace, toute chose, marchandises ou non, se transforme en monnaie [58] ".

Mais si " rien ne résiste à cette alchimie ", celle-ci n'est pas en elle-même pour autant, création de valeur. Elle déplace, concentre la valeur (l'encaisse et l'épargne) mais ne la crée pas. De même que la spéculation non-opératoire (non-écrite) reste vide, improductive, la circulation et l'échange " ne créent point de valeur [59] ". Et si le

fond (linguistique) désignent cette abstraction (hypostasiée par l'idéologie et le droit) qui résulte des rapports d'échange (achat et vente; dialogue, traduction) lorsqu'ils ont pris une ampleur et une fréquence *assurées*.

55. *Le Capital*, I, chap. IV.

56. *Idem*.

57. *Idem*.

58. *Idem*, chap. III.

59. *Idem*, chap. IV. — Ajoutons ici que toute marchandise en tant que *valeur* fait partie d'un ensemble doué de la *relation interne d'équivalence*. Les propriétés dont un tel ensemble jouit sont les suivantes : *réflexivité* (tout élément *a* est équivalent à lui-même); *symétrie* (si *a* est équivalent à *b*, *b* est équivalent à *a*); et *transitivité* (si *a* est équivalent

sens, apparaît dans l'échange, ce n'est pas *par* l'échange qu'il se crée; mais par une opération (un usage) qui lui reste soustraite, dérobée. De même que la " plus-value ne saurait résulter de la circulation et qu'au moment de sa formation il doit se passer en dehors d'elle, quelque chose qui lui reste caché [60] " le langage *profite* d'une opération qui est occultée par l'éclat du sens.

L'algèbre et la philosophie (spéculative idéaliste) apparaissent ainsi comme deux modes d'*économie*. Mais l'une se réalise dans la sphère de l'usage (l'abréviation algébrique permettant des opérations qui accroissent la productivité des signes) et l'autre (exploitation usuraire, " circulation en abrégé ") se réalise dans la sphère de l'échange. D'une manière plus générale on peut définir *deux* formalismes. L'un qui est lié à la valeur d'usage des signes, à leur production et leur consommation productive, *formalisme opératoire* (mathématique, logique, " poésie ") et l'autre qui n'est lié qu'à la valeur d'échange des signes, qui correspond à la fonction purement monétaire et qui confond " la valeur d'usage formelle qui découle de la fonction sociale spécifique [61] " des signes avec la valeur d'usage réelle, productive. C'est ce formalisme qui peut donner lieu, dans la langue et dans l'économie, à l'*inflation*. L'économie cursive et discursive, financière et monétaire, n'est donc pas une abréviation algébrique mais une abréviation seulement sténographique (non opératoire, non combinatoire) qui peut donner lieu par extrapolation et interpolation en dehors de toute *fonction* (tracé et fonctionnement) à la fluidité, à la discursivité coulante et

à *b*, et *b* est équivalent à *c*, alors *a* est équivalent à *c*). Mais de plus, en tant que marchandises (déterminées par une valeur) tous les produits peuvent figurer sur une *échelle unique*. La seule détermination qui entre *en ligne de compte* étant en effet quantitative (et cette quantité pouvant s'exprimer en unités communes) l'ensemble des marchandises est défini, pour employer encore le langage de la théorie des ensembles, par une *relation interne d'ordre*. Et plus exactement par une relation interne d'ordre dit " total " ou " linéaire ". L'ensemble des marchandises est donc un ensemble doué d'une certaine structure interne définie *exclusivement* par 1) la relation d'équivalence, 2) la relation interne d'ordre. Ainsi le code bourgeois, en tant qu'il est soumis à la logique de l'argent et de la marchandise (c'est-à-dire à la réduction au même *ordre* dans la linéarité du quantitatif) est d'une pauvreté toute particulière. Tous les types de relations complexes entre *plusieurs ensembles* (les applications : surjections, bijections, injections etc.) et les modes de jonctions délinéarisées (réseaux, arbres, etc.) qui interviennent, comme l'a montré Kristeva, dans le langage poétique ne peuvent ainsi se manifester au niveau de son code usuel, sans qu'un interdit économique ne les *taxe* d'irrégularités illisibles.

60. *Le Capital*, I, chap. IV.
61. *Idem*, chap. II.

transparente du délayage, au cours du flux monétaire (de la *liquidité*) comme revenu séparé de l'opération.

La *désénonciation* par le texte (Sollers [62]) est au contraire le mouvement de *déflation*, de dévaluation généralisée, qui devra, après le *krach* et la *banqueroute* logocentrique mettre à jour l'opération scripturale dont profitaient, en la masquant, toutes les spéculations.

Le langage discursif est ainsi l'occultation du détour de production qui l'entretient. Il se dispense de l'opération scripturale en l'exploitant d'une façon dissimulée. Ce qui est ainsi masqué d'une manière générale c'est la valeur d'usage des *éléments combinatoires* aussi bien comme produit (résultat du travail) que comme moyen de production d'autres produits. Le concept de *signe* n'appartient qu'à la sphère de l'échange (spéculaire), comme celui de marchandise ne désigne le produit que dans la sphère du marché — (" cette scène où se font les échanges ").

Avec *l'usage* ce n'est pas seulement le travail (algébrique) des éléments qui est occulté, c'est à dire " l'usage par des voies détournées " mais aussi le jeu (sexuel) des éléments, c'est-à-dire l'usage immédiat (la jouissance) dans le raccourci combinatoire du jeu des mots (comme matériel [63]). La dissimulation de la sphère de l'usage par la sphère de la circulation, (de l'écriture par le sens), porte donc à la fois sur le travail et sur le sexe. Elle affecte donc les deux pôles qui dans une combinatoire généralisée des éléments (*une combinatorique*) les représentent : — mathématique et poésie.

CAPITAL / TRAVAIL.

" Écriture, travail ". " Sens, valeur ". " Exploitation de l'écriture, exploitation du travail "... Qu'il soit difficile de sonder les tenants et les aboutissants de cette correspondance, de cette fidèle homologie, cela est certain. Mais la complicité est indubitable. " La subordination de la trace à la présence pleine résumée dans le logos, l'abaissement de l'écriture au-dessous d'une parole rêvant sa plénitude ", " la répression logocentrique qui s'est organisée pour exclure ou abaisser, mettre en dehors et en bas, comme métaphore didactique et technique, comme matière servile ou excrément, le corps de la trace écrite [63] " a *la même figure* que l'exploitation

62. " La science de Lautréamont " in *Logiques*.

63. Cf. Freud : " Lorsque l'enfant apprend le vocabulaire de sa langue maternelle, il se plaît à " expérimenter ce patrimoine de façon ludique " (Groos). Il accouple les mots sans souci de leur sens, pour jouir du plaisir du rythme et de la rime. Ce plaisir est

de la force ouvrière par la classe politique dominante, — et elle correspond en tous points à l'extorsion (plus ou moins camouflée selon les époques historiques) du surtravail qui entretient cette classe. La taxation du travail, la résorption de son produit dans la valeur ne se distingue en rien de l'effacement de la trace par le logos (loi, lecture, ligature). Le mépris ouvert de Platon pour l'écriture signifie ainsi l'extorsion ouverte (dans l'esclavage) du surtravail. Le philosophe est dispensé d'une façon ouverte de l'écriture comme la classe dominante est dispensée du travail. La dispense du détour de production entretient la parole politique (qui évolue dans l'immédiateté et l'évidence du sens) et *impose* en retour le travail producteur. De même, la méconnaissance de la valeur d'usage spécifique de l'écriture et sa dissimulation dans la transparence universelle de l'échange (son déclassement relatif) correspondent au moment capitaliste du camouflage de l'extorsion du surtravail sous l'aspect du libre contrat, (s'effectuant dans la sphère de l'échange).

Le logocentrisme s'installe dans l'effet de raccourci produit par le surdétour qu'il impose. Ainsi la composition scripturale entre le raccourci et le détour (l'écriture poétique) est rendu i nterdite, par la scission entre un travail aveugle à ce dont il est le détour et un raccourci (une dispense) ignorant du détour auquel il échappe. Le logocentrisme est donc l'effet du *détournement du détour* (au profit d'une classe — qui « consomme toujours sans produire »).

On peut interpréter après coup la pensée hégélienne comme l'effort héroïque, mais unilatéral, pour secouer la chappe logocentrique (avant d'en être écrasé). Il faut pour parvenir à la science, (pose en effet Hegel), parcourir tous les moments de « ce chemin par lequel le concept du savoir est atteint ». Car « la vérité, écrit-il très significativement, n'est pas une monnaie frappée qui, telle quelle, est prête à être dépensée et encaissée »[64]. Le *chemin* hégélien est donc la trace (le détour) qui viendra donner tout son sens (sa valeur) à la vérité (à la monnaie frappée). C'est le rêve d'une trace travailleuse qui serait malgré tout conservée dans ce *sublimé* monétaire — selon le mot employé par Marx. La vérité, écrit encore Hegel, ne doit pas être « comme le produit dans lequel on ne retrouve plus trace de l'outil ». Mais *en fin de compte* c'est « la suppression des différences ». La vérité se retrouve dans son élément. L'analyse de

progressivement interdit à l'enfant jusqu'au jour où finalement seules sont tolérées les associations de mots suivant leur sens. » (*Le mot d'esprit et ses rapports avec l'inconscient.*)

64. *Phénoménologie de l'Esprit* (Préface).

Marx, par contre, en prenant au pied de la lettre le long chemin, la trace du travail, le pénible détour (de production), en dénonçant l'illusion monétaire de la valeur comme dissimulation de l'exploitation de la force de travail, en dévoilant le secret du fétichisme de l'argent et de la marchandise, ébranle à la racine même le *système du signe.*

C'est donc bien les rapports entre le *capital* et le *travail* d'une part, le conscient et l'inconscient d'autre part, qui trouvent leurs dessins *révélés* (et unifiés) dans les rapports entre la parole (le sens) et l'écriture (l'opération scripturale). De même que, selon Freud, " le phénomène inexpliqué de la conscience surgit dans le système de la perception *à la place* des traces durables ", l'idéologie dominante se met *à la place* du travail producteur qui l'entretient. Le sens profite de l'écriture qui le rend possible.

Usurpation essentielle, agissante à tous les niveaux. Dans un même geste une certaine économie d'exploitation résorbe le signifiant sous le signifié (en instaurant cette distinction) réduit la fabrique de l'écriture à son sens, l'inscription du travail à la valeur de sa facture.

Mais dès lors, forcer la clôture qui enferme l'efficace de la trace (qui l'assigne et l'impose) c'est viser vers un certain versant où la force et le produit du travail ne seraient l'objet d'aucune traduction (—d'aucune mise à prix, ni spéculation—). Dès lors l'écart entre l'inscription (la trace travailleuse) et la pseudo-transcription (la valeur, la monnaie) qui fait système avec l'opposition inconscient / conscient, travail / capital, marcherait vers son annulation. — La force de travail entrerait dans son espace propre d'écriture généralisée, composition du détour et du raccourci, histoire textuelle, à l'exclusion de toute hypostase du sens.

Jean-Joseph Goux.

décembre 1967

LE ROMAN
COMME AUTOBIOGRAPHIE

Qu'y a-t-il dans un nom ? C'est ce que nous nous demandons quand nous sommes enfants en écrivant ce nom qu'on nous dit être le nôtre.

James Joyce, *Ulysse.*

Non — je crois avoir dit que j'écrirais deux volumes par an pourvu que la méchante toux qui me tourmentait alors et que j'ai toujours crainte, depuis, plus que le diable, voulût bien me le permettre. Dans un autre passage même (mais lequel ? je ne puis m'en souvenir), comparant mon livre à une machine et après avoir disposé ma règle et ma plume en croix sur ma table pour donner plus de force à mon image, j'ai juré de la faire fonctionner quarante ans à cette allure si la source de toute vie et de toute grâce voulait bien m'octroyer ce laps de santé et de belle humeur.

Lawrence Sterne, *Tristram Shandy*, VII, 1.

(*j'écris ceci sur mon lit de mort*).

Isidore Ducasse, *Les Chants de Maldoror par le comte de Lautréamont.*

1. Soit un " roman " que rien ne prépare, sinon précisément *l'esquive* de toute espèce de prévision. Ou encore, le projet de remplir, à l'aide de ce qu'il est convenu d'appeler " l'imagination ", un volume que rien, à aucun niveau, ne définirait *a priori*, que cette entière disponibilité de principe.

Le " roman " en ce cas ne sera pas entendu comme une forme, proposée par l'institution littéraire — c'est-à-dire par l'idéologie de la classe dominante appliquée à la production littéraire —, et dont les produits sont sanctionnés, évalués par elle, sur un marché dont elle dispose à son gré; forme qu'il y aurait à utiliser par adhésion, contestation, dérision, réformisme, révolutionnarisme, etc., et avec l'intention de bien figurer sur le marché en question; mais comme le texte (faisant *pour le moins* un livre, — ce qui le distingue du texte poétique, qui peut se limiter à une page), où se jouerait autant que possible le procès de ce nom propre à un individu, de cette signature par quoi, aujourd'hui — et institutionnellement —, serait en dernière instance justifié le texte littéraire [1].

Le romancier, ici, ne se donne pas le droit de raconter, bien ou mal, ni même par l'absurde ou encore par défaut des histoires vraies ou fausses, éclatantes ou secrètes, familières ou sublimes, pleine ou vidées de sens, etc.

Il ne se reconnaît, quant à lui-même, propriétaire de rien ni de personne; titulaire d'aucun droit, d'aucun savoir, d'aucun mandat.

Il serait plutôt l'expérimentateur occasionnel, à tous égards inattendu, du non-savoir dans une langue. Sa place est toute clandestine, entièrement du côté « sauvage » de la pratique textuelle.

Et, de ce côté, par l'intuition d'une « épaisseur » du langage, il voudra accéder, comme à une liberté, au pouvoir vraiment instinctif d'une invention terme à terme [2].

2. Ce roman — qui n'a pas de titre — aura donc débuté au hasard par des mots, des phrases, des morceaux de texte apparemment quelconques. Il aura débuté du moment où le désir d'écrire aura renoncé, consciemment ou non, à tout objet fini (« textes brefs », « nouvelles », « récits », mais aussi bien « romans » bouclés dans leurs fictions particulières), pour commencer ce texte indéfinissable, exclusif, sans retour.

Texte qui continue par répétitions, corrections, parenthèses,

1. Ce procès est mis en lumière notamment dans le *Lautréamont par lui-même* de Marcelin Pleynet.

2. Cette pratique « romanesque » est peut-être comparable à la pratique psychanalytique, telle que la décrit Serge Leclaire dans le nº 1 des *Cahiers pour l'analyse* : « Cette pratique de l'analyste exige de ce dernier une perpétuelle défiance — dans tous les cas qu'il rencontre et à tous les niveaux de leur abord — de la lettre et de l'évidence première du sens qu'elle propose. *Esquiver* cette prégnance des sens premiers, laisser place à *l'évanescence*, instant du dévoilement d'un autre ordre de sens, rencontrer enfin une *butée* sur quoi arrêter son essentiel dérobement, tels sont les trois temps ou mouvements de l'analyste dans sa pratique considérée indissociablement comme interprétation et comme cure. (...) Cette esquive, principe de méthode, par quoi l'analyste refuse de privilégier un sens et livre un champ à orientations multiples qui donne le vertige, amène à poser la question : « quoi privilégier ? » (...) Il faut se détacher du vertige né de la multiplicité des ordres possibles dans leur altérité relative à l'intérieur du champ des associations, pour laisser venir à l'oreille un ordre *autre*, l'inconscient. (...) Ainsi l'efficace d'une analyse et la sûreté d'une interprétation n'obéissent pas à une logique du sens, mais suivent plutôt des voies à dominance purement formelle, brisant les mots en syllabes et les saisissant souvent comme une suite de lettres (...) » — enfin : « (...) peut-être (...) l'idée même de butée est-elle un fantasme de l'analyste ».

digressions, *fragmentations* en tous genres, y compris et même principalement les moins " intelligents ".

Et donc, le romancier a bientôt à faire avec un ensemble de fragments ingouvernables, chacun tendant au rôle directeur, fragments sur ou entre lesquels il lui est cependant possible de continuer à écrire, de la même façon qui n'est pas économique et qui paraît anarchique.

3. Le texte doit être reconnu le produit d'un désir individuel (l'écriture étant le désir-même); il est écrit d'après un " sentiment d'authenticité " qui probablement rend compte d'une " scène primitive " sur quoi s'agiterait d'autre part son auteur.

Pourtant, le romancier n'a pas à restaurer ou instaurer cette " scène " (dont le texte ne serait alors que la représentation), et si peut-être il s'en donne les moyens, ceux-ci sont employés à tout autre chose.

Ils assureraient la présence occulte (et dangereuse ?) de la " scène" sa proximité ou son éloignement et son orientation de telle sorte que la fantasmagorie — romanesque — qui de toute façon la recouvrirait en soit intrinsèquement magnétisée.

Parce qu'il s'agit non pas de structurer un " moi ", dans ses relations à " l'autre ", mais d'inventer un " je " *non-assujetti*, simplement producteur du texte.

Et ce " je ", textuel, non-subjectif, supprime tout personnage, à commencer par celui qui conditionne tous personnages; c'est-à-dire, celui que névrotiquement le romancier, en-dehors de son activité productrice — là où il *doit* se déclarer " l'auteur " de cette production — constitue, selon une biographie imposable (avec ses " droits d'auteur ", etc.).

4. Cependant que désormais le romancier (" romancier ", terme équivoque, qui désigne concurremment le " moi de l'auteur " et le " je textuel "), sait bien, de plusieurs façons, que le refus de définir *a priori* son projet a en vérité prévu pour limites au roman en cours ses seules limitations à lui — aux niveaux de la biographie, de la langue, de la culture, de l'idéologie, etc. —, *telles que le texte les déterminera*.

Et il improvise selon la satisfaction que lui procure tel détail ou ensemble du texte, tel passage d'un endroit à un autre. Son travail revient à multiplier et arranger entre eux, sur fond d'instabilité, les motifs de satisfaction. Il contrôle son travail par son goût.

Rien ne se fait qu'ici-bas dans le texte, — *finalement*.

Le « je textuel » récuse quoi que ce soit qui se présente au « moi de l'auteur » comme principe éventuel de totalisation du texte; n'importe quoi qui corrigerait en somme automatiquement sa fragmentation incessante; tout ce qui arrêterait celle-ci au profit de quelque organisation d'allure soit naturelle soit arbitraire. Il récuse toute grille, c'est-à-dire tout référent fixe, tout ce qui, de haut, imposerait un sens à ce travail, et donc toute intrusion, massive ou subreptice, d'un « signifié transcendental » : ce qui paraît un règlement possible du texte, est ou bien écarté, ou bien utilisé comme péripétie locale.

5. Le romancier est ainsi capable de convertir ce qui paraît significatif en accidentel dans la mesure où il est engagé, en tout et pour tout, à l'invention terme à terme du texte.

C'est dire que le refus de tout principe de *totalisation* du texte détermine une rigueur extrême du *travail* textuel.

Signifiant et signifié, syntagme et paradigme, métonymie et métaphore, ou encore qualités graphiques et phonétiques, dialectales et culturelles, biographiques et étymologiques, etc. : rien de la langue n'est indifférent; rien n'est à l'avance privilégié; et ce travail est *romanesque* en ce sens que tout ce qui composera le livre — texte et support du texte — entre en ligne de compte, est constitutif de la fiction, acteur de la narration.

Précisément, toutes les qualités des éléments textuels, plus ou moins actualisées, plus ou moins surdéterminantes surdéterminées, selon des choix aussi volontaires que possible, engagent à une vraisemblance, tout aussi contraignante que celle par exemple du récit naturaliste, quoique inverse, puisqu'elle signale continuellement la matérialité du texte, cherchant à fonder à tout instant sa crédibilité (sa lecture aussi bien, pour ce qu'elle est), au lieu de vouloir donner l'illusion qu'un narrateur, un acteur, un lecteur, se trouveraient communicants dans un même espace continu, par un escamotage de la matière textuelle.

6. A mesure que le texte s'éloigne du statut de *brouillon*, manuscrit, indéfini, pour se ranger à celui de *publication*, imprimée, finie, ses « fragments » deviennent des « séquences ».

Fragments : où la recherche d'une formulation définitive, en chacun, tend à mettre à sa suite, à emporter dans son mouvement et à sa guise l'ensemble des fragments. Lesquels sont comme les vestiges d'un livre cependant futur, livre qui serait un *ailleurs* mythologiquement tangible, espace écrit-sonore, indéfiniment riche et infiniment désirable, livre-futur-déjà-écrit à quoi se réfère sans doute le projet romanesque.

Séquences : où la recherche d'une formulation définitive tend à mettre chacune à une place relative, *ici*, dans le cours de ce roman en voie d'achèvement.

Le fragment veut être le début de toute parole et son éternité.

La séquence devrait être (si elle est réussie) l'efficace du début, à sa manière, en tel point ou moment d'un texte, écrit, qui sans cesse recommence.

7. Chaque séquence a sa vraisemblance propre, c'est-à-dire ses allergies et sa capacité d'accueil particulières, et elle tend à une saturation (non parfaite) où s'affirmerait autant que possible son originalité, après quoi elle cède la place à la suivante.

Le roman ne sera par conséquent pas un texte homogène, où chaque séquence serait la " reproduction locale, en petit ", de l'articulation générale; il ne contiendra pas une " multiplicité de centres ", selon une structure qui serait " intersubjective " [3].

8. Le " roman textuel " fonctionne comme une langue (" ... il n'y a dans une langue que des différences (...) la langue met en œuvre un ensemble de procédés discriminatoires (...) Un état de langue est avant tout le résultat d'un certain équilibre qui n'aboutit cependant jamais à une symétrie complète (...) De la base au sommet, depuis les sons jusqu'aux formes d'expression les plus complexes, la langue est un arrangement systématique de parties (...) la langue

3. S'il est permis d'évaluer une forme littéraire d'après la structure sociale : " (...) chaque pratique relativement autonome de la structure sociale doit s'analyser selon une pertinence propre, dont dépend l'identification des éléments qu'elle combine. Or, il n'y a aucune raison pour que les éléments déterminés ainsi de façon différente, *coïncident* dans l'unité d'individus concrets, qui apparaîtraient alors comme la reproduction locale, en petit, de toute l'articulation sociale. La supposition d'un tel support est au contraire le produit de l'idéologie psychologiste, exactement de la même façon que le temps linéaire est le produit de l'idéologie historique (...) les hommes, s'ils étaient les supports communs des fonctions déterminées dans la structure de chaque pratique sociale, " exprimeraient et concentreraient en quelque manière " la structure sociale tout entière en eux-mêmes, c'est-à-dire qu'ils seraient les *centres* à partir desquels il serait possible de connaître l'articulation de ces pratiques dans la structure du tout. Du même coup chacune de ces pratiques serait effectivement *centrée* sur les hommes-sujets de l'idéologie, c'est-à-dire sur des consciences. Ainsi les " rapports sociaux ", au lieu d'exprimer la structure de ces pratiques, dont les individus sont seulement les effets, seraient engendrés à partir de la multiplicité de ces centres, c'est-à-dire qu'ils posséderaient la structure d'une intersubjectivité pratique. Toute l'analyse de Marx (...) exclut qu'il en soit ainsi. Elle nous oblige à penser, non la multiplicité des centres, mais l'absence radicale de centre. " (Étienne Balibar, " Sur les concepts fondamentaux du matérialisme historique ", dans *Lire le Capital* 2.).

se caractérise moins par ce qu'elle exprime que par ce qu'elle distingue à tous les niveaux ", etc. [4]).

Mais il n'est jamais parlé que dans la mesure exacte où il est écrit. Sa vie (de même que celle de Schéhérazade) n'est à aucun moment assurée. Elle fait incessamment question. À tout instant elle apparaît, dans l'instant qu'elle disparaît, disparition du fait de l'apparition, apparition du fait de la disparition : texte immédiatement palimpseste et toujours.

9. Le texte conserve la parole et simultanément la consume.

Cet effet de conservation/consumation simultanées porte sans doute sur toutes les valeurs " vives " (dont " la parole " ne serait que le terme générique) investies dans le texte par son auteur.

Le " jeu textuel " ainsi n'est pas réductible à un " formalisme " au sens commun, péjoratif, de ce mot (sinon par exception, c'est-à-dire dans la mesure où l'auteur du texte, dépendant plus ou moins d'un statut de " mauvaise conscience ", cache et se cache certaines conditions de la production du texte).

Le romancier y joue en tout cas sa vie — sa langue, sa culture, son idéologie, etc. —, et le " jeu " sans doute fonctionnera d'autant mieux, sera d'autant plus et mieux " formalisé ", que les mises seront de la part de l'auteur, plus franches.

Certes, les " valeurs " (réactionnaires par définition, ou si l'on préfère fondamentalement avares de leur dépense) sont absolument à refouler en tant que structurantes. Mais du moment que le " je textuel " s'emploie tout entier à concevoir activement ce " jeu textuel ", dont il n'est jamais que la conscience en effet, c'est-à-dire du moment que l'économie textuelle ne produit (reproduit) pas un modèle de structure (cette production ou reproduction étant un idéalisme), il est en somme nécessaire que ces *valeurs*, qui en tout état de cause sont *cotées* dans la société où s'écrit et se publiera le texte, soient conservées / consumées, dans le texte.

Cela est sans doute préférable à un procédé de refoulement pur et simple, qu'évidemment le texte ne saurait maîtriser par lui-même, dès lors laissant ce soin à d'autres textes.

10. Ce qui est à déceler, puis à *signaler*, ce serait, plutôt que l'organisation syntagmatique du texte, ses références au réel, immédiatement biographiques (mémoire ou actualité) et culturelles (inventions, imitations, plagiats), qu'elles soient ménagées ou soudaines.

4. Expressions empruntées à Émile Benveniste, *Problèmes de linguistique générale*.

Signalisations qui sont en même temps enfouissements : mises au secret ostentatoires.

Ostentation qui porte encore sur l'utilisation qui est faite de la bibliothèque comme réserve linguistique : c'est-à-dire que toute expression devrait être à la fois redondance d'une sorte de lieu commun, et à la limite des conventions lexicales, grammaticales, littéraires. De telle sorte que les mots ou groupes de mots (selon peut-être une probabilité d'emploi qu'une étude statistique du texte établirait) se trouvent soit au centre de la fiction (laquelle coïncide avec le texte), soit sur sa périphérie. Mais il faut aussi que la syntaxe ne se fige pas en des types d'énoncés qui définiraient des énonciations, mais que tout au contraire elle permette une énonciation de l'énoncé (le texte) par lui-même.

Il ne doit pas y avoir dans le texte de *mots* ni de *phrases* comme on les trouve dans le dictionnaire et la grammaire : le texte sera une articulation sur la langue continuellement risquée. Articulation écrite : les blancs du texte ne sont pas des " silences ", mais l'autre pôle, également signifiant, d'un texte noir et blanc.

11. Tout ce travail annexe toute l'activité textuelle de son auteur (à l'exception éventuelle de textes très définis qui pratiqueraient — provisoirement — le texte littéraire sans en instruire véritablement le procès, c'est-à-dire des textes où soit la pratique soit la théorie littéraire aurait une précellence indiscutée).

Cette annexion, cette graphie incessante, sous peine de demeurer itinéraire d'exil, à l'extérieur et en vue d'un " roman futur ", doit tout de même, par delà toutes les coupures qui la scandent, en arriver à cette coupure, qui lui est contradictoire, par laquelle se fera la publication d'un livre.

Le livre — le volume romanesque, le roman — ainsi obtenu, du moment qu'il ne se prétend pas une somme, ne sera à son tour qu'une plus grande séquence, dans une suite non limitée *a priori* de livres; séquence pourvue de sa vraisemblance propre, allergies et capacités d'accueil, affirmative de son originalité, signalant ses limites, etc.

Roman " achevé " par une décision de son auteur, décision relevant peut-être d'un fantasme spécifique au romancier (de même qu'il y aurait un fantasme de l'analyste au principe de la clôture d'une cure) — roman où en tout cas certains interdits particuliers à l'auteur seraient marqués et disposés (non comme on laisse des " clefs ", mais comme on les utilise quand on s'en va); roman enfin promis à la publication, et ainsi doublement pré-censuré, relativement à quelques personnes " proches " de l'auteur (problème de tact), et à l'institution littéraire.

Roman en fait inachevé : " ... est-ce un hasard si le livre est d'abord un volume ? Et si le sens du sens (au sens général de sens et non de signalisation), c'est l'implication infinie ? Le renvoi indéfini de signifiant à signifiant ? Si la force est une certaine équivocité pure et infinie ne laissant aucun répit, aucun repos au sens signifié, l'engageant, en sa propre *économie*, à faire signe encore et à différer [5] ?"

12. Cette graphie incessante, cette " autobiographie " sans doute n'en aura jamais tout à fait fini, n'en finira pas avec les raisons très personnelles par lesquelles tel individu, refusant d'abord une pratique sociale clairement définie, qui désormais " écrit ", a été amené à vouloir produire, à produire un texte que seule justifierait sa signature.

Une réserve d'images " primitives " serait-elle épuisée (mais plus probablement il n'y aura eu en fait que brouillage et redistribution des cartes, dans un contexte littéraire nouveau), que n'en demeurerait pas moins, ou s'affirmerait d'autant mieux, par un exercice mieux décidé de la syntaxe, l'équivalent peut-être des " phrases entendues " (parentales, maternelles) de la petite enfance, où Freud situe l'origine du fantasme.

Et de toute façon, écrire met à contribution l'inévitable mémoire écrirait-on à partir de ce qui est là où l'on est écrivant, et même si l'on ne fait que recopier quelques mots d'un livre à peu près quelconque, ouvert à cet effet, puis d'un autre.

Cependant que " le travail apparemment inutile ou le jeu qu'il (" celui qui écrit ") poursuit sont en rapport avec le futur dont nous savons qu'il est le lieu de tout travail symbolique [6] ".

Passé, futur hypothétiques *ici* solidairement conviés, à ce présent qui pourtant n'a pas lieu — " vers la pointe la plus fine — singulière, instantanée, et pourtant absolument universelle, — vers le simple acte d'écrire [7] ".

5. Jacques Derrida, " Force et signification ", dans *l'Écriture et la Différence.*
6. Philippe Sollers, " Littérature et totalité ", dans *Logiques.*
7. Michel Foucault, *les Mots et les Choses.* " D'une manière ou d'une autre, écrit Benveniste, une langue distingue toujours des " temps " (...) toujours la ligne de partage est une référence au " présent " (...) " ce présent " (...) n'a comme référence temporelle qu'une donnée linguistique : la coïncidence de l'événement décrit avec l'instance du discours qui le décrit. Le repère temporel du présent ne peut qu'être intérieur au discours. (...) C'est là le moment éternellement " présent ", quoique ne se rapportant jamais aux mêmes événements d'une chronologie " objective ", parce qu'il

(La « mémoire » étant tout, ce qui diffère de cet acte.)

Peut-être le travail romanesque n'est-il que la recherche obstinément de cette « simplicité » : le *progrès* — de page en page, et de livre en livre — ne consistant pas à amasser du langage, ni même à l'effacer (ce recueil et cet effacement vont de soi), mais à approcher sans cesse ***la réalité interdite de la production textuelle.***

13. Aux précédentes époques du texte littéraire, « la forme extérieure du roman est essentiellement biographique », mais cette forme ne paraît aucunement nécessaire à « l'illimité discontinu de la matière romanesque ». Elle lui serait plutôt *opposée*, pour des motifs strictement idéologiques, cherchant en effet à instituer un « monde contingent » et un « individu problématique », et leur « conditionnement » réciproque [8]. C'est-à-dire masquant la réalité du monde y compris le langage.

Le roman de forme biographique s'interrompt, plus ou moins manifestement, soit par une catastrophe, soit par une mise au paradis, également fictives. Il débouche sur une éternité, où se trouverait son lecteur.

Le roman de forme « autobiographique », incapable de tuer ou d'immortaliser qui que ce soit (« personnages » et « lecteurs »), ne prévoit pas non plus comme son terme significatif la mort de son auteur, pourtant comprise dans son économie.

Mais ici s'ouvrirait une nouvelle série de questions, sur la mort, la littérature et la révolution.

Jean Thibaudeau.

décembre 1967.

est déterminé pour chaque locuteur par chacune des instances du discours qui s'y rapporte. » Le « présent » linguistique est donc la marque dans la « temporalité » du « je » linguistique : « (...) les instances d'emploi du *je* ne constituent pas une classe de référence, puisqu'il n'y a pas d' « objet » définissable comme *je* auquel puissent renvoyer identiquement ces instances. (...) *Je* signifie « la personne qui énonce la présente instance de discours contenant je ». (...) Il ne vaut que dans l'instance où il est produit. (...) instance de *je* comme référent, et instance de discours contenant *je*, comme référé ». « Présent » et « je » linguistiques ne décrivent bien sûr qu'allusivement et provisoirement le « présent » et le « je » textuels, à la description desquel concoureraient aussi les variations temporelles et pronominales de la veille au rêve (de la subjectivation à une objectivation).

8. Les expressions entre guillemets sont empruntées à la *Théorie du roman* de Lukacs (1920).

LA POÉSIE EST INADMISSIBLE D'AILLEURS ELLE N'EXISTE PAS

THÉORIE I (extraits)

Aiguilles de vers sur sa mort[1].

Cy
STROZZY
N'EST ENCLOS :
Ses cendres ou os,
L'âme heureuse au ciel.
Le corps est en mer
Pour à son tour
Etre au jour
dernier
tel.
Quel beau
Tombeau
Propre à toi,
Propre à moi,
Pour ta valeur,
Pour ma douleur,
De t'avoir perdu,
Si mal défendu,
Strozzi trouverai-je ?
De bois le ferai-je ?
Le bois fut trop malheureux
A toi et tes soldats preux,
Et l'or et l'argent tant prisés
Par toi vivant trop méprisés.
Marbres fins et pierre d'élite
Ne répondent à ton mérite ;
Et puis les bois, les pierres, les métaux,
Sujets au Temps, sont joués de sa faux.
Pour Tombeau donc à jamais plus notable
Et à ton sort et au mien plus sortable,
Et qui brave méprise et le temps et les vers,
Je te dresse, pleurant, cette Aiguille de vers,
De mes larmes écrits, pour certain témoignage,
A la Postérité, de mon deuil et dommage.

1. In *Journal de l'Estoile pour le règne de Henri III* (année 1582), Gallimard 1953.

Devant moi, devant ce que j'ai à dire quant à l'existence ou non de quelques choses qui ne tient pas évidemment à ce que je suis ou entreprends, 158 mots les uns sur les autres, figurant aussi bien cette poésie qu'un objet de mort et de décoration. Figurant cette poésie, tirant avec force *cette langue, la plus déliée des conventions séculaires qui régissent notre culture.* Et cet entassement de mots porte la date de 1582, date pour laquelle comme un simple énoncé se mesure en moi cette sorte de filon optique rare (je veux dire rarement atteint en moi), d'où, planté sur mes deux jambes, sans que plus rien enfin ne vienne *contre moi*, par mon travers, je contemple l'idée précisément dramatique que je suis, dans certaines des tranches de mon écriture, une conviction qui n'est ni " idéologique " ni " philosophique ". Une conviction terriblement contingente, c'est-à-dire (peut-être) seulement éventuelle à moi. Conviction que certaines suites de textes (itinéraires aussi contingents des lectures !), que j'écris, *disent* absolument cette indifférenciation *pratique* (pour reprendre la logique althusserienne seulement dans le deuxième mot de l'expression) qui a toujours présidé à l'élaboration de l'écriture poétique, disons depuis une centaine d'années. Autrement dit je crois qu'il est enfin devenu visible qu'on peut montrer une théorie pratique de l'écriture — *sous une forme précise de fiction écrite non discursive* — qui prenne acte d'une intelligence historique de la littérature et de son inscription dans une culture elle-même émanée d'une société politiquement constamment définie. Je prétends également que cette intelligence historique peut se manifester à l'encontre de n'importe quelle sorte de fiction issue de cette littérature et particulièrement à l'encontre de la fiction poétique qui est l'avatar certainement le mieux fixé, quant à l'aliénation individuelle qui en est comme le principe sous-tendeur, de la *fabulatio* sociale.

Mon propos dans ce texte trop court, récapitulation en somme d'un exposé qui serait livre et définition dernière de cette activité, est ici non pas de démontrer mais de mettre les lecteurs à même de saisir l'arête par laquelle *on fait intrusion fonctionnellement dans l'état écrit* d'un homme défini " poète ".

Le propos est de dévoiler par une suite de rapports antinomiques entre des discours idéologiquement différenciés (3 ou 4 ici nettement distincts) qu'il y a une mesure à prendre, en fin de lecture, d'une INADMISSIBILITÉ immédiate d'une certaine sorte d'intelligence de la poésie telle qu'elle fonctionne depuis 1868 (Publication du Chant I de Maldoror.) D'une intelligence *SYMBOLARDE* de la poésie dont l'écriture n'a jamais été vue que comme puérilement évocatrice d'une activité personnelle esthétisante (nous parlons ici d'une esthétique sociale / morale).

Nous prétendons dire précisément par des poèmes que cette conception de la poésie n'est pas. Car elle n'est évidemment plus à partir du moment où on peut mettre le doigt sur le fait même de son inadmissibilité.

Or ce geste révélateur qui détruit d'un coup, l'effondrant comme autant de moellons, cet édifice qui est une grande grille gigantesque, une institution utilitaire beaucoup plus qu'il ne paraît, ce geste a été l'œuvre de beaucoup plus d'hommes qu'on ne l'a généralement dit. A partir du moment où notre langue a été formée telle que nous pouvons encore la déchiffrer sans trop de mal — disons dans le cours du XVe siècle — ces hommes ont été là. A qui nous avons donné pour mieux les éteindre l'étiquette de "petits" et "grands" *rhétoriqueurs*. Que l'on a coiffés du manteau de vilenie des courtisans de cours provinciales. Qui furent *hermétiques* !

Le jeu rhétorique de codes surcodés à l'infini, chez Molinet principalement, va éparpiller, par avance, toutes espèces d'activités décapitantes, qui apparaîtront genres mineurs beaucoup plus tard et qui seront fixées comme abusives par la grande critique imbécile du siècle qui nous a précédé. Bien. Il n'est pas dans mes intentions de faire ici œuvre d'historien. Codes abusifs (rhétoriqueurs) ou absence de code (amphigouristes XVIII) se prêtent également au franchissement idéologique. Je donne ici — arbitrairement, pour être fidèle à moi-même — un exemple d'écriture du XVIIIe qui me permettra d'aborder ensuite directement l'un de ces discours antinomiques dont je parlais plus haut :

Le sombre roi Pluton,
Pour narguer Caton,
Frisait un mouton,
Tandis que Pluton,
Au bout d'un bâton,
A taton,
Faisait cuire un raton.
Bacchus sur un cruchon,
A califourchon
Dans un grand torchon,
Portait un cochon,

Regardant Fanchon
Tenir un tire-bouchon,
Qui faisait un manchon
De son bichon.
Bajazet, en glouton,
Mangeant du thon,
Traitait un bas-Breton
De marmiton,
Puis, changeant de ton,
Lui montra, dit-on,
Un nid d'hanneton
Dans du coton.
Le perroquet
De Fouquet
Battait le briquet
Dans un bosquet :
Lorsque Jacquet
Chez Cliquet
Jouait au piquet ;
Et Madelon Friquet,
Ayant le hoquet,
D'un coup de mousquet
Assomme un criquet
Qui d'un air coquet
Mangeait un morceau de croquet
Dans un baquet

Ce qui courrouça Jupin,
Qui, dans l'air porté par un lapin,
Voyant le fourbe Scapin,
Armé d'un pin,
Le foudroya d'un seul coup d'escarpin :
Judith poursuit Holopherne
Qui tombe dans une caverne
Où résidaient deux brochets
Qui jouaient aux échets
Sur trois clous à crochets
etc., etc.

Il est tout-à-fait hors de mon propos de vouloir souligner ici une *chronologie rhétorique* de la poésie française : je ne fais que donner des exemples — des possibilités — de discours inhérents à l'articulation poétique écrite. *Et ceci de façon à faire mieux apparaître un mode poétique particulier au* XX

mode poétique particulier au XXe *siècle et qu'il nous semble urgent de détériorer dans l'image très précise que le public français en a.*

Je donne tout de suite deux autres exemples. Le premier est l'une de ces célèbres *Chansons madécasses* de Parny qui appartiennent, pourrait-on dire, à l'extrême pointe de la stylisation du XVIIIe siècle.

Chanson première

> Quel est le roi de cette terre ? — Ampanani. — Où est-il ? — Dans la case royale. — Conduis-moi devant lui. — Viens-tu la main ouverte ? — Oui, je viens en ami. — Tu peux entrer. Salut au chef Ampanani. — Homme blanc je te rends ton salut, et je te prépare un bon accueil. Que cherches-tu ? — Je viens visiter cette terre. — Tes pas et tes regards sont libres. Mais l'ombre descend, l'heure du souper approche. Esclaves, posez une natte sur la terre, et couvrez-la des larges feuilles du bananier. Apportez du riz, du lait, et des fruits mûris sur l'arbre. Avance, Nélahé; que la plus belle de mes filles serve cet étranger. Et vous, ses jeunes sœurs, égayez le souper par vos danses et vos chansons.

Et voici le deuxième exemple :

Automne [1]

> Le pardon :
> Que les étés les baobabs inviolés
> Mécontents des trappeurs tolèrent les défroques :
> Forces-tu sans pitié tes ombres réciproques
> Pour la pudeur des jatrophas humiliés ?
>
> Mille-huit-cent-trente ! sous les tonnelles ailées
> Les parents raisonneurs accueillent les époques,
> Tandis que les pardons d'assassins qu'ils invoquent
> Donnent les goupillons sur les granges brûlées...
>
> Mais le soleil fut juste et l'allée était droite :
> Quand l'orage calme le front aux baisers moites
> Et que la ronde d'enfants s'arrête et s'étonne,
>
> Reviens-tu, reprenant l'orgueil des fiers refrains,
> Protester contre le pardon des boulingrins
> Et sonner le midi claustral d'un jour d'automne ?

1. J. M. Levet, *le Pavillon* ou *la Saison de Thomas W. Lance*, 1897.

Je cesse là le plaisir de citer : il suffit que l'on ait compris où je voulais en venir, que tout cela était idéologiquement semblable, avant que, il y a un siècle, les poètes n'aient brusquement entrepris une œuvre de ré-esthétisation de l'écriture poétique " démolie " par les romantiques. Ne tenant aucun compte de l'avertissement de Lautréamont, et ne voulant voir dans Mallarmé que le génie des fioritures, ils ont travesti le pouvoir inventif de la littéralité en un fourmillement intempestif d'imageries : le poème de Levet n'est qu'un exemple de cet *exotisme poétique* qui consiste à projeter dans un ailleurs agréable mytho-idéaliste toute parole à destinée poétique. D'emblée ce que l'on a appelé le *symbolisme* a été le levain de cette projection. C'est à son niveau que l'écriture des poètes a perdu tout contact avec ce que nous appelons aujourd'hui la " fonction poétique ". *C'est à partir du symbolisme, en gros, que la poésie est devenue la concrétisation écrite de l'idéalisme bourgeois : écrire alors de la poésie c'était étaler et vivre du même coup ces aspirations multiples à un ailleurs que l'on a eu vite fait d'appeler, justement, " poétique ".* N'était plus dès lors poète que celui qui se soumettait à l'obligation d'être " poétique ". Dada et le surréalisme s'y sont trompés : si la théorie de Breton marque avec précision la portée idéologique de ce " poétique bourgeois ", la poésie des surréalistes a fait long feu, amplifiant inutilement, comme en un jeu diabolique de miroirs brisés, l'exotisme des métaphores.

Peu à peu, très lentement, en fait, cette production " poétique " est devenue le symbole, i. e. la définition, de la poésie. Puis le *poème* est devenu l'unité de mesure de ce *poétique.*

A L'INTÉRIEUR DE CELA TOUTE RÉVOLUTION NE PEUT ÊTRE QUE GRAMMATICALE OU SYNTAXIQUE. La philosophie en s'y appliquant à son tour y ajouta son propre idéalisme comme une religion apporte sa dose de mystères. Tout épaissie, la poésie devint cette merveilleuse marchandise à réconfort : le matériau, bien rodé, sert aussi bien à militer qu'à gagner des concours, devenu entité en bloc, insécable, MYTHOLOGIE ENFIN DOMESTIQUÉE.

La poésie " moderne " est la paraphrase incessante du " poétique ".

Depuis, *la poésie est inadmissible* et, tous filins coupés au ras de la terre, toutes amarres rompues avec la société qui la fondait, *elle n'existe plus* que sous la forme de ces beaux dirigeables, de ces belles " saucisses " grimées qui servaient aux observateurs de la guerre, de ces baudruches inutiles.

Toute écriture qui ne dénonce pas ce " poétique " est vaine. Toute poésie qui se veut " poétique " *contre* une écriture à portée idéologique précise est vaine; et de même toute personne " poète " qui prétend exalter ce " poétique ".

La logique de l'écriture moderne exige que l'on contribue massivement à l'agonie de cette idéologie symbolarde et périmée. L'écriture ne peut symboliser que ce qu'elle est dans son fonctionnement, dans sa " société ", dans le cadre de son utilisation. Elle doit coller à cela. C'est la condition première de toute chance neuve.

A partir du moment où l'innocence disparaît, où l'*on n'écrit plus innocemment*, on peut considérer qu'il redevient possible d'utiliser sans danger tous les artifices morphologiques propres à la poésie (rimes, rythmes, majuscules en début de lignes, dispositions sur la page, etc.). On ne confondra plus les *moyens* et l'*objet* de la poésie. On ne croira plus au devin de village, au barde porteur de mystères ou de bonne parole. La poésie n'est pas l'Évangile, ni une Centurie de Nostradamus. Encore moins la pierre de Rosette, qui chiffre une civilisation.

L'aiguille de vers sur sa mort, ces mots sans symboles qui *figurent* ces obélisques creux et noirs, tendus de drap noir, qu'on fixait aux quatre coins des catafalques d'autrefois. Dans la pompe ces mots fixent les cendres et les os dans un objet qui était sans doute de verre. Ce verre rempli de mots tue des choses. Alors j'ai repris un certain nombre de choses, qui étaient peut-être quelques unes de celles-là et je les ai mises dans les figures suspendues que voici. Je leur ai donné la forme de ces *plaques* de photographe que l'on suspend dans des bains révélateurs. Ces " plages d'écriture immodeste " répondent en quelque sorte à l'aiguille de verre de 1582.

En l'immolant définitivement.

THÉORIE II

DIALOGUES DU PARADOXE ET DE LA BARRE A MINE

Barre à mine :

vent vient de se lever. Peu de brume. Peu de chats
Pas de grandes hypothèses. On pourrait revoir dans
Un moment, mon cher Paradoxe, qu'il n'y
À pas de poussif mon Dieu qui ne me mon
te pas d'air où ne refluent les sperme
s qui m'ont gorgée. « Toujours la répons
e pour un rien qui serait ange » ——— Mer
de enfouit les alambics de tous les par
tis libéraux de tous les partis véniels
Ma situation trop vendue bouclons la lo
urde agenouille-moi pénètre-moi en chi
en ——— Souvenir de ce qu'écrit Céline

... *Ah ! je saccade !... je saccade !... je suis chien de tout...* Copyright 1964. Ha !
Une rigolade ou comme Hachette ou comme
Hectare

Paradoxe (par l'intermédiaire d'un opossum) :

si sombre qu'ils étaient noirs, cotons plus que
pendants, nuits rien moins qu'atroces puissiez-vous
Ne plus être que simples rapports sexue —
—— ——————————toutes
Réflexions, toutes les remontrances, ma c
hère, ne tourneraient plus qu'autour de l
'expression anglaise *play possum* qui veut
Dire (pas de majuscule pour') *faire le m
ort*. Sorte d'éosine de la... rit un petit
Peu ... elle rit un petit peu ... elle croira
M'avoir vu... de la peur qui se manifeste
rait dans ta putain de bronchite face oli
— bande qui repartirait à l'envers, à pa
rt : altercation de la signification (et
entre quoi et quoi) (puisque ceci n'est
qu'altruisme d'expression, altruisme d'in
cidence) la plongée dans ton cul mignon,
chère amie barre à mine qu'altruisme ou c
ontroverse dans un bain d'huile, tendue a
bouchée, à bouche-que-veux-tu toute loqu
e remontée ah ! nom de dieu, que le discou
rs entre bien et qu'il ne s'en échappe qu
'étrons de bergère !

Barre à mine :

offusquée malgré tout de ces goîtres de l'avant-veille,
d'irritations de pétéchies d'éra
flures inusitées, toute composition dictée par ces
Metteurs en scène plus que douteux qu'on
Dit poètes bandedeconspasplus que je ne pu
is même écrire en clair. Mais pour en reve
nir à ton propos, Paradoxe, en serais-tu s
alaud (ou salop ?) pour un peu Virginie
Encu —— frimas pour tes fesses mon seigne
ur comme fripière je t'essuierai comme inn
ocente je te servirai ma cheminée démangée
Elle n'avait pas plus tôt dit qu'elle enfo
Fut faite et, comme tranquillité, on n'en-
tendit plus que le murmure insatisfait des
Vents d'allure indolente et le beuglement
Intempestif de telle ou telle baigneuse au
x petits soins des belles lettres. " Hum !..
. et Barre à mine de suggérer : qui croirai
t qu'une telle imagination amasse la mouss
e ? "

( ):

ici prend place l'inventio ————————————
————— —————————
——— ———— ——————————
— ——————
— ——————————
————— ———
—————— ——————
————————————————————
————————————————————
——————————————je ne rés
siste pas au plaisir d'intervenir et
d'indiquer ceci comme le moule du poè
me, son empreinte.——————————
avec ses points de moindre résistance
—————simple problème de densité à
l'œil qui se superpose à un autre pr
oblème de densité (densités successiv
es des rythmes) : jolies petites dens
ités enroulées autour de l'axe *prover*
bial — le tout a l'allure d'un chromo
some écrasé dans sa longueur par une
roue de bicyclette——————et ainsi
de suite jusqu'à la———————————
——————————————————chute

la barre à mine ayant fait un pas de clerc
elle lui emboîta aussitôt le pas et lui trouvant belle
Mine il s'en trouva illico boa. Ha !...
Opiniâtre, Paradoxe — qui s'émeut bien
Vite — vit là matière à possible dispu
te / à califourchon il indique à tous l'
Embargo, pique des deux, vise à l'idoi
ne et, sans toutefois s'emporter, il s
éprend d'une nouvelle idée : " juste ciel
— et l'l est déjà de trop — dussé-je e
n perdre le bonnet (j'en ai la tête t
rop près) comme il doit être bon de
convoler ! ... *si déguelasse, patride et*
tout (page ?) ———————— Qui n'aurait plus
Que l'idée de se payer sur la bête — et
Plus d'une fois que l'envie me chatou-
Hier, je vous prenais dans mes bras et
Vos gémissements étaient plus forts qu
e mon arrogance. Donc depuis je t'aime

Paradoxe :

Après transformation de la phrase de Céline — *prise de Salonique prévue pour un monument à l'autel* — Berlin =

Bouton neutre enfin comme veste à flaques
" Restait, dira Paradoxe, que jusqu'au bor
d de l'eau, que, jusqu'à *j'avais le temps*
De lire les journaux, j'irai pour vous, M
adame, trois fois par la terre de Baffin
Penchais faisais du sentiment pire autre
Qu' ——— phrase inconséquemment ga
gnera ou -rait le " bébé suspendu en l'air
le " nurse au fond d'un égout ", le " même po
ur Londres... il s'en passait de raides et
c. (etc.) " ——— Demanderions-nous
Madame, et de droite et de gauche, où est
Prospero sur le haut des falaises ? Où le
Banc sur un autre, " geste mimé de notre sa
le histoire ? "

Denis Roche.

FONCTION CRITIQUE

La situation de principe est toujours la même et elle définit la fonction que partout le système doit assurer.

Georges Bataille.

Sitôt qu'on observe la littérature sous l'angle de son influence, l'ordinaire désordre est conduit à son comble. Plus ou moins déguisés, des préjugés étranges, des procédés curieux se donnent alors libre-cours. Cette intempérance est précieuse : plus sont excessives les recettes de la confusion et plus facile se montre la recherche de ce qu'elles dissimulent. Encore faut-il définir avec soin le champ de leur étude.

1. Champ et méthode.

A. *Champ.*

Évitons d'abord les mirages de l'encyclopédique : la poursuite d'un complet recensement des manœuvres du brouillage ajournerait la maquette théorique capable d'inscrire le lieu qu'elles obscurcissent. C'est sur un texte *localisé*, donc, que doit porter notre analyse.

Évitons aussi les vertiges de l'individuel : l'enlisement dans les dispositions singulières ajournerait la généralisation qui permet cette maquette. C'est en tant qu'il est *typique*, donc, que ce texte doit être envisagé.

Localisé et typique, c'est comme exemple, échantillon, spécimen, qu'il doit s'offrir. Il s'en suit d'une part qu'on pourra y nommer des procédés généraux en leur rôle local ; d'autre part que les noms propres y seront seulement l'index de textes pris dans leur anonymat. Notons en passant que toute prétention à réduire ce qui suit à une querelle de personnes s'établirait par là même dans le brouillon et le dérisoire.

Mais, en une profusion si remarquable, dans quels organismes (publications, œuvres) choisir ce texte ? Signalé, souvent, par l'excès nécessaire de ses conduites, le brouillage, s'il se veut efficace, doit dissimuler à l'extrême son point d'émission. Ce n'est donc pas dans les lieux très suspects (où elle se démasquerait d'emblée) qu'il faut en chercher l'occurrence la plus pernicieuse. Ainsi écartons-nous les domaines clairement disqualifiés par leur politique réactionnaire comme leur esthétique académique. Pour les périodiques : un *Figaro littéraire* ; pour les livres : un Michel de Saint-Pierre.

Songeons en revanche à un journal comme *le Monde* et à un auteur comme Claude Roy. Respectivement, ils se veulent ouverts en politique (recherche soulignée d'objectivité de l'un ; progressisme de l'autre) comme en esthétique (pages de l'un parfois consacrées aux travaux de pointe, tels ceux de Pleynet et de Sollers sur Lautréamont ; enthousiasme de l'autre pour les récents sonnets d'un Jacques Roubaud). Si l'un acceptait la collaboration de l'autre, l'article subséquent aurait mainte chance, semble-t-il, d'être au-dessus des soupçons. Pour toute éventuelle tentative de brouillage, il offrirait ainsi un point d'émission privilégié. C'est ce dont profite l'article *Littérature et Politique* publié dans le numéro du 24 avril 1968.

B. *Méthode.*

Nous le montrerons. Certains reprocheront sans doute à notre analyse son recours, quelquefois, à de byzantines minuties. L'obscurantisme se définit en effet par son appel excessif au *dogme de l'Insignifiant.* Afin de réduire à l'extrême le domaine de l'intelligible, il lui importe d'établir surtout une intense inflation d'éléments innocents. Pour les obtenir, partout, toujours, il se livre à des manœuvres d'émiettement : il déconnecte les systèmes et en chacun, si possible, volatilise les relations. Comme cette attitude serait vite trop claire, l'obscurantisme adopte divers déguisements.

Il lui plaît fort, notamment, de s'offrir sous l'aspect d'une *doctrine du Principal.* Dans le couple principal / accessoire, il donne à l'accessoire la plus large extension. Sans cesse, çà et là, on nous répète par exemple que l'essentiel c'est les choses (ou les hommes, ou parfois les idées), l'accessoire, les mots. Par quoi se trouve évincé, précisément, en sa matérialité, l'un des plus complexes systèmes de signes. Cette incessante mise en valeur des choses au détriment d'une problématique des signes, elle fascine, nous le préciserons, certain célèbre philosophe contemporain.

En d'autres cas, l'obscurantisme s'appuie sur une *doctrine de la Monovalence*. Un élément appartient-il d'évidence à un système ? On en prend aussitôt prétexte pour lui refuser tout rôle dans un autre. À défaut de l'insignifiance impossible, on se contente de la relative innocence d'un sens unique. D'où la nécessité, dès lors, d'un système majoritaire et coercitif : le *bon* sens et sa promptitude à déterminer la folie (celle d'un Sade ou d'un Lautréamont) ; l'orthodoxie et la chasse hâtive qu'elle fait aux sorcières, aux hérésies.

En cette perspective, une révolution comme celle de Freud, entre autres, joue un rôle décisif. Montrant l'importance majeure de phénomènes jusque-là sous-estimés (du lapsus au rêve), elle a permis une redistribution du principal et de l'accessoire : une renversante déflation de l'Insignifiant. S'il arrive donc à notre analyse d'insister sur de prétendues opérations minuscules, c'est sans doute pour en prouver l'existence et les effets, mais aussi pour se dégager, en son immédiate pratique, de la dictature obscurantiste qui, sous le nom d'accessoire. occulte d'avance le principal.

II. Aspects techniques du brouillage.

Dans son article, Claude Roy se réfère au débat *Que peut la littérature* organisé en 1964 à la Mutualité. Si tardif, si loin (existât-il jamais) du primesaut de l'immédiat, ce compte rendu n'offre rien qui ne soit le fruit de mesures habiles.

A. *Déprécier par métaphores.*

Nul hasard, par exemple, à ce qu'il définisse cette confrontation comme " un tournoi intellectuel de catch à six ". Première phase : addition. A l'instant où, revenant sur un débat vieux de quatre ans, il lui reconnaît quelque importance, Claude Roy déprécie en bloc, semble-t-il, non sans paradoxe, l'ensemble des protagonistes.

L'évocation des factices adversaires, les catcheurs, qui simulent la plupart des coups pour obéir aux directives d'une spectaculaire mise en scène, laisse entendre que, face à l'immense public d'un soir, les divergences apparentes des écrivains n'étaient sans doute pas exemptes d'une profonde complicité de caste.

Deuxième phase : soustraction. Supposons maintenant que par les vertus d'un substantif efficace (fût-il astreint aux fantasques mariages de l'existentialo-marxisme et du marxisme progressiste), certains auteurs soient ensuite lavés de ce soupçon. Seuls les autres, on le devine, subiront indirectement les effets de dépréciation. C'est comme préjugés de caste, désormais, insidieusement, qu'apparaîtront leurs diverses attitudes :

> Face aux champions de la littérature " pour rien ", l'existentialo-marxisme de Sartre et de Simone de Beauvoir et le marxisme progressiste de Jorge Semprun défendaient, finalement rejoints par Jean Pierre Faye, la possibilité d'un certain pouvoir de l'écrivain.

Champions : la prolongation de la métaphore du catch en allégorie autorise un second effet : la sournoise insertion d'une optique morale. L'éthique édifiante de l'Ange Blanc et du Bourreau de Béthune, celle des Bons attaqués (*défendaient*) par les Mauvais, laisse définir un prétendu changement de camp (*finalement rejoints*) comme cette bonne trahison que l'on nomme repentir.

B. *Confondre ce qui est différent.*

Mais cette métaphore a une troisième fonction : préparer le lecteur à accepter la formation d'étranges *équipes* :

> Une des " équipes " sous les couleurs du Nouveau Roman *ou* de la littérature considérée comme une pure activité de l'imaginaire (Jean Ricardou et Yves Berger) soutenait que la littérature...

Le comte Almaviva demandait : " y a-t-il ET dans l'acte ; ou bien OU ? " Cette demande, à lire la conjonction que nous soulignons, nous sommes fort tenté de la reprendre. Si, à tort ou à raison, on avait seulement voulu mettre ensemble deux systèmes littéraires, il eût suffit d'écrire *et*. Mais *ou* fait davantage. Loin certes de marquer l'alternative (l'un *ou* l'autre), il est un cas de cette " équivalence des formes désignant une même chose " (Robert), le synonyme d'*autrement dit*. C'est une étroite collusion, par conséquent, qu'on tente d'établir. Elle permet ceci : d'une part un auteur comme Berger (dont l'admiration pour Julien Green n'est pas un mystère) se trouve rapproché du " Nouveau Roman ", ce qui tend à couvrir du voile de l'académisme une recherche qui fut en certains points décisives ; d'autre part le " Nouveau Roman " se voit lié à " une pure activité de l'imaginaire ", ce qui occulte, en sa production, le travail scriptural.

Il y a plus. A cette coalition contrainte, Claude Roy s'efforce d'imputer une commune doctrine. Il ajoute en effet :

> ... soutenait que la littérature ne peut rien qu'être littérature, et qu'elle ne peut ni ne doit vouloir quoi que ce soit sous peine de trahir sa fonction, qui est de ne pas viser à une fonction.

Cette manœuvre n'est possible, naturellement, que si l'on oublie diverses phrases de ma communication à ce débat dont celle-ci : " La littérature, c'est ce qui se trouve questionner le monde en le soumettant à l'épreuve du langage ". Cette *fonction critique*, nous la préciserons plus loin. Mais il faut d'abord signaler, parmi les divers procédés qui écartent de toute pensée rigoureuse, l'inverse du précédent.

C. *Opposer ce qui est semblable.*

En effet, par le biais de l'opposition littérature " pour rien " / existentialo-marxisme, Claude Roy oppose un Berger et un Sartre. Il faut donc redire que les positions de ces deux auteurs ne sont, pour l'essentiel, que deux occurrences de la même idéologie. Tandis que Sartre, dans une interview célèbre accordée au *Monde*, avouait à Jacqueline Piatier :

> En face d'un enfant qui meurt, *la Nausée* ne fait pas le poids,

Berger reconnaissait à la Mutualité :

> Alors que peut la littérature ? Me voici à présent fort tenté de dire, cette fois pour de bon, qu'elle ne peut rien. Elle ne peut rien dans tous les domaines qui touchent au réel.

C'est la conséquence logique de ce commun postulat que les deux auteurs tirent respectivement. Berger, qui prétend fuir le monde, annonce de futurs romans ; Sartre, qui veut le transformer, a cessé d'en écrire. Dans les deux cas, il s'agit d'une fondamentale méconnaissance de l'action critique de la littérature comme telle.

Un peu plus loin, manœuvre semblable. Claude Roy, cette fois, tente de m'opposer à Barthes, auquel j'empruntais la distinction écrivain / écrivant. La différence viendrait de ce que Barthes, lui, reconnaît que la littérature « libère une question, secoue ce qui existe, donne du souffle au monde, permet de respirer ». Cette phrase est la sœur, en somme, de celle que Claude Roy a oublié de lire dans mon texte.

En le brouillage, donc, la censure joue un rôle majeur. Elle connaît une remarquable variante temporelle.

D. *Abuser de l'anachronisme.*

Le lendemain des émeutes du 11 mai 1968, certaine émission télévisée présenta, sans précision aucune, un groupe d'opinions enregistrées quelques jours *plus tôt*. Dans son commentaire, Claude Roy procède un peu différemment : il évoque un débat lointain, et ne tient nul compte des textes qui, depuis quatre ans, ont pu le préciser. Qui pourtant songerait aujourd'hui, après la *Présentation des Temps modernes* et *Qu'est-ce que la littérature*, à parler sans précaution du Sartre de *Situations I* ?

Ainsi au moins cette phrase dans mes *Problèmes du Nouveau Roman* confirme ce que Claude Roy me refuse : « *l'action critique* jouée, latéralement, par la pratique de la littérature même ». De même *le Récit hunique* montre qu'un prétendu rapprochement de Faye et de Sartre devrait omettre une divergence fondamentale :

> Mais il y a chez lui surtout, ici, la démagogie : moi Sartre, je parle des choses, je ne suis plus dans les mots ; je ne suis pas de ces écrivains enfermés dans le langage, qui écrivent « pour que ce langage en lui-même se manifeste » ; pour qui la littérature c'est « le problème des mots renvoyant aux mots ». (Où diable a-t-il trouvé pareille formule, à dire vrai ?) Autrement dit, je ne suis pas dans la nouvelle littérature, je rends grâce de n'être pas de ces gens-là.

Mais, il existe un procédé plus expéditif. Il permet d'évacuer la discussion elle-même.

E. *Reporter la discussion.*

On peut le nommer *dogme de l'Urgence*. Il n'est rien d'autre que la pressante transposition, sur la ligne temporelle, de la doctrine du

Principal. L'alternative est simple. Ou bien, c'est le cas le plus fréquent, la situation est grave. Quelque problème sérieux posé par les choses (les hommes, ou parfois les idées) rend alors " vaines les subtiles distinctions ". Ce qui discrédite surtout, nous dirait-on, la discussion sur le sexe des anges, c'est que Byzance était assiégée :

> C'est que là-bas, le dévoiement de la révolution socialiste, et l'oppression d'État de l'appareil bureaucratique rendaient parfaitement vaines les subtiles distinctions (...). C'est la parole même, à sa source, qui étouffait, s'insurgeait, contestait les bâillons.

Ou bien, par un évident corollaire (valorisant curieusement l'ici : la situation française du 24 avril 1968) la conjoncture ne pose pas de problème grave et les discriminations qu'il est loisible d'établir sont mineures : de simples raffinements de chapelle.

Avec sa disjonction des semblables, sa conjonction des divers, on voit que le jeu parfaitement concerté des erreurs taxinomiques avait un rôle précis. Il s'agissait de troubler l'idée même de classement et préparer le terrain, ainsi, à l'avilissement d'une classification primordiale.

III. Ce qui est occulté.

Celle de Barthes, nous l'avons dit, séparant écrivain et écrivant :

> C'est ici qu'apparaît bien fragile la fameuse distinction établie autrefois par Barthes et reprise par Ricardou à la Mutualité, entre écrivains (les purs " explorateurs du langage ") et écrivants (ceux qui se servent du langage comme véhicule d'une information).

Observons donc cette prétendue fragilité. Une fois encore, Claude Roy semble victime d'un oubli. Loin d'être solitaire, la " fameuse distinction " de Barthes appartient à un ensemble assez connu.

A. *Fiction / témoignage.*

Compte tenu de la différence des niveaux et de variété des contextes, il est facile d'en découvrir des exemples : Mallarmé (poésie / reportage), Gide (contradictions du *Journal*), Valéry (" danse "/ " marche "), Sartre (poésie / prose). On pourrait citer aussi la banale différence entre fiction et témoignage. Pour s'en tenir à cette dernière, on sépare aisément le langage du journalisme (véhicule d'une information) et celui de la littérature (travaillé comme un matériau et producteur de fiction).

Vouloir, comme le souhaite Claude Roy selon un lexique contestable, abolir

> les subtiles distinctions entre écrivains et écrivants, poésie et prose, littérateurs " pour rien " et publicistes semeurs d' " information ", entre purs artistes et impurs journalistes,

serait s'offrir à de curieux dangers. A hauteur de lecture, ce serait risquer de prendre tel article d'un Jacques Decornoy dans *le Monde*, pour une fiction extrême orientale et inversement, pour une information fragmentaire, dans *Tel Quel*, ce poème de Marcelin Pleynet. A hauteur d'écriture, ce serait pour le premier introduire des adjuvants " littéraires " qui truqueraient son information nue et, pour l'autre, réduire un langage producteur. De plus, ce serait se résigner à ne guère comprendre la spécificité du rôle politique de l'écrivain. En effet, ou bien celle-ci repose sur une simple notoriété (et c'est la célébrité qui serait efficace, non la littérature) ou bien elle naît de la littérature (et celle-ci est une activité précise dont il faut comprendre, en la distinguant, la portée révolutionnaire).

B. *Intransitif / transitif.*

Supposons cependant " bien fragile " la barthésienne distinction. Une facile analyse devrait pouvoir en faire surgir les inconsistances. Claude Roy ne s'y risque pas. Loin d'approfondir le problème, il propose deux exemples hâtifs (Barthes, Mary Mac Carthy : nous les commenterons plus loin) et surtout pratique l'étrange métamorphose que l'on vient de lire. La liste proposée ne s'y offre guère comme une suite de variantes repérables en divers textes : elle se veut juxtaposition d'équivalences. Ainsi dissimule-t-elle une complexe dégradation. Claude Roy passe en effet de la formule de Barthes à celle de Sartre, puis de celle qu'il prête à " l'équipe du Nouveau Roman " à la sienne même. La précise distinction d'activité marquée par Barthes (" l'écrivain est celui qui *travaille* sa parole... l'écrivant n'exerce aucune action technique sur la parole "), se corrompt en une opposition ironiquement morale (pur / impur), vulgairement corporative (artistes / journalistes) et fondée sur un concept douteux (artiste : *don* d'écrivain).

Cette confusion avilissante s'accompagne d'annexes perturbations. Il s'agit d'opposer non le pur à l'impur mais une " pureté " (celle de la production) à une autre (celle de la transmission) : il était d'ailleurs question de " pur véhicule d'information ", non " d'impurs journalistes ". Remarquons aussi que cette dernière assertion laisse entendre, insidieusement, que la distinction barthésienne pourrait bien mépriser le journalisme.

Par une étonnante variété d'agressions, toute la stratégie répondait donc à un double mobile. D'une part brouiller à l'extrême l'idée qu'il y a une double attitude face au langage : l'information (utilisation transitive du langage pour l'*expression* d'un antécédent quelconque : doctrine, témoignage, etc...), la littérature (écrire comme verbe intransitif : travail sur le langage dans un processus de *production*). D'autre part réduire d'avance cette dernière activité, si sévèrement occultée, à une " littérature pour rien ", exempte de toute aptitude à la contestation. Ce que nous montrerons, donc, c'est le pouvoir critique de la littérature telle quelle.

C. *Poésie / prose.*

Auparavant, il nous faut étudier l'étrange déplacement sartrien. On se souvient du critère proposé par *Qu'est-ce qu'écrire* :

> La prose est utilitaire par essence, je définirai volontiers le prosateur comme un homme qui se *sert* des mots (...) [La poésie] ne s'en sert pas de la même manière ; et même elle ne s'en *sert* pas du tout ; je dirai plutôt qu'elle les sert. Les poètes sont des hommes qui refusent d'utiliser le langage.

L'opération est simple : distendre à l'extrême le domaine de l'écriture transitive, utilitaire, en lui permettant d'annexer le roman. Mais la démonstration ne va pas sans surprise. Quand Sartre veut montrer comment le poète envisage les mots, il recourt à l'exemple suivant :

> Florence est ville et fleur et femme, elle est ville-fleur, et ville-femme et fille-fleur tout à la fois. Et l'étrange objet qui paraît ainsi possède la liquidité du *fleuve*, la douce ardeur fauve de l'*or*

> et, pour finir, s'abandonne avec *décence* et prolonge indéfiniment par l'affaiblissement continu de l'*e* muet son épanouissement plein de réserve.

Si peu qu'on l'observe, il apparaît que ce paragraphe se rattache non à un poème mais à une prose romanesque célèbre, *A la recherche du temps perdu* :

> Entre Bayeux si haute dans sa noble dentelle rougeâtre et dont le faîte était illuminé par le vieil or de sa dernière syllabe ; Vitré dont l'accent aigu losangeait de bois noir le vitrage ancien (...) Quimperlé, lui, mieux attaché, et depuis le Moyen Age, entre les ruisseaux dont il gazouille et s'emperle en une grisaille pareille à celle que dessinent, à travers les toiles d'araignées d'une verrière, les rayons de soleil, changés en pointes émoussées d'argent bruni.

Divers lecteurs seront sans doute portés à croire qu'il n'y a là que fortuite rencontre. Nous les invitons à relire, dans *la Recherche*, deux voisins paragraphes qui définissent le raisonnement sartrien sur la *poésie* comme l'exacte réminiscence d'un passage proustien où le *roman* commente ses propres mécanismes. Quelques lignes au-dessus (Pléiade I, p. 388), Proust évoque Parme et, précisément, Florence :

> Et quand je pensais à Florence, c'était comme à une ville miraculeusement embaumée et semblable à une corolle, parce qu'elle s'appelait la cité des lys et sa cathédrale, Sainte-Marie des Fleurs.

Un peu plus haut il propose, pour le fonctionnement du roman, la distinction même que Sartre détourne pour l'employer à la poésie :

> Les mots nous présentent des choses une petite image claire et usuelle comme celles que l'on suspend aux murs des écoles pour donner aux enfants l'exemple de ce qu'est un établi, un oiseau, une fourmilière, choses conçues comme pareilles à toutes celles de même sorte. Mais les noms présentent des personnes — et des villes qu'ils nous habituent à croire individuelles, uniques comme des personnes — une image confuse qui tire d'eux, de leur sonorité éclatante ou sombre, la couleur dont elle est peinte uniformément.

Le roman proustien (nous en donnerons un exemple) s'inscrit foncièrement dans ce rôle *producteur* des mots (le nom propre s'y révèle comme un signe dégagé du signifié autoritaire qui occulte communément l'aptitude productrice du signifiant) par opposition à leur fonction strictement utilitaire. En conséquence nous ne pouvons admettre la distinction sartrienne qui autorisait l'annexion du roman par le langage transitif.

Pour que la démonstration soit complète, il faut toutefois montrer que *la Recherche* n'est pas un phénomène isolé. Relisons donc *la Route des Flandres* de Claude Simon :

> Dans cette robe rouge couleur de bonbons anglais (mais peut-être cela aussi avait-il été inventé, c'est-à-dire la couleur), ce rouge acide, peut-être simplement parce qu'elle était quelque chose à quoi pensait non son esprit, mais ses lèvres, sa bouche, peut-être à cause de son nom, parce que " Corinne " faisait penser à " Corail ".

Souvenons-nous aussi de la confusion que, dans *le Voyeur* de Robbe-Grillet, Mathias établit entre une certaine *Violette* et Jacqueline Leduc dont le *viol* l'obsède. Songeons non moins à Roussel et à Joyce.

D. *Décoration et adjonction.*

A de larges fragments de cette démonstration, Sartre (à la Mutualité) répondit ceci :

> Quand on citait le passage que j'ai écrit sur *Florence*, en prenant le mot dans la mesure où il évoquait des images et non pas dans la mesure où il était signe, et qu'on le confrontait à cette affirmation : " le mot de la prose veut montrer ", on oubliait une note où j'ajoutais que bien entendu, tout ce matériel d'images existe aussi dans la prose; sans cela il n'y aurait pas de style; le style est précisément fait de cela.

La tentative de réduction est nette. Sartre s'efforce de ramener un fondamental processus de production à un rôle stylistique secondaire : une décoration, un adjuvant. Dans *Qu'est-ce qu'écrire ?*, il avançait :

> Tout cela n'empêche point qu'il y ait la manière d'écrire. On n'est pas écrivain pour avoir choisi de dire certaines choses mais pour avoir choisi de les dire d'une certaine façon. Et le style, bien sûr, fait la valeur de la prose. Mais il doit passer

> inaperçu. Puisque les mots sont transparents et que le regard les traverse, il serait absurde de glisser parmi eux des vitres dépolies. La beauté n'est ici qu'une force douce et insensible. (...) Dans la prose, le plaisir esthétique n'est pur que s'il vient par-dessus le marché.

Il fixait aussi la portée du « plaisir esthétique ». Ornement de la thèse, celui-ci en augmente insidieusement l'aptitude à convaincre. En somme, si l'on nous permet, « il dore la pilule » :

> Dans un livre [la beauté] se cache, elle agit par persuasion comme le charme d'une voix ou d'un visage, elle ne contraint pas, elle incline sans qu'on s'en doute et l'on croît céder aux arguments quand on est sollicité par un charme qu'on ne voit pas.

Le processus producteur réduit au style, le style est à son tour contraint au subalterne et au douteux : il est cet adjuvant littéraire dont nous parlions plus haut.

Mais, puisque nous y étions invité, considérons maintenant la note. Sartre y donne ces précisions :

> La prose la plus sèche renferme toujours un peu de poésie (...) Il n'en faudrait pas conclure, toutefois, qu'on peut passer de la poésie à la prose par une série continue de formes intermédiaires. Si le prosateur veut trop choyer les mots, l'*eidos* « prose » se brise et nous tombons dans le galimatias.

Nul doute qu'un tel raisonnement ait permis à plus d'un critique mineur d'accuser maintes pages d'*Ulysse* et de *Finnegan's Wake* de « choyer » trop les mots et d'aboutir au galimatias. L'inculpation d'inintelligibilité traduit un peu trop souvent l'inaptitude à lire pour que nous lui accordions une quelconque valeur critique.

E. *Vocable producteur.*

Dans notre démonstration précédente (III, C), nous avons prétendu que les paragraphes de Proust sur les noms commentaient l'aptitude productrice, dans *la Recherche*, du langage intransitif. Nous devons à présent en fournir la preuve. Les exemples sont innombrables, mais, tant qu'à faire, autant éclaircir un problème demeuré semble-t-il obscur.

Considérons la « séquence » des clochers de Martinville :

l'extase, la page écrite par Marcel, les diverses hypothèses du narrateur, l'expérience voisine des chênes d'Hudimesnil. Dans sa *Lecture de Proust*, Gaëtan Picon y voit l'ébauche interrompue de la théorie proustienne de la métaphore telle qua la développe *le Temps retrouvé.* Comme *ébauche*, elle s'intègre (de manière un peu floue) au système; en tant qu'*interrompue*, elle reste secrète. C'est cette énigme que nous nous proposons de résoudre.

L'un des principaux dispositifs de *la Recherche*, nous le savons, est le rapprochement général de deux horizons inconciliables. Au niveau biographique l'opposition, parmi d'autres, de Swann (déclassé par son mariage avec Odette) et des Guermantes se résorbe en Gilberte, fille de Swann et d'Odette, épouse du Guermantes Saint-Loup. Au niveau du paysage, et selon un parallélisme fructueux, la région de Combray est soumise au même motif. L'*écartement* d'abord :

> Car il y avait autour de Combray deux " côtés " pour les promenades, et si opposés qu'on ne sortait pas en effet de chez nous par la même porte, quand on voulait aller d'un côté ou de l'autre : le côté de Méséglise-la-Vineuse, qu'on appelait aussi le côté de chez Swann, parce qu'on passait devant la propriété de M. Swann pour aller par là, et le côté de Guermantes. (...) Alors " prendre par Guermantes " pour aller à Méséglise, ou le contraire, m'eût semblé une expression aussi dénuée de sens que prendre par l'est pour aller à l'ouest, etc.

Puis le *raccourci* : au début du *Temps retrouvé*, quand plusieurs milliers de pages ont permis les rapprochements innombrables, Gilberte (justement) au cours d'une promenade du côté de Méséglise précise au narrateur :

> " Si vous n'aviez pas trop faim et s'il n'était pas si tard, en prenant ce chemin à gauche et en tournant ensuite à droite, en moins d'un quart d'heure nous serions à Guermantes (...) Si vous voulez nous pourrons tout de même sortir un après-midi et nous pourrons alors aller à Guermantes, c'est la plus jolie façon ", phrase qui en bouleversant toutes les idées de mon enfance m'apprit que les deux côtés n'étaient pas aussi inconciliables que j'avais cru.

Ainsi, Méséglise contenait le *raccourci* secret joignant de prétendues antipodes. Le paysage de Combray pouvait donc se lire comme le schéma du motif central de *la Recherche*. Connaître ce chemin de Méséglise eût été percevoir le fonctionnement même du livre.

Maintenant, nous pouvons comprendre l'extase de Martinville. Loin d'être seulement une désignation usuelle (le narrateur ne s'y rend pas), Méséglise joue le rôle d'un *vocable producteur*. L'interprétation de ses syllabes détermine tout un paysage. Mes églises : les clochers de Martinville, *mes* clochers, ceux qui recèlent le secret de *mon* roman. Dans cette perspective, maints détails s'éclairent : l'éclairage d'abord (seule la lumière du livre finissant pourra éclaircir cette scène), le soudain voisinage de clochers isolés, le sentiment d'une imminence primordiale :

> A un tournant d'un chemin j'éprouvai tout à coup ce plaisir spécial qui ne ressemblait à aucun autre, à apercevoir les deux clochers de Martinville, *sur lesquels donnait le soleil couchant* et que le mouvement de notre voiture et les lacets du chemin avaient l'air de faire changer de place, puis celui de Vieuxvicq qui, séparés d'eux par une colline et une vallée, et situé sur un plateau plus élevé dans le lointain, *semblait pourtant tout voisin d'eux.*
> En constatant, en notant la forme de leur flèche, le déplacement de leurs lignes, l'ensoleillement de leur surface, *je sentais que je n'allais pas au bout de mon impression, que quelque chose était derrière ce mouvement, derrière cette clarté, quelque chose qu'ils semblaient contenir et dérober à la fois.*
> Les clochers *paraissaient si éloignés* et nous avions l'air de si peu nous rapprocher d'eux, que je fus étonné quand, *quelques instants après, nous nous arrêtâmes devant l'église de Martinville.*

Et, puisqu'il ne s'agit guère ici de proposer une étude complète, apportons seulement cette dernière preuve. Le motif central du roman, en la proximité de son substitut, inspire naturellement un texte :

> Sans me dire que *ce qui était caché derrière les clochers de Martinville devait être quelque chose d'analogue à une jolie phrase*, puisque c'était sous la forme de mots qui me faisaient plaisir que cela m'était apparu, *demandant un crayon et du papier au docteur, je composai.*

Ici encore, nous le savons, l'œuvre de Proust n'est pas exceptionnelle. Citons les calembours directeurs du récit dans *la Route des Flandres* (Saumure-Saumur), et les rimes productrices du procédé roussellien.

F. *Style inducteur.*

Quant au style même, l'amenuisement sartrien de son rôle (décoration, adjonction) doit être aussi remis en cause. Une fois encore, c'est Proust qu'il faut relire. Éminente figure de style, la métaphore, en le roman lui-même, est célèbrement saluée :

> On peut faire se succéder indéfiniment dans une description les objets qui figuraient dans le lieu décrit, la vérité ne commencera qu'au moment où l'écrivain prendra deux objets différents, posera leur rapport, analogue dans le monde de l'art à celui qu'est le rapport unique de la loi causale dans le monde de la science, et les enfermera dans les anneaux nécessaires d'un beau style; même, ainsi que la vie, quand en rapprochant une qualité commune à deux sensations, il dégagera leur essence commune en les réunissant l'une et l'autre pour les soustraire aux contingences du temps, dans une métaphore.

Mieux. C'est d'une décisive extension du style qu'il s'agit. La métaphore ne sera plus seulement cette figure qui agrémente de ses prestiges chatoyants le cours d'une prose, elle tendra, au cours d'expériences souvent fondamentales, à ordonner et produire la « substance » même du récit : Madeleine, pavés certes, mais aussi l'Odette botticellienne, la marine alpestre etc.

Sous le nom de *métaphore structurelle*, il nous a été aisé dans une autre perspective (celle de *la Jalousie*, de Robbe-Grillet), d'en suivre le rôle producteur.

En sa précision extrême, le style descriptif n'échappe point à la règle. Il ne s'accomplit guère sans que son exercice ne produise d'incessants effets. Rappelons cet aveu de Flaubert à Feydeau :

> A chaque ligne, à chaque mot, la langue me manque et l'insuffisance du vocabulaire est telle, que je suis forcé à changer les détails très souvent.

Souvenons-nous aussi de cette tentative de panoramique exhaustif qui a induit Ollier, dans *Description panoramique d'un quartier moderne*, à inventer, pour l'aisance de la description, une cloison nue, privée de tout ornement. Ou encore, dans les romans de Robbe-Grillet, de l'augmentation lisible des scènes figées, plus faciles à inscrire, avec l'accroissement de la rigueur descriptive.

G. *L'inflation des choses ou les signes estropiés.*

Ce déplacement étrange, ces détournements curieux, l'occultation en laquelle, dans le roman, est maintenue l'aptitude productrice des vocables et du style, tout cela n'est chez Sartre que la conséquence d'une bizarre doctrine du signe. Ce qui frappe, en elle, d'emblée, c'est une exorbitante inflation des choses. Pour le poète, les mots sont *choses*, les phrases, *objets*. Pour le prosateur, ils sont une transparence dont l'immédiat franchissement conduit aux *choses*.

> En fait, le poète s'est retiré d'un seul coup du langage-instrument; il a choisi une fois pour toutes l'attitude poétique qui considère les mots comme des choses et non comme des signes. Car l'ambiguïté du signe implique qu'on puisse à son gré le traverser comme une vitre et poursuivre à travers lui la chose signifiée ou tourner son regard vers sa *réalité* et le considérer comme objet. L'homme qui parle est au-delà des mots près de l'objet.

La lecture d'un signe prosaïque se définit aussi, pour Sartre, comme la traversée de cette association d'un mot et d'un objet. A la Mutualité, Sartre appelait cet objet, tantôt *signifié*, tantôt *signification* :

> Mais on a oublié que le langage est fait de certains objets qui sont écrits ou oraux, qui sont des objets présents, matériellement présents et qui visent d'autres objets qui ne sont pas là ou qui sont là mais qu'on n'a pas vus, qui sont les signifiés, et qu'on donne à connaître par des signes ces signifiés à d'autres individus.
> Il y a donc le lecteur, qui est l'homme à qui on donne à connaître, par des signes, des significations.

Contestable, sans doute, d'un autre point de vue, la linguistique saussurienne, en proposant un dispositif plus complexe, permet de bien lire la réduction de Sartre. Dans son *Cours*, Saussure précise fortement que " le signe linguistique unit non une chose et un nom, mais un concept et une image acoustique ", ou encore : un signifié et un signifiant. Et, dans ses *Éléments de Sémiologie*, Barthes ajoute, à propos des discussions portant sur le degré de " réalité " du signifié que " toutes s'accordent cependant pour insister sur le fait que le signifié n'est pas " une chose ". Par une confusion têtue entre objet même et signifié, Sartre avilit le triade linguistique (signifiant, signifié, objet même) et transforme les signes en stropiats. Le signe sartrien subit la terrible perte de son signifié (proprement dit), dévoré par l'objet même. Quand Bernard Pingaud, rédacteur à la revue de Sartre, accuse (*la Quinzaine*, nº 42) " l'idéologie " de *Tel Quel* d'être " le refus du signifié ", il réussit donc, remarquons-le, un retournement prodigieusement acrobatique. Nous y reviendrons.

Il faut faire d'abord deux remarques. D'une part, la doctrine sartrienne n'est que la généralisation hâtive d'un cas très particulier : si, à table, quelqu'un demande : " passez-moi le pain ", la pratique " superposition " de l'objet même et du signifié permet au premier d'éclipser l'autre.

H. *Problèmes de la Fiction.*

D'autre part, elle brouille toute théorie précise des spécifiques problèmes de la fiction. Supposons par exemple la fameuse cafetière de Robbe-Grillet :

> La cafetière est en faïence brune. Elle est formée d'une boule, que surmonte un filtre cylindrique muni d'un couvercle à champignon. Le bec est un s aux courbes atténuées, légèrement ventru à la base. L'anse a, si l'on veut, la forme d'une oreille, ou plutôt de l'ourlet extérieur d'une oreille; mais ce serait une oreille mal faite, trop arrondie et sans lobe, qui aurait ainsi la forme d'une " anse de pot ". Le bec, l'anse et le champignon du couvercle sont de couleur crème. Tout le reste est d'un brun clair très uni et brillant.

Loin de se confondre avec tout objet même, la cafetière fictive se livre dans une ambiguïté parfaite. Sans doute, d'une certaine manière, rappelle-t-elle l'objet même, mais, surtout, elle obéit à des nécessités impérieuses. Tandis que l'objet même propose son volume et la profusion indéfinie de ses attributs comme un tout immédiat, l'objet fictif se forme par une succession close de qualités. Les effets de cette différence sont incalculables : ailleurs, nous en avons analysé certains. Notons seulement ici que réunir les attributs épelés en une synthèse rétrospective est à la fois indispensable et inadmissible. S'en contenter (par une hypostase des signifiés qui s'efforcerait de confondre, après coup, objet fictif et objet même) reviendrait à offrir d'abusifs privilèges à l'une des deux grandeurs contradictoires de la fiction. Ce danger menace sans cesse toute lecture : si attentif à l'illusion réaliste (nous l'avons laissé entendre : III, A), Valéry lui-même en a quelquefois été victime.

Ce qui échapperait dès lors, c'est que cette cafetière fictive, par la nécessaire successive distribution des attributs, possède en sa littéralité, en l'étrange temporalisation scripturale qui la compose, l'exacte structure d'un *récit*. Non qu'elle soit prise *dans* un récit et y joue son rôle en le sens où Flaubert disait à Sainte-Beuve :

> Il n'y a point dans mon livre une description isolée, gratuite; *toutes servent* à mes personnages et ont une influence lointaine ou immédiate sur l'action.

Elle est elle-même, déjà, le récit. La cafetière décrite n'est pas seulement un élément utile au récit *le Mannequin*, *le Mannequin* est le récit (d'un séjour labyrinthique et d'une prudente sortie) obtenu par le prolongement descriptif de cette description.

Ainsi l'ordre que choisit la description pour présenter les diverses parties d'un tout, suffit à établir une intrigue. Dans *la Chambre secrète*, Robbe-Grillet en fournit un exemple complexe. « D'abord » : insistant sur la temporalité descriptive, le texte, en dévoilant peu à peu divers aspects d'une scène fixe, met en place l'allure suspensive d'un récit :

> C'est d'abord une tache rouge, d'un rouge vif, brillant, mais sombre, aux ombres presques noires. Elle forme une rosace irrégulière aux contours nets, qui s'étend de plusieurs côtés en larges coulées de longueurs inégales, se divisant et s'amenuisant ensuite jusqu'à devenir de simples filets sinueux. L'ensemble se détache sur la pâleur d'une surface lisse, arrondie, mate et comme nacrée à la fois, un demi-globe raccordé par des courbes douces à une étendue de même teinte pâle — blancheur atténuée par l'ombre du lieu : cachot, salle basse, ou cathédrale — resplendissant d'un éclat diffus dans la pénombre.

Sans doute, *à un moment* de la description, les personnages s'animent. C'est que, en dépit de leur différence fondamentale, la transition est aisée entre l'animation descriptive et la description d'une mobilité. Puis gardant pour la fin un détail décisif, la description produit une chute surprenante comme celle d'un policier suspens :

> Près du corps dont la blessure s'est figée, dont l'éclat déjà s'atténue, la fumée légère du brûle-parfum dessine dans l'air

> calme des volutes compliquées : c'est d'abord une torsade couchée sur la gauche, qui se relève ensuite et gagne un peu en hauteur, puis revient vers l'axe de son point de départ, repart de nouveau dans l'autre sens, pour revenir encore, traçant ainsi une sinusoïde irrégulière, de plus en plus amortie, qui monte, verticalement, vers le haut de la toile.

Ces spécifiques lois de la fiction ne sont pas récentes. D'une manière ou d'une autre, tout écrivain conséquent en tient compte depuis Homère. Celui-ci, par exemple, craignant sans doute que l'animation descriptive vînt perturber son récit, connaissait une technique précise pour la rendre caduque. Lessing, nous le savons, a montré comment, renonçant à décrire d'une traite le costume d'Agamemnon, Homère nous propose les diverses phases d'un habillage par lesquelles la complexité d'un objet statique est transformée en une simple suite d'actions :

> Il revêtit sa belle tunique, fine, neuve, et s'enveloppa de son grand manteau; à ses pieds, il mit sa belle chaussure et attacha son glaive à son épaule par des clous d'argent; puis il reprit le sceptre ancestral et impérissable.

Sachant que, dans une séquence descriptive, toute énumération d'une simultanéité forme déjà la scansion d'un récit, Flaubert s'en sert parfois comme l'annonce secrète du récit lui-même. Dans le premier chapitre de *Salammbô*, à diverses reprises, la description s'ordonne selon une croissante violence. De l'étrangeté :

> Le Grec se reconnaissait à sa taille mince, l'Égyptien à ses épaules remontées, le Cantabre à ses larges mollets. Des Cariens balançaient orgueilleusement les plumes de leur casque, des archers de Cappadoce s'étaient peints avec des jus d'herbes de larges fleurs sur le corps, et quelques Lydiens portant des robes de femmes dînaient en pantoufles et avec des boucles d'oreilles. D'autres qui s'étaient par pompe barbouillés de vermillon, ressemblaient à des statues de corail.

ou du vacarme :

> On entendait à la fois le claquement des mâchoires, le bruit des paroles, des chansons, des coupes, le fracas des vases campaniens qui s'écroulaient en mille morceaux, ou le son limpide d'un grand plat d'argent.

Ainsi prélude-t-elle au récit des violences, du pillage, et mieux, par une subtile mise en abyme, évoque-t-elle, en sa progression, l'ultérieure venue de Salammbô : " des robes de femmes " " des boucles d'oreilles ", " le son limpide d'un grand plat d'argent ".

I. *Le dogme de l'Expression.*

C'est la place même de ce travail de *production*, avec ses aspects innombrables, qu'éclipse la défiguration sartrienne. En le couple mot / objet, c'est l'objet, certes, qui reçoit tout privilège. Ainsi reconnaissons-nous le traditionnel dispositif de l'*expression* : une entité antécédente (objet, idée) " à dire " et " le moment verbal " comme " structure secondaire de l'entreprise ". Peu nous surprend, dès lors, l'appui que découvre le philosophe soudain, dans un très bourgeois *bon* sens :

> Et le bon sens, que nos doctes oublient trop volontiers, ne cesse de le répéter. N'a-t-on pas coutume de poser à tous les jeunes gens qui se proposent d'écrire cette question de principe : " Avez-vous quelque chose à dire ? " Par quoi il faut entendre : quelque chose qui vaille la peine d'être communiqué.

Si, plus que Sartre, nous serrons de près cette question curieuse, une idéologie bien connue, aussitôt, se trouve mise à jour. Votre propriété (Avez-vous quelque chose) mérite-t-elle visite ? (à dire ?) L'interrogatoire, donc, à tout coup, laisse interdit le jeune homme, En effet, selon le mot de Blanchot, il se suppose écrivain à ceci. justement, qu'il n'a rien à dire. Il n'a rien à dire; il a à écrire. Il n'est pas propriétaire d'une richesse intérieure (produit, d'ailleurs, de quel travail ?) qui lui donnerait accès à la parole littéraire, un peu comme la richesse financière, sous la Restauration, avec le suffrage censitaire, donnait droit à la parole politique. Ce qui pourrait rendre compte, semble-t-il, au départ, de son désir d'écrire, serait plutôt la description anticipée du texte à venir. Non, à la façon borgesienne, la critique d'une œuvre supposée écrite, mais l'évocation des fonctionnements possibles, des procédés prévus. Or, s'il est relativement facile de les déduire d'un texte déjà fait, il est en revanche impossible de mesurer à l'avance leur importance respective et les exigences de leurs combinaisons. Écrire, tout écrivain à sa manière l'atteste, est une activité productrice qui se caractérise notamment par la transformation, à mesure, de ses propres bases.

Cette métamorphose, hier encore, *Nombres* de Sollers, n'omettait pas de la signaler. Par tout un lexique du changement (que nous soulignons), une séquence au présent, par exemple, se définissait en l'évolution de son rôle :

> Vous avez sous les yeux la séquence en blanc du présent, *son retournement*, *son renversement* à vivre à la fois (...) c'est-à-dire, d'une *surface à son opposé* (...) c'est-à-dire, *d'un blanc au blanc redoublé*, (...) c'est-à-dire, en définitive, la superposition des scènes, l'émergence et l'*articulation progressive* mais parfaite depuis le début, *l'évolution si on pense un commencement*...

Faisant donc de l'écrivain le propriétaire d'un " quelque chose à dire " le dogme de l'expression occulte bien et le texte et les exacts travaux qui le produisent. Or, débarrassé de cette bourgeoise idéologie, le texte littéraire, malgré l'étrange avis de Sartre :

> D'ailleurs à considérer seulement cette structure secondaire de l'entreprise qu'est le *moment verbal* la grave erreur des purs stylistes c'est de croire que la parole est un zéphyr qui court légèrement à la surface des choses, qui les effleure sans les altérer.

connaît, précisément, diverses aptitudes critiques.

IV. Fonction critique.

En toute occurrence, l'examen critique suppose un objet d'étude et une méthode capable d'en faire surgir certains éléments plus ou moins perceptibles. Quels que soient donc les domaines successivement offerts à sa critique c'est le texte, toujours, par conséquent, qui jouera ce rôle analytique.

A. *Critique du " visible "*.

" Que peuvent les arbres dans les livres contre les arbres du réel ? " demandait Berger. Nous le comprenons à présent : leur critique. Pour reprendre un texte cité, supposons-nous devant ce très simple objet : une cafetière. Notre perception connaît la variété d'une profusion immédiate : c'est un ensemble de caractères qui nous atteint d'un seul coup. Et si nous réduisons le champ visible, demeure, quitte à se faire microscopique, cette simultanéité perceptive. En revanche, la cafetière obtenue par la description de Robbe-Grillet, nous l'avons vu, se montre de tout autre nature. Pour la première, c'est la *coexistence* de la matière, des couleurs, des formes; le fourmillement de mille détails. Pour l'autre, la *succession* irrémédiable d'attributs en nombre nécessairement limités. Loin d'être l'objet d'une attention marginale, chaque élément de la seconde, jouit d'une importance accrue non seulement parce qu'il appartient à un ensemble clos mais encore parce que la lecture, à un moment, est contrainte d'en passer par lui. C'est tout l'intérêt qui se porte, par exemple, obligatoirement, sur ce bec, ce " S " aux courbes atténuées, légèrement ventru à la base. Par rapport à tout objet de référence, la description fonctionne comme une machine analytique dégageant les accidents, variant leur valeur, déterminant un ordre nouveau, fondant une nouvelle économie.

Déjà très sensibles s'il s'agit d'une seule chose, ces phénomènes sont agrandis et multipliés avec des groupes d'objets. Nettement exhaussé de l'ensemble par le rôle analytique de la description, tout caractère (morphologique, par exemple) pourra aisément rimer avec son semblable révélé ailleurs de la même manière. Ainsi, à deux objets de référence fort éloignés dans le quotidien peuvent correspondre, dans un texte, deux objets décrits fermement liés par leur commun attribut scripturalement mis en valeur. Nous savons par exemple que dans *le Voyeur*, Robbe-Grillet joue systématiquement de ces aptitudes :

> C'était une fine cordelette de chanvre, en parfait état, *soigneusement roulée en forme de huit*, avec quelques spires supplémentaires serrées à l'étranglement (p. 10).
> Quatre ou cinq mètres plus à gauche, Mathias aperçut *le signe gravé en forme de huit*.
> C'était un huit couché : deux cercles égaux, d'un peu moins de dix centimètres de diamètre, tangents par le côté. Au centre du huit, on voyait une excroissance rougeâtre qui semblait être le pivot, rongé par la rouille, d'un ancien piton de fer. Les deux ronds pouvaient avoir été creusés, à la longue, dans la pierre, par un anneau tenu vertical contre la muraille, au moyen du piton, et ballant librement de droite à gauche dans les remous de la marée basse.

Si, donc, comme on l'a mainte fois noté, la littérature nous fait mieux voir le monde, nous le révèle, et, d'un mot, en accomplit la critique, c'est dans l'exacte mesure où, loin d'en offrir un substitut, une image, une représentation, elle est capable, en sa textualité, de lui opposer un tout autre système d'éléments et de rapports.

Toute tentative naturaliste qui (par une quelconque doctrine de l'expression ou par l'hypostase d'une rétrospective synthèse fascinée) voudrait substituer à l'objet décrit le simulacre d'un objet quotidien se trompe deux fois. Elle méconnaît d'une part, nous l'avons vu, l'action productrice de la littérature, et d'autre part ce corollaire : sa fonction critique.

Ainsi, non sans paradoxe, en son exercice rigoureux, la description est le plus sérieux adversaire du naturalisme. Tout auteur qui prétend susciter une violente illusion de réalité doit donc restreindre les aptitudes de l'analyse descriptive. Réduisant toujours le dangereux choix descriptif, producteur et critique, à la pure illustration d'un sens clairement défini au préalable, Balzac, par exemple, nous le savons, y est parvenu mille fois. C'est pourquoi il a fait siennes les théories de Gall et Lavater : elles lui permettaient, avant toute description, de déterminer *le* sens du visage. Songeons au portrait de Michu dans *Une ténébreuse affaire* :

> S'il était possible, et cette statistique vivante importe à la Société, d'avoir un dessin exact de ceux qui périssent sur l'échafaud, la science de Lavater et celle de Gall prouveraient invinciblement qu'il y avait dans la tête de tous ces gens, même chez les innocents, des signes étranges. Oui, la Fatalité met sa marque au visage de ceux qui doivent mourir d'une mort violente quelconque ! Or, ce sceau, visible aux yeux de l'observateur, était empreint sur la figure expressive de l'homme à la carabine. Petit et gros, brusque et leste comme un singe, quoique d'un caractère calme, Michu avait une face blanche, injectée de sang, ramassée comme celle d'un Calmouque et à laquelle des cheveux rouges, crépus, donnaient une expression sinistre...

Il faudra recenser un jour les innombrables procédés par lesquels les romanciers sont souvent tentés d'éclipser et réduire le rôle producteur de l'écriture.

B. *Critique de l'imagination.*

A chaque fois qu'un texte se dissimule ainsi comme texte en se voulant une transparence ouverte sur un sens institué au préalable, nous assistons à une tentative *d'illusionnisme*. En ses avatars, l'entité antécédente joue tantôt la naïveté (elle s'assimile au " réel "), tantôt la ruse (elle se dit imaginaire). Dans un curieux paragraphe de *Pour un nouveau roman*, Robbe-Grillet, passant de l'un à l'autre, ne semble guère percevoir que cette métamorphose, loin de changer l'essentiel, a pour fonction de masquer la pérennité du schéma :

> Il m'est arrivé comme à tout le monde, d'être victime un instant de l'*illusion réaliste*. A l'époque où j'écrivais *le Voyeur*, par exemple, tandis que je m'acharnais à décrire avec précision le vol des mouettes et le mouvement des vagues, j'eus l'occasion de faire un bref voyage d'hiver sur la côte bretonne. En route je me disais : voici une bonne occasion d'observer les choses " sur le vif " et de me " rafraîchir la mémoire "... Mais dès le premier oiseau de mer aperçu, je compris mon erreur : d'une part les mouettes que je voyais à présent n'avaient que des rapports confus avec celles que j'étais en train de décrire dans mon livre, et d'autre part cela m'était bien égal. Les seules mouettes qui m'importaient à ce moment-là, étaient celles qui se trouvaient dans ma tête.

A moins d'oublier résolument qu'elle est le produit d'un texte, la mouette décrite, en ses particularités, ne saurait mieux se confondre avec une image mentale qu'avec un animal même. En un sens, textuel et imagination sont deux grandeurs contradictoires. A niveau d'écriture, le texte ne se fait qu'en refusant d'exprimer un imaginaire. A niveau de lecture, par la permanente rigueur de sa littéralité, il rappelle à l'ordre les hypostases qu'à partir de lui l'imagination tente toujours d'établir. Ce n'est pas le recours à un imaginaire plus ou moins débridé qui définit la littérature, c'est le degré d'activité d'un texte. Ainsi le label roman, lié à l'idée de fabulation, n'est-il nullement un gage certain de littérature. Notons donc, en passant, que la goguenarde interrogation de Claude Roy à propos de la célèbre romancière américaine :

> Est-ce que Mary Mc Carthy est un écrivain lorsqu'elle écrit ses romans ou ses essais et un écrivant lorsqu'elle écrit son " reportage " retentissant sur le Vietnam ?

était donc assez loin de préciser le problème.

C. *Critique des langages coercitifs.*

Activité productrice, la littérature est par définition libre de tout sens précédant sa pratique : sauf à trahir, elle n'en saurait servir aucun. Suite d'un patient travail sur le langage, elle entend former les plus complexes ensembles de signes entrecroisés. Ainsi ne suppose-t-elle guère cette lecture courante en laquelle une transparente prose offre aussitôt son intelligibilité. Elle exige plutôt un acte de déchiffrement qui considère le texte, en son tissu, comme le lieu du permanent problème. Dès lors, pas d'illusionnisme ; point d'accès direct au sens à travers un discours invisible. Le sens déchiffré se définit toujours, irrécusablement, comme un effet du texte. En somme, *déchiffrer*, c'est avoir franchi deux analphabétismes : le premier, visible (on ne sait pas lire), perçoit un texte et pas de sens ; le second, caché (on croit savoir lire), un sens et pas de texte. C'est percevoir sens et texte, savoir se rendre sensible à toutes procédures de production.

Rompu à cet exercice, le déchiffrement sera capable de démasquer aussitôt tous langages coercitifs, en lesquels maints pouvoirs producteurs sont détournés et asservis pour venir insidieusement renforcer les " idées " qu'on souhaite répandre, ou (comme disait Sartre de la beauté) pour incliner " sans qu'on s'en doute ". Continûment attentive au texte et à ses effets, cette seconde lecture saura répertorier les adjuvants poétiques, démasquer les rhétoriques honteuses qui agissent dans les langages pipés. Formant tels lecteurs, la littérature exerce, marginalement, une permanente critique des propagandes, des publicités.

Ainsi n'est-il guère pour nous surprendre que ce soit dans un chapitre intitulé *Linguistique et Poétique*, que Jakobson analyse un slogan politique :

> Les deux colons de la formule I like / Ike riment entre eux, et le second des deux mots à la rime est complètement inclu dans le premier (rime en écho), / layk / - / ayk /, image paronomastique d'un sentiment qui enveloppe complètement totalement son objet. Les deux colons forment une allitération vocalique, et le premier des deux mots en allitération est inclu dans le second : / ay /- / ayk /, image paronomastique du sujet aimant enveloppé par le sujet aimé. Le rôle secondaire de la fonction poétique renforce le poids et l'efficacité de cette formule électorale.

Sans accomplir une étude aussi experte, songeons cependant à la récente phrase publicitaire par laquelle la nouvelle variante d'une lessive entend s'imposer : " *Les sept taches* terribles *capitulent* ". Elle s'établit comme une approximative rime de : " *Les sept péchés capitaux* ". Par cette association phonétique, la poudre est investie d'une vertu latérale : elle devient apte à opérer un baptême. Tremper un linge en cette détergente solution permettra de se livrer à une purification double, physique et morale : un nettoyage, une ablution. La force persuasive de la formule s'appuie ainsi, par le biais d'une rime, sur les certitudes d'un catéchisme. Le consommateur aura accès à l'intégrité du Booz hugolien, il sera " vêtu de probité candide et de lin blanc ".

Sensible aux falsifications par la rime (cette métaphore des signifiants), le déchiffrement percevra non moins les travestissements par la métaphore (cette rime des signifiés). Nous avons déjà noté, avec le catch (II, A), l'usage que Claude Roy n'a pas dédaigné d'en faire. Un journaliste, Denis Lalanne, non sans une surprenante démesure, s'est plu à en donner l'exemple inverse, dans *l'Équipe* du 17 juin 1968, à quelques jours des élections. En cette nouvelle allégorie, le sport joue le rôle non plus d'un comparant, mais d'un comparé. Nous assistons non plus à la dépréciation d'un élément intérieur à un discours sur la littérature (certains écrivains), mais à la valorisation d'un élément extérieur à un discours sur le sport (le gaullisme) :

> En marge des événements que nous vivons, il s'est d'ailleurs passé, hier, dans ce stadium toulousain rafraîchi par un orage *providentiel des choses qui vont bien dans le sens de l'histoire.*
> Au début, l'*énorme participation populaire* fut incontestablement dominée par le fracas des supporters toulonnais (...) Sur la grande avenue du rugby, *le grand parti de la crainte s'était réveillé !* Et, comble de bonheur, sur la touche gagnée au 10 mètres toulonnais, Gachassin passa là-dessus son drop-goal, manière à lui de faire *le petit discours que le peuple espérait* (...) Alors, *comme un seul homme*, le public toulousain, *le parti de la crainte*, cria sa joie (...) On eut bien la démonstration que ceux qui crient le plus fort pour condamner les représentants du beau jeu, pour acclamer un rugby bête et méchant, ne sont pas les plus nombreux. Dans l'ombre et sans fracas, *la majorité des fervents ne cesse d'espérer* (...)
> Des supporters toulonnais " *katangais* " dans l'âme, et qui représentaient bien pâlement leur brave équipe, s'en prirent *salement à un service d'ordre pourtant peu belliqueux et animé des meilleures intentions.* Mais lorsque la troupe toulonnaise fut enfin mise en déroute, l'on vit toute une fraction du public, restée à son poste d'observation, acclamer *les gardiens de l'ordre.*

Par cette métaphore sans cesse résurgente, les habituels lecteurs du journaliste (plus ou moins adeptes, donc, de sa conception du rugby) sont insidieusement invités à en tirer la leçon : un bulletin de vote.

Notons enfin qu'à l'opposé de toute inflation obscurantiste des choses, le déchiffrement, par son extrême attention au texte, tend à faire partout paraître l'aptitude contraignante des signes. Le bifteck, les frites, le vin, le lait, la nouvelle Citroën, les photographies électorales forment une collection étrangement diverse d'objets ; pourtant, dans ses *Mythologies*, Barthes a su les lire comme systèmes sémiologiques :

> Combien, dans une journée, de champs véritablement *insignifiants* parcourons-nous ? Bien peu, parfois aucun. Je suis là, devant la mer : sans doute, elle ne porte aucun message. Mais sur la plage, quel matériel sémiologique ! des drapeaux, des slogans, des signaux, des panonceaux, des vêtements, une bruniture même, qui me sont autant de messages.

Ainsi est-il possible de répondre à l'étrange question de Claude Roy :

> Quand Roland Barthes lui-même démonte, dans *Mythologies*, les mystifications de la société dans laquelle nous vivons serait-il donc un écrivant ?

Ce travail de Barthes repose sur deux notions capitales. Premièrement, " le mythe est une parole " ; deuxièmement, le schéma sémiologique du mythe est de même type que celui de la littérature. Relisons en effet, *le Mythe d'aujourd'hui* :

> On retrouve dans le mythe le schéma tri-dimensionnel dont je viens de parler : le signifiant, le signifié et le signe. Mais le mythe est un système particulier en ceci qu'il s'édifie à partir d'une chaîne sémiologique qui existe avant lui : *c'est un système sémiologique second*. Ce qui est signe (c'est-à-dire total associatif d'un concept et d'une image) dans le premier système, devient simple signifiant dans le second.

et *Éléments de Sémiologie* :

> On dira donc qu'*un système connoté est un système dont le plan d'expression est constitué lui-même par un système de signification* ; les cas courants de connotation seront évidemment constitués

> par les systèmes complexes dont le langage articulé forme le premier système (c'est par exemple, le cas de la littérature).

Ainsi, Barthes apporte-t-il l'un des dispositifs qui permettent de comprendre pourquoi chaque lecteur apte à déchiffrer la littérature, a la possibilité de démasquer le langage coercitif du mythe.

D. *Critique des langages " neutres "*.

Ce qui est mis en cause, donc, aussi, par la littérature et la lecture qui s'en fortifie, c'est toute idée d'un langage naturel, innocent, transparent. Non moins que la préciosité, le naturel est le fruit d'un précis labeur qui ordonne une certaine syntaxe, un lexique déterminé, bref un ensemble d'artifices. Il n'y a pas de langage " neutre "; point d'innocent paradis de l'écriture. Pour tout message, la littérature nous apprend à considérer avec soin, et peut-être circonspection, le système de signes qui le produit.

La définir comme expression d'un " quelque chose à dire ", c'est prêter à la littérature un statut fallacieusement proche du reportage. A l'inverse, nous semble-t-il, la littérature nous incite à considérer tout reportage comme un morceau de littérature *dérivée* et à mettre l'accent sur les nécessaires procédés qui tissent le texte. Ce qui apparaît dès lors, précisant notre première approximation (II, B), c'est que, loin de l'innocence, tout reportage est condamné à user d'adjuvants ou de " déformants ". Reconnaître cette malédiction permet au lecteur de dépister les effets de texte, à l'auteur de comprendre qu'il doit en restreindre la portée par un contrôle permanent.

Nous familiarisant avec le jeu complexe de ses procédés, la littérature critique en somme l'illusion du dictionnaire. Les mots, nous assure-t-elle, ne *possèdent* pas un groupe de sens clos. Le texte n'est pas un espace neutre où viennent s'assembler des sens inaltérables ; c'est un milieu de transformation, une machine à changer les sens. Ainsi, dans *le Scarabée d'or*, par exemple, en renforçant des constellations de termes (familiarité des signifiés : soleil, scarabée, trésor ; des signifiants : old, gold), Edgar Poe permet en tous lieux du texte leur désignation réciproque, et change le domaine sémantique de chacun. Évidemment réinvesti dans l'économie globale, le produit de cette métamorphose y provoque de nouvelles réformes. Par cette généralisation absolue, la rassurante banale idée que l'assemblage des mots *fixe* le sens de chacun (je *bois* ; le *bois*) se retourne en une inquiétante dynamique. La littérature incline à considérer avec une incessante suspicion les langages prétendument neutres qui postulent la candeur d'un sens *coagulé*.

E. *Critique de l'* " *Université* ".

Elle conteste non moins les institutions qui commercent avec elle. A sa lumière, diverses coutumes universitaires, notamment, ne laissent pas de surprendre. Nous savons par exemple qu'une œuvre ne peut fournir la base d'une thèse d'État que si la mort de l'auteur étudié est enfin acquise. Étrange paradoxe qui incline le chercheur à souhaiter l'extinction, précisément, du travail qu'il apprécie. La meilleure raison de cette bizarrerie, sans doute, est la prudence extrême. En effet cette procédure offre au moins deux avantages. Laissant la durée établir ses décantations, elle élude toute responsabilité de choisir, dès leur sortie, les ouvrages dignes d'intérêt. Hélas, à vouloir éviter un peu trop tels périls, tout un enseignement littéraire avoue son impuissance à reconnaître la littérature en sa fraîcheur. Ici, l'Université est en deçà de l'Académie qui, n'attendant pas tout à fait la mort de ceux qu'elle immortalise, accepte de se tromper jusqu'à ne s'en priver guère. Le second bénéfice, c'est le report statistiquement lointain de l'examen des textes. En la douceur de ce retard confortable, il sera possible, peut-être, en les exhumant, de respirer le suave culturel parfum qui les dissipe.

Ce qui frappe, aussi, c'est que, loin d'être mises en circulation, les copies d'examens supérieurs subissent l'abolition différée d'un entassement en d'obscures archives. Ainsi avoue-t-on à quel point, hors le contrôle de certaines connaissances, sont dérisoires, nécessairement, ces myriades de lignes. Certes, nous fera-t-on noter, *le Figaro littéraire* se plaît à divulguer, rituellement, les majeures copies du Concours Général. C'est que nulle prose n'est mieux capable de rassurer la clientèle de cette publication académique.

Car la littérature, cet inverse de l'expression, est seule en mesure, probablement, de contester *aussi* certains principes au nom desquels on a critiqué, en mai et juin, l'ordre universitaire. Ce qui a été surprenant, surtout, c'est l'inflation paroxystique du dogme de l'expression. Sans doute le terme connaît-il une faveur croissante : jusqu'à *l'Équipe* qui nomme " s'exprimer ", maintenant, l'acte de pédaler sur les routes. Mais il y a lieu, peut-être, de s'étonner que ce vocable ait si bien prospéré chez les étudiants comme les représentants de la plupart des partis. Sans doute les jeunes gens ont-ils voulu retourner leur rôle passif d'auditeur des cours *ex-cathedra* en l'activité d'une expression par la prise de parole. Hélas le romantique désir de s'exprimer, loin de s'opposer à l'enseignement archaïque, est son parfait complémentaire. Au cours magistral, en lequel une Vérité est censée *remplir* l'esprit d'un auditoire, correspond exactement l'idée d'expression par laquelle (comme on exprime le jus d'un citron) l'esprit se *vide* de son contenu. Réussir à l'examen c'est précisément, semble-t-il, établir une concordance : savoir se vider de ce qui a rempli. Dans les exigences étudiantes, c'est l'Autorité et ses coercitions qui sont surtout mises en cause, non pas encore, fondamentalement, le principe réactionnaire par lequel les travaux du texte sont occultés. Sauf constant recours aux vertus critiques de la littérature, il est difficile à des esprits façonnés par un enseignement bourgeois de s'arracher aux dogmes qu'ils tentent de combattre.

F. *Critique de la littérature.*

Tout désir d'*arrêter* la littérature, à une date ou une autre, est symptôme de caducité. Ériger cette inaptitude en principe revient à fournir à l'obscurantisme les pouvoirs d'une institution. Sau- exceptions, donc, précisément, il ne faut guère attendre d'une Université qui persisterait dans les candides délices d'une littérature un peu trop antépénultième. A cette critique restrictive appuyée sur une consommation retardataire s'oppose une critique rétrospective définie par la production actuelle : celle que la littérature, à chaque instant, exerce sur la littérature.

Dans une intervention au Colloque sur la Critique (de Cerisy), Jean Rousset remarquait :

> La critique de Proust est une critique de superposition des œuvres. Il emploie, je crois, ce terme à propos de Hardy. C'est, en effet, une méthode extraordinairement féconde et il est l'un des premiers à l'employer systématiquement. Elle est couramment employée maintenant, et par ceux qui ne se réclament nullement de Proust (...). Il n'y a que lui qui ait pu voir cela, cette critique n'a absolument rien de scientifique, elle implique l'intuition d'un sujet particulier qui est Proust.

Telle intuition, nous le savons, n'est pas inexplicable : elle est le verso critique d'un des principes producteurs de *la Recherche*. A toute superposition des niveaux destinée à faire surgir des points communs correspond le procédé de la métaphore structurelle où un point commun met en communication des niveaux variés. C'est en son travail du texte que Proust a trouvé son intuition critique. Dans son exposé *Raisons de la Critique pure*, Gérard Genette, pour sa part, ajoutait :

> Comme on l'a déjà dit bien souvent, l'écrivain est celui qui ne sait et ne peut penser que dans le silence et le secret de l'écriture, celui qui sait et éprouve à chaque instant que lorsqu'il écrit, ce n'est pas lui qui pense son langage, mais son langage, qui le pense, et pense hors de lui. En ce sens, il nous paraît évident que le critique ne peut se dire pleinement critique s'il n'est pas entré lui aussi dans ce qu'il faut bien appeler le vertige ou, si l'on préfère, le jeu, captivant et mortel, de l'écriture.

D'une autre manière, en son exercice, la littérature inflige à la bibliothèque d'incessantes perturbations. Elle vieillit l'académisme contemporain. Comment se nomment, massifs en leur succès d'alors, la plupart des diplodocus dont Sainte-Beuve se plut à parler, innombrablement, en des lundis qui omirent un peu trop Baudelaire ? Nous l'ignorons : les textes de Baudelaire les ont périmés. C'est par exemple dans les livres que la glorieuse philosophie aéronautique de Saint-Exupéry a éclipsés, qu'il faut chercher ceux qui, déjà, le font disparaître. Pour le passé, inversement, déchirant la grisaille culturelle, elle révèle d'étranges constellations avec, toujours, leurs astres sombres. Le Surréalisme : Sade, Swift, Fourrier, Lichtenberg, Lautréamont, Rimbaud, Brisset, Roussel. Le « Nouveau Roman » : Flaubert, Poe, Proust, Joyce, Roussel, Kafka, Borges. Tel Quel : Dante, Sade, Lautréamont, Mallarmé, Roussel, Artaud, Bataille. Seul l'académisme, par définition, ignore cette permanente ré-évaluation. Ce n'est pas *l'Iliade* qui peut expliquer *Personnes* ou *Nombres* par exemple. C'est le roman de Baudry ou celui de Sollers qui peut permettre une nouvelle lceture du texte d'Homère.

Enfin, la fiction, nous l'avons vu, est soumise à deux mobiles contraires : l'un illusionniste, tend à réduire la présence du texte en fascinant le lecteur avec des événements. Ainsi arrive-t-il à Homère de dissimuler la nécessaire succession descriptive sous une contingente suite de gestes. Pour cette diversion, le récit se veut surtout, selon la formule, l'écriture d'une aventure. Inversement, s'il choisit de décrire une simultanéité, Flaubert fait paraître, pure et toute succession anecdotique, le mouvement descriptif lui-même. Pour cet index, le récit s'offre plutôt comme l'aventure d'une écriture. L'action critique de la littérature, nous le comprenons, est liée à ce lent, difficile, périlleux surgissement. Sans doute nul texte n'est-il vraiment homogène. Mais nous pourrons juger de son rôle dans la mise à nu de l'écriture refoulée à l'importance qu'il accorde aux diversions ou aux index, bref à la place qu'il occupe par rapport au concept de représentation. Sous cet angle, trois tendances enchevêtrées se partagent le texte, qui peut se définir par la plus influente. L'illusionnisme représentatif de style balzacien. La tendance à l'*autoreprésentation* du « Nouveau Roman », par laquelle le récit, notamment en l'intense effet de la mise en abyme qui retourne la fonction représentative, se désigne mille fois lui-même. La tentative d'*antireprésentation* pratiquée à Tel Quel et très sensible dans *Personnes* et dans *Nombres*. C'est, par exemple, le violent remplacement du personnage par de parfaites personnes grammaticales rebelles à toute appropriation représentative. Le signifié n'est alors nullement refusé (comme l'affirmait Pingaud un peu vite) mais soumis mot à mot, par le jeu de l'écriture, à une permanente critique qui l'empêche de coaguler et de cacher le travail qui le forme. Ainsi, au centre de la littérature, l'écriture est la contestation même. C'est ce pouvoir critique, on s'en doute, en la littérature toujours travestie, qui est si sévèrement occulté.

Jean Ricardou.

QUESTIONS
SUR LES RÈGLES DU JEU

Si écrire sur le fait d'écrire est aussitôt osciller entre la réduction systématique et la sacralisation indue — entre le mode d'emploi d'une activité délimitée et la description métaphorique d'une pratique ineffable, pourquoi écrire sur le fait d'écrire ?

Pourquoi, si l'on écrit, faut-il écrire sur le fait d'écrire ?

Parce qu'écrire est un jeu. Si l'on voit quel jeu — *le* jeu, il faut écrire, et il faut écrire sur le fait d'écrire.

Écrire n'est pas une occupation ineffable — n'est pas une exploration lointaine. Il n'y a qu'un monde, écrire se fait dedans (avec le monde, avec ses morceaux). Écrire n'est pas sauter dans un texte séparé qui emporte loin d'ici, mais passer d'un point à l'autre, d'un point à l'autre *qui sont là*. Écrire n'est pas un domaine réservé; n'est pas plus sur un papier, avec une plume, qu'ailleurs, que partout.

Mais ce n'est pas non plus une activité englobante et réductible — c'est pourquoi écrire sur le fait d'écrire peut devenir une parenthèse qui cache ce fait principal : qu'écrire, c'est se heurter d'abord à l'impossibilité d'écrire. Ou plus exactement, qu'écrire a lieu entre deux impossibilités : celle de la pensée, celle du texte même.

L'impossibilité de la pensée se découvre dans l'arrêt de toute pensée "libre", "de bonne volonté". L'expérience de l'écriture est expérience de la *barre*, en avant de la pensée, qui interdit toute pensée *première*. Il se produit un écho *à l'envers*, et c'est entre les deux coups qu'écrire se passe — le premier produit rétrospectivement à partir du deuxième; le temps linéaire ne fonctionne plus; l'avant et l'après ne se distinguent que par leur fonction spatiale (" l'avant et l'après se font tour à tour suite et place "). Toute écriture est répétition — mais non répétition de quelque chose hors d'elle, puisque c'est écrire qui constitue la barre, et se donne l'impossibilité de la pensée. Ceci est le geste.

A partir de là comment se développe la suite ? Pourquoi une suite ? — pourquoi ne pas arrêter le geste à ce cogito négatif, à l'énonciation de l'impossibilité, comme elle se présente. Parce que tout est aussitôt précipité dans le déchet de la pensée. Tout texte est provisoire, résidu tombé de sa propre suite. Une réactivation est nécessaire : la suite; ainsi écrire est le contraire d'une substance stable : acte repris, relancé de l'avant vers l'arrière, tirant. Activité séparée par une quantité de morts intermédiaires : expérience de l'odeur de la décomposition immédiate (contraire de la pensée pure, linéaire); rien n'est « en embryon », rien n'est à développer; rien n'est définitivement né.

C'est pourquoi le texte ne peut pas exister : le texte figé sur une page : « poésie », éternisation hypothétique d'un résultat, unitaire, global, opaque. L'écriture est fragmentaire. Par annulations répétées, elle est institution d'un « autre jeu ». La « Poésie » produit une sacralisation *a priori*, parce que le poème se donne comme reflet d'une expérience autoritaire : substance s'irradiant (substantifs) (parfois les poésies de Bataille par les substantifs chargés par l'allusion à un avant suggéré, opèrent cette sacralisation du genre poésie qui est en même temps dévaluation du texte : rien ne s'y passe; tout s'est passé avant).

Rien ne se passe, ni avant, ni après, sinon un passage renouvelé. Écrire n'est pas le substantif, mais la syntaxe vive, les articulations (les particules, les conjonctions « logiques »), *discours* qui se cherche, impossible, et impossible à penser hors de là où il est. Et là, justement parce qu'il n'y a pas d'avant privilégié, tout compte : dans la page, dans les espaces visibles, tout se lit; mais dans la multiplicité des lectures qui se superposent en même temps, essayer de déjouer les lectures *a priori* qui s'imposent (déjà le jeu devient « déjeu », lecture de la lecture du jeu, théorie).

Écrire c'est faire l'expérience de la discontinuité, ni Pensée, ni Poésie (mais il ne s'agit pas de la discontinuité temporelle — il ne s'agit pas des intermittences psychologiques, ni du recensement des moments privilégiés). Proust — en dessous de l'accent mis sur le « temps » — désignait l'interpénétration du temps et de l'espace (rejaillissement de l'un sur l'autre), liée à l'opération principale de l'écriture, comme genèse d'objets non stables, points de rencontre, « mélanges »; ce qui est la fonction de la fiction narrée. Le *récit* se sert de fictions, sans choix d'origine (réciter est se réciter) mais l'opération du récit, catalogue de fantasmes, ne s'arrête pas là ; il procède ensuite (en même temps) à l'après-récit : au retournement du fantasme — retournement qui n'est pas symétrique, qui n'est pas l'image inverse du fantasme (il serait alors pareillement, également, entièrement fantasme); il regarde les abords : le paquet, la ficelle du fantasme. Course d'allure psychotique (passant dans la psychose, mais en allant encore plus vite qu'elle, en changeant, autant que possible, plus vite qu'elle, de lettre, de texte). (La ressemblance d'allure peut servir à ce moment à une nouvelle sacralisation qui défigure : la malédiction (la Folie), ajoutée à la malédiction (la Pensée refusée), donnant l'innocence — façon de désarmer le discours (ou non-discours)). Mais ceci n'est pas encore l'écriture.

L'écriture a lieu quand l'ensemble (du je) devient jeu. Quand y a-t-il jeu ? Jamais complètement, puisque tout texte est un reste. Il n'y a pas de reste dans le jeu, le fonctionnement est intégral. Donc, tout texte est en retard sur le jeu effectif — mais ce retard n'est pas chronologique. Puisque ce qui est en jeu, ce ne sont pas les objets, c'est la pensée même.

Le jeu, pris dans le texte, est fonctionnement, et, en même temps, *mise en jeu*. Il n'y a pas d'objets de la pensée, pas d'instruments. L'assiette aussi se mange; d'où ce qui se mange n'est plus ce qui se mange, mais, de façon inévitable, l'assiette de sa propre assiette. On assiste à l'échange généralisé des propriétés — à l'anagramme, nom indéfiniment fragmenté, comme le corps fragmenté de Dionysos, mais sans aucun centre. Quel nom ? Aucun phonème privilégié, mais la chaîne, le fonctionnement en écho répété, la " rime ".

Écrire se fait avec des fantasmes, de l'idéologie partout. Sans en sortir. Et pourtant, se touche d'un coup le pur " côté extérieur " : c'est qu'écrire ne purifie pas, ne démasque pas, mais *fait jouer* les idéologies (ici se voit l'aspect " contre nature " de l'écriture : les idéologies ne jouent pas toutes seules). En même temps c'est là qu'il ne faut pas s'arrêter : si ce jeu ne fait pas la théorie du jeu, il se referme, il devient " petit extérieur " à l'intérieur de " grand intérieur " : bulle d'air dans l'idéologie, oasis prévue, localisée, ressource du désert qu'elle contredit, sa propriété cachée. Persée, ayant tué dans l'air la Méduse, — la fixité — collabora plus tard, accessoirement, au meurtre de Dionysos; pour n'avoir pas lu ce qu'il faisait, pour n'avoir pas fait la théorie de son jeu.

Le jeu en jeu dans l'écriture ne peut pas se fixer un espace; il faut entrer et sortir, recommencer la sortie : c'est la théorie qui brise la sphère enfermante, provisoirement — la sphère attire le jeu : suspendu, ensemble d'échanges partout établis, il se fige s'il ne se pense pas à mesure dans son ensemble; la théorie le traverse, c'est la théorie qui le réactive, qui le fait donc, entre la mort et la naissance, là où il est.

Le récit, dans le jeu, regarde la continuité circulante, noire; mais il ne vient pas d'elle, il ne commémore rien. Charge, décharge; articulation. La fable a fonction de syntaxe, la syntaxe est récit dans le récit : les axes mêmes s'échangent. Le texte entier est un tout instable — par rapport aux textes, il est contexte pour un texte futur, il a transformé le texte précédent en contexte — et le texte premier n'est que par sa lecture comme contexte pour (par) le texte second. Échange rapide, multiplication des surfaces; chaque phrase est une *citation*, c'est-à-dire, a été transportée sur cette surface où elle est, venant d'une autre surface qu'elle apporte de biais, ce qui se voit est le recoupement de plus en plus possible et de plus en plus net des surfaces différentes : c'est la différence qui est à chaque fois le reste, dans chaque opération (si elle recommence) et se reprend ailleurs.

Ce que peut faire ce jeu, ce sont des actes qui s'inscrivent comme des lois : "à chaque fois"... Que chaque point particulier, "concret", soit en même temps geste de loi (provisoire) — saisissables seulement là.

Il y a donc un certain point — mobile — à retrouver, à retraverser, où écrire et écrire sur écrire se touchent, se rejoignent (sinon, écrire se remplit de son avant illusoire, entre dans le temps sans le blesser, ignore l'espace, fige ce qu'il trouve; sinon, les règles du jeu ne s'ouvrent pas au " hors jeu ", ne préparent pas la chute, la terre, le heurt qui annulent les règles du jeu).

De temps en temps, les lois se croisent avec leurs applications...

Jacqueline Risset.

PREMIÈRE APPROCHE DE LA NOTION DE TEXTE [1]

La brève étude ici publiée a d'abord été présentée au cours des discussions organisées l'an dernier par la Nouvelle Critique, *et auxquelles ont participé des collaborateurs de la revue et des membres du comité de rédaction de* Tel Quel (*cf.* N.C., *n°* 8-9). *Ces discussions s'étaient donné, entre autres buts, celui de poser le problème de la* production *littéraire, de son concept, de ses modalités propres, etc. C'est en introduction à l'examen de ce problème que fut donc communiquée cette analyse de la notion de* texte : *le texte en effet, en tant que seul résultat (même provisoire) d'une production, seule trace d'une écriture, constitue la seule réalité à partir de laquelle pourra être entrepris le travail de réflexion s'attachant précisément au concept de sa production. Tout est à lire dans les textes, y compris le fonctionnement de la pratique qui les produit.*

Cette communication ne se donnait donc pour tâche que d'introduire à des discussions, et à ce titre ne prétendait nullement ni à l'exhaustivité quant à l'examen de la question, ni à la nouveauté absolue quant aux thèses présentées ; bien au contraire, on s'y proposait essentiellement de risquer quelques définitions et d'établir ainsi une sorte de synthèse à partir de recherches relativement anciennes (notamment celles des formalistes russes) et d'autres plus actuelles.

Cela dit, on a repris ici cette communication sans lui apporter de modifications, préférant la ponctuer, lorsque cela était nécessaire, de remarques faisant état de lectures plus récentes, ou soulignant des points de discussion importants.

1. Publié dans *la Nouvelle Critique*, n° 11, sous le titre "Texte, structure, histoire".

Il semble qu'on puisse commencer par définir le texte comme être ou *fait* de langage; il n'existe qu'en tant qu'être ou fait de langage, et à ce titre apparaît à la fois comme résultat d'une mise en œuvre (d'une production, d'une pratique d'écriture) et comme justiciable d'une analyse (pratique d'ordre linguistique) renvoyant aux autres types d'analyse du langage.

Mais justement : si le texte se définit comme fait de langage, *quel* est *son* langage ? Dans la mesure où il est à la fois, c'est-à-dire *contradictoirement*, *le* langage et une *certaine* forme de langage, liée, disons pour aller au plus vite, à une certaine utilisation du langage, *quel* est le *statut* de son langage (c'est-à-dire son mode d'activité, son organisation interne / externe, sa structuration propre et son efficace dans leur relation mutuelle, ou encore son mode de fonctionnement et sa fonction) ? En particulier, et puisqu'il vient d'être fait mention des autres types d'analyse du langage, qu'en est-il exactement du texte comme fait d'*écriture*, comme texte *écrit* et non *parlé* ?

> *Remarque I :* Question sans doute capitale, qui sera évoquée beaucoup plus longuement par les études à venir, particulièrement par celles de Julia Kristeva. Du parlé à l'écrit s'établit-il un simple rapport de substitution, l'écrit n'étant que du parlé symboliquement noté sur une surface, et renvoyant à celui-ci comme à sa vérité première, originaire ? Ou la différence, comme il semble en effet, qui joue déjà de l'un à l'autre, institue-t-elle l'espace d'une pratique irréductible au seul déploiement d'une parole, et donc à étudier en tant que telle ? La référence s'impose ici, bien sûr, aux travaux de J. Derrida publiés cette année.

Toutes ces questions sont en effet à poser, en raison de la situation du texte par rapport au langage :

— dans la mesure, en particulier, où le langage déborde du texte de toutes parts, déborde du livre (cette idée qui me semble importante sera formulée plus loin avec plus de rigueur); dans la mesure où le texte ne saurait enfermer le langage à l'intérieur de ses propres limites;

— dans la mesure, également, où le langage est le bien commun de tous les locuteurs / auditeurs, ou scripteurs / lecteurs, d'une langue donnée; dans la mesure, donc, où le texte fait référence à cette langue, à son lexique, aux règles qui gouvernent la mise en œuvre de ce lexique (syntaxe de la langue, sa grammaire), dont la possession désigne, comme on sait, la *compétence* du couple Destinateur / Destinataire, et dont la mise en œuvre elle-même (la *performance*) varie indéfiniment selon les paroles, selon les discours.

En bref, ces questions sont à poser dans la mesure où le texte renvoie à un *code*, ou mieux, s'inscrit dans la perspective d'un code défini ici d'une manière très générale comme ce que doivent posséder ensemble Destinateur et Destinataire (c'est-à-dire une *langue*) pour que le texte soit lui-même possible. On peut noter au passage que le texte nous apparaît ainsi immédiatement comme lieu d'intersection d'au moins *deux* discours; la question de *l'autre* est posée dans sa texture même, et toute conception du texte à perspective " individualiste " (texte comme expression d'un individu, d'un tempérament ou d'un " moi " solitaire) est à rejeter d'emblée.

Il semble donc que ce soit une question ancienne que nous retrouvions : celle de la *spécificité* du langage littéraire comme tel, et plus précisément de cette mise en œuvre, de cette pratique dont est fait le texte, par rapport aux autres pratiques langagières : langage usuel, scientifique, etc.

La réponse est connue : pour mettre en évidence cette " littérarité " du texte (ce qu'il a de proprement " textuel "), on a fait surgir cette spécificité par *opposition* à une autre forme de langage prise comme série référentielle. C'est la méthode suivie, comme on sait, par les formalistes russes, qui pratiquent l'opposition langage poétique / langage usuel; ces études ont été le point de départ des recherches de l'Opoiaz, et ont contribué, par exemple, à dégager ce qui est proprement poétique dans la poésie, etc.

Toutefois, il convient de poser immédiatement à ce propos une question préalable : quel statut accorde-t-on à la série référentielle par opposé à laquelle on définit la *littérarité* de la série littéraire ? Il est important d'éviter ici toute ambiguïté : la série prise en référence ne saurait l'être en valeur absolue, comme langage véritable, ou langage premier, ou seul langage vivant; une telle hiérarchisation à l'intérieur de la mise en pratique du code ne pourrait nous conduire qu'à des contre-sens quant au problème qui nous occupe (celui du *texte* et du langage qui le met en œuvre).

Je prends un exemple : déjà l'opposition langue quotidienne / langage poétique, prise dans une perspective de hiérarchisation du code, pourrait nous causer de nombreuses difficultés (en rapport avec le sociologisme vulgaire dont nous avions parlé dans notre précédente rencontre); mais ces difficultés seront décuplées si, au lieu de pratiquer l'opposition langue quotidienne / langage poétique, on pratique l'opposition langage scientifique / langage poétique, comme semble le faire Jean Cohen (in *Structure du langage poétique*), c'est-à-dire l'opposition entre le langage poétique et un *certain* langage scientifique (Pasteur, Cl. Bernard) pris comme modèle linguistique du parfait véhicule d'information (selon les relations Destinateur / Destinataire dans le sens unique du Sujet-dest. au Destinataire, et Signifiant / signifié, où Sa. tend vers o) se référant à un objet linéairement défini dont il serait la connaissance par adéquation de la chose et de l'entendement ; il faut ajouter en effet que les textes pris en référence par Cohen (et auxquels il oppose des textes de Racine, Baudelaire, Mallarmé, etc.) sont en fait des textes *idéologiques* beaucoup plus que proprement scientifiques, c'est-à-dire pénétrés d'une certaine idéologie de la connaissance, de la vérité, etc.

Remarque II : Nous entendrons maintenant par " langage poétique " non pas seulement le langage spécifique de telle ou telle " poésie ", mais plus généralement celui pouvant être mis en œuvre dans tout texte " littéraire " (cf. Julia Kristeva, *Tel Quel* 29, II, 1). Nous emploierons également les abréviations suivantes : S-D = sujet-destinateur; Dest. = destinataire; Sa = signifiant; sé = signifié. On sait que ces deux éléments composent depuis Saussure la totalité du *signe* (Sa = image acoustique; sé = concept); cf. " Coursde linguistique générale ", p. 98-99.

Dans ces conditions, il est clair que la mise en évidence de la spécificité du littéraire par rapport à la série référentielle prise comme référence *absolue*, se réduira au résultat suivant : le langage poétique apparaît comme déviation continuelle, anormalité, etc. ; par rapport au système *légal* représenté par telle ou telle forme de langage (quotidien, " scientifique ", etc.), le langage poétique apparaît comme l'*illégalité*, ce qui n'est pas faux d'ailleurs (cf. les remarques beaucoup plus intéressantes de Todorov, dans ses " Recherches sémantiques ", in *Langages* nº 1, Éd. Didier-Larousse), dans la mesure où on rend bien compte ainsi du caractère éminemment *subversif*, *transgressif*, propre au langage poétique; mais il n'en reste pas moins que dans cette perspective les moyens ne nous sont pas encore donnés de penser véritablement cette subversion, de la saisir dans son mouvement même de *remise en question*, il faudrait dire dans le même temps, de *remise en marche* (de *production*) du langage, laquelle ne saurait être pleinement comprise que si nous nous plaçons résolument dans la perspective centrale de ce langage, et non en quelque marge que la légalité langagière réserverait à l'usage de ses inévitables déviants, autant dire de ses déséquilibrés, fous, etc., malades de l'écriture comme d'autres le sont (ou le seraient) du mental...

Je veux dire par là que la question posée (celle du texte, du statut de son langage) est vraiment une question *théorique*, c'est-à-dire que si nous voulons la poser de sorte que nous puissions y répondre, cela ne peut se faire que dans la perspective d'une théorie du langage, et plus spécialement du langage poétique, perspective seule capable de donner un sens aux analyses particulières des chercheurs dans tel ou tel domaine; sinon, à pratiquer d'une manière faussement simple ou naïve un jeu d'oppositions de série à série, le risque restera toujours de penser le langage poétique comme étant en marge, dans son domaine réservé, avec toutes les conséquences fâcheuses que cela peut comporter quant à la renaissance d'une esthétique considérant la littérature comme décoration, ornement, activité gratuite, etc.

Il nous faut donc penser cette spécificité en tant que telle, c'est-à-dire non seulement dans son *opposition à* (puisque effectivement, on le verra tout de suite, la relation subsiste du texte aux autres formes de langage), mais aussi dans son *dynamisme* propre, tel qu'il se donne à lire dans les textes et précisément dans la relation qui lie ces textes à toutes les formes d'utilisation du langage.

> R*emarque III* : Il faudrait rappeler ici plusieurs séries de résultats déjà obtenus à ce propos, entre autres :
> 1° les formalistes russes (analyses du rythme en poésie, de l'organisation du texte, de sa dynamique propre, etc.; cf *Théorie de la littérature*, Éd. du Seuil, collection " Tel Quel ").
> 2° Jakobson (définition de la fonction poétique par rapport aux autres fonctions du langage, et en particulier du langage poétique comme " réévaluation totale du discours et de toutes ses composantes quelles qu'elles soient "; cf. fin des *Essais*).
> Je n'insiste pas sur ces résultats connus de tous. Je voudrais plutôt préciser la perspective générale de la recherche.

Dans ce travail théorique d'ensemble, deux voies principales s'offrent à nous, et elles doivent être prises toutes les deux :

a) celle qui concerne :

relation d'un texte aux autres textes littéraires, étant bien entendu que c'est

ce qui se passe à l'intérieur de la série littéraire	dans et par cette confrontation aux formes littéraires antérieures, à ce " déjà-là " littéraire, que peut en premier se définir le travail du scripteur (lequel apparaît ainsi toujours comme scripteur / lecteur).
ce qui se passe au niveau de l'articulation des différentes séries " textuelles " les unes sur les autres à l'intérieur de l'ensemble " société-histoire "	corrélation série littéraire / autres séries sociales et culturelles, y compris la série notée habituellement en termes de " biographie " et dont le rapport au texte ne peut évidemment être pensé selon le schéma simpliste d'une " explication " du texte par la " vie ".

b) celle qui concerne plus précisément une théorie du langage permettant de comprendre la situation du langage poétique par rapport au langage lui-même.

C'est plutôt par suivre cette seconde voie que je voudrais commencer, étant bien entendu que nous serons amenés de toutes façons à revenir à la première.

Nous pouvons tout d'abord partir d'un *fait*, constaté depuis longtemps déjà, mais étudié en tant que tel, " théorisé ", depuis peu relativement (cf. les études de Chomsky), à savoir que toute langue se présente comme la possibilité pour son locuteur d'énoncer, à partir d'un certain nombre fini d'éléments et de certaines règles de transformations, un ensemble infini de phrases. Que la réalisation pratique, effective, de telle ou telle phrase (dans la langue quotidienne, par exemple), soit elle-même liée à tel ou tel contexte, ou situation immédiate, est évident, mais n'enlève rien non plus au fait qui vient d'être formulé brièvement, à savoir que la langue implique en elle-même cette dynamique d'une infinité d'énonciations possibles.

Dans une telle perspective, quelle est la situation du langage poétique ? C'est Julia Kristeva qui, dans son étude " Pour une sémiologie des paragrammes " (*Tel Quel*, nº 29), me semble avoir le mieux défini cette situation; je renvoie donc à ses analyses et me contenterai de rappeler brièvement quelques-unes de ses conclusions.

Remarque IV : Je renvoie également bien sûr aux analyses qui seront présentées dans les prochains numéros de *la N. C.*

par J. Kristeva; je renvoie aussi à l'étude de J.-L. Baudry, " Écriture, fiction, idéologie ", ainsi qu'au " Programme " présenté par Ph. Sollers, dans *Tel Quel*, nº 31, dont l'importance me paraît, d'ores et déjà, considérable.
On pourra également noter, à propos de l'opposition dialectique ensemble fini des éléments lexicaux / infinité d'énonciation, l'étude de Henning Spang-Hassen parue dans *Langages* nº 6, et qui traite précisément des processus de transformation de vocabulaire à l'intérieur même du lexique. L'idée acceptée (entre autres par Bloomfield et Chomsky) d'un nombre fini de mots simples servant de base à leur démultiplication en mots complexes selon des règles de transformation déterminées, se trouve non pas niée, bien sûr, mais précisée de telle sorte que le vocabulaire de la langue, dans la perspective au moins de son " contenu " (selon la conceptualisation hjelmslevienne), est alors compris " comme une liste de signes, comme illimité et infini en principe ". Il ne s'agit évidemment pas pour nous de prendre position dans ce débat. Nous nous contentons de donner en référence une étude qui rejoint par son objet les considérations présentées ici.

Disons tout d'abord que considérer le langage poétique comme sous-code du code global, sous-code à part, uniquement défini par sa déviation par rapport à un code dit normal (*le* code), n'est plus possible : le langage poétique nous apparaît en effet comme " exploration " toujours plus vaste et plus profonde des possibilités d'énonciation, la langue usuelle apparaissant beaucoup plus déterminée comme emploi restreint des ressources du code, selon un certain nombre de règles strictes acceptées par tous les locuteurs de la langue, et dont le respect fonde la possibilité d'une communication immédiate (cf. l'idée de Chomsky de " créativité gouvernée par les règles ").

La tentation serait alors très grande de renverser la perspective de *spécificité* définie tout à l'heure (par opposé à) en une perspective de *généralité* absolue, le langage poétique venant recouvrir alors tout le champ du langage, les autres formes de langage n'apparaissant alors que comme des sous-codes, restreints, limités, liés à telle ou telle pratique sociale exigeant cette limitation. En fait, ce renversement du *spécifique* au *total* (ou *global*) me semble se situer sur le même terrain épistémologique, qui se présenterait beaucoup plus comme celui d'une science procédant par inventaire d'éléments, classification d'un matériau (verbal) déjà donné, science taxinomique (cf. l'introduction de Nicolas Ruwet, in *Langages*, nº 4), que comme celui d'une théorie explicative des conditions d'exercice, de pratique, d'une écriture; c'est pourquoi ce renversement ne me paraît guère opératoire.

En effet, l'infinité du code, par définition, ne peut être donnée comme déjà-là, ou comme vide à remplir selon des formes déterminées d'avance (telle situation " appelant " telle phrase, etc.), mais au contraire comme infinité toujours à promouvoir, à *faire*, " infinité potentielle " comme dit très bien Kristeva en se servant d'un concept emprunté à l'axiomatique de Hilbert; et le faisant, elle met particulièrement en évidence le caractère de l'écriture comme *pratique*, mise en œuvre effective de cette infinité potentielle de la langue. Si bien que le langage poétique ne se présente à nous ni comme sous-code, ni comme code englobant les autres codes (ce qui écarte toute conception d'un code linguistique hiérarchisé), mais comme mode d'activité linguistique " en prise directe " sur l'infini qu'il vise à réaliser (sans jamais pouvoir le réaliser effectivement, l'achever). Et l'on sait que Kristeva donne de cette propriété du langage poétique une définition métamathématique, destinée à mettre en évidence cette relation fonctionnelle du langage poétique à l'infini du code.

Toutefois, il est bien évident que cette réalisation (toujours inachevée) de l'infini du code ne s'effectue pas dans un milieu absolument homogène et distinct des autres milieux langagiers, et ne saurait donc être conçue comme le développement parfait d'une algèbre liée seulement à son pur déroulement logique; cette réalisation s'effectue elle-même dans un champ qui est celui de la pratique sociale / historique, et à ce titre, le langage poétique entretient avec toutes les autres formes d'utilisation du langage des relations qui restent à définir, de même qu'avec son propre passé tel qu'il est enregistré, marqué dans les textes antérieurs ou immédiatement contemporains; c'est dans ce champ (pratique sociale / historique) que doit être pensé le rapport du langage poétique à l'idéologie, c'est-à-dire aux différents types d'idéologie (idéologies de la littérature, ensemble des valeurs morales ou politiques propres à telle classe, etc.) véhiculés par le langage (par telle langue particulière) à ses différents niveaux.

Si bien que nous nous trouvons en face d'une double constatation :

— d'une part, position centrale (et non marginale) du langage poétique par rapport à l'infinité du code qu'il vise à réaliser.

— d'autre part, relation de la pratique de ce même langage poétique à *la* pratique, c'est-à-dire aux autres pratiques, où il y va de l'histoire, de " mon " corps, de " mon " sexe, de " mon " idéologie, comme de l'histoire littéraire elle-même —, en bref de tout ce qui rend le texte lisible non seulement dans son rapport à l'infinité de la langue, mais en même temps dans sa relation à ses propres limites le définissant comme complexe social / historique, sexuel, etc.

La pratique signifiante me semble ainsi se situer à l'intersection de ces deux fonctionnements; elle me semble être ce fonctionnement à double polarisation (ou mieux : vectorisation), fonctionnement contradictoire s'il en est, et c'est ainsi, à mon sens, qu'il faut comprendre le rapport qui lie l'une à l'autre les deux formes de " créativité " désignées par Chomsky : rapport dialectique, puisque la " créativité qui change les règles " (qui est d'ailleurs à l'œuvre dans *toute* forme de langage, y compris dans le langage quotidien, mais qui sera effectivement portée à son maximum d'intensité et d'extensivité, et même prise comme principe d'activité, dans le langage poétique) ne peut elle-même se réaliser en tant que telle que dans son opposition à la " créativité gouvernée par les règles ".

De cette double constatation, on peut tirer une première série de conclusions concernant la notion de *texte* :

1º L'infinité du code (de la langue) n'est réalisable contradictoirement que dans l'inachèvement du texte toujours bouclé provisoirement, pris à ses limites forcées qui sont aussi " *mes* " limites; le texte n'est jamais que fragment, et il convient d'essayer de penser, me semble-t-il, cet inachèvement en tant que tel, même sous la forme apparente (y compris la forme mystifiée) de l'achèvement lui-même, dans la mesure entre autres où l'on revient toujours sur ce qui a déjà été dit et sur ce qu'on a déjà dit soi-même (c'est au moins une des leçons que l'on peut tirer d'une certaine critique thématique); si bien que l'inachèvement du texte est à penser non pas tant dans la perspective d'un contenu à parachever (il y aurait encore quelque chose à dire et tout serait dit), que dans celle d'une *écriture* (toujours prise comme double écriture / lecture) dont la dynamique traverse le texte de part en part sans pouvoir s'y arrêter vraiment, sans pouvoir se contenter du cadre (du " genre " : poésie, roman, etc.) qui lui est offert, puisqu'elle le dépasse continuellement et que seule la mort (" *ma* " mort) peut y mettre fin (cf. N. Ruwet : " l'achèvement d'un corpus est toujours accidentel ").

C'est d'ailleurs dans cette perspective d'une écriture poursuivie de texte en texte que le concept d'*œuvre* disparaît de lui-même, dans la mesure où ce concept désigne un produit achevé définitivement, dont l'achèvement est affirmé dès le moment de son " commencement ", de son " projet ". Bien au contraire, tout texte me semble s'organiser à partir d'une *tension* fondamentale faite de ce mouvement infini de l'écriture prise aux limites forcées du texte, s'inscrivant en elles.

> *Remarque V :* Cette idée du texte comme " fragment " formulée ici beaucoup trop rapidement, a été analysée depuis d'une manière plus approfondie par l'étude de J.-L. Baudry déjà citée. Nous nous permettons de renvoyer plus particulièrement aux pages 26-27 (*Tel Quel* 31).

2° Cette tension première s'accompagne d'autres tensions aussi fondamentales, dans la mesure où se retrouvent en action dans le langage poétique :

a) les relations propres à toute forme de langage (S-D / Dest.; Sa / sé), mais *transformées* selon un mode *variable*. C'est là un point important, et qui demanderait à être précisé davantage : de cette variabilité quant au statut des relations inhérentes à tout langage et de leur articulation dans le texte, on peut tirer en effet l'idée d'une *pluralité des formes textuelles*, en fonction précisément du traitement auquel se trouvent soumises ces différentes relations dans tel ou tel texte. Un premier examen de cette pluralité est présenté par Bakhtine, et à sa suite, par Kristeva (*Critique* n° 239), et les conduit à une classification de ces formes textuelles; de même, mais dans la perspective plus spécifique du récit, Roland Barthes amorce une analyse des différents systèmes narratifs, selon l'opposition constatif / performatif. (cf. son introduction à l' " Analyse structurale du récit ", in *Communications* n° 8). Il semble bien que cette analyse des différents types de texte doive être étroitement liée à l'élucidation du concept de production littéraire, et plus encore le problème du choix par le scripteur de tel ou tel type de texte.

> *Remarque VII :* Il s'agit sans doute là d'un point particulièrement important, et qui devrait prêter à des recherches précises, dans la mesure où s'y annonce l'idée d'une histoire de la littérature comme histoire des différentes formes textuelles;

par là, et beaucoup plus profondément que par le seul inventaire de leur contenu explicite, pourrait être tentée l'étude historique des discours littéraires et de leur rapport aux différentes idéologies.

En tout cas, cette transformation des relations S-D / Dest. et Sa / sé semble elle-même déterminée par une troisième relation à l'œuvre dans le texte (surdéterminée par elle, pourrait-on dire), et qui est constituée par :

b. la relation qui lie le texte aux *autres textes*, dont *ce* texte est écho, variation, répétition (mystifiée ou contestatrice). Nous retrouvons ici, une fois de plus, cette première voie de recherche signalée tout à l'heure, qui concerne : 1) ce qui se passe dans la série littéraire, 2) ce qui se passe dans l'articulation de cette série sur les autres séries sociales / historiques, et par laquelle le texte nous apparaît comme double écriture / lecture; il me suffit de renvoyer sur ce point aux analyses de Kristeva qui me semblent essentielles. Je voudrais seulement insister plus particulièrement sur la corrélation, très clairement soulignée par Tynianov (cf. surtout " De l'évolution littéraire " in *Théorie de la littérature*, Éd. du Seuil), qui relie le texte et la série littéraire dans laquelle il s'inscrit, aux autres séries sociales et culturelles; corrélation qui ne peut être elle-même saisie que dans ce que la société a précisément de " verbal ", comme dit Tynianov, et il nous faudrait prendre aujourd'hui l'expression " verbal " dans son sens le plus large, c'est-à-dire non seulement comme *parole* prononcée (phonè), mais comme *texte* en effet, texte *écrit* (gramma) en de multiples fragments, dans cette prolifération incroyable de langages divers parmi lesquels nous vivons et par lesquels nous sommes continuellement traversés, agressés. Si bien que la conception du texte comme double écriture / lecture est à entendre à la fois dans ce qui se passe à l'intérieur de la série littéraire, et dans ce qui se passe à l'articulation de cette série sur les autres séries " culturelles " sociales / historiques.

De ces trois premières séries de conclusions :

— relation écriture / texte,
— transformation variable dans le texte des relations propres à toute forme de langage (S-D / Dest. et Sa / sé) selon une troisième relation déterminante, celle qui lie le texte aux autres textes,
— le texte comme écriture / lecture,

on ne peut à mon sens que tirer la conclusion d'ensemble qu'il est impossible de concevoir le texte selon une logique " linéaire " définie seulement par les axes Sujet / destinataire (l'axe de la *communication* du message, qui trouve sa manifestation extrême, parfaite, dans la pratique de l'*information*) et l'axe Signifiant /signifié (définissant le *signe* dans la perspective saussurienne traditionnelle, et qui trouve son expression esthétique dans l'idéologie du texte comme *reflet*). Dans la mesure où le texte nous apparaît toujours, de par la relation inscrite dans sa " texture " même, qui le lie aux autres textes, comme double écriture / lecture, seul un modèle *tabulaire*, au sens où Kristeva définit l'expression (cf. en particulier *Tel Quel* 29, article cité), peut rendre compte de la réalité du texte : modèle tabulaire, c'est-à-dire système complexe à niveaux multiples, différents (idéologique, sémantique, phonétique, etc.) qui est à lire non pas selon tel ou tel niveau privilégié, mais dans les *rapports* ou connexions qui unissent et / ou opposent les niveaux entre eux. Ce qui ne veut nullement dire, encore une fois, que les axes propres à toute forme d'utilisation du langage (S-D / Dest. et Sa / sé) disparaîtraient purement et simplement, puisqu'ils sont au contraire toujours à l'œuvre dans le texte; mais ils y opèrent selon un mode d'articulation variable dont l'organisation est déterminée à la fois par la tension écriture / texte, et la relation intertextuelle (double écriture / lecture).

> *Remarque VIII :* Il faudrait (il faudra !) bien sûr revenir plus longuement sur la contestation ici formulée quant à l'idéologie du texte comme *reflet*; on sait en effet que cette notion de reflet a partie liée avec l'histoire même de la théorie marxiste, et plus particulièrement, me semble-t-il, depuis Lénine. Afin d'éviter tout malentendu, je voudrais énoncer plusieurs remarques précisant le sens exact de ma contestation.

1° Un premier travail qui me semble absolument nécessaire serait d'étudier la genèse de la notion même de reflet, son développement et sa fonction dans la théorie marxiste, et notamment dans la théorie de la connaissance; on serait ainsi amené, sans doute, à analyser la place occupée par cette notion dans ce qu'on appelle traditionnellement le problème fondamental de la philosophie : Matérialisme ou Idéalisme, le matérialisme se définissant, comme on sait, par le fait qu'il affirme le primat absolu de la matière; cf. entre autres Lénine, dans *Matérialisme et Empiriocriticisme* : " Car l'*unique* " propriété " de la matière, que reconnaît le matérialisme philosophique, est celle d'*être une réalité objective*, d'exister hors de notre conscience. » (Éd. en langues étrangères, Moscou, 1962). Il me semble évident, de par l'étude même qui est présentée ici, que la contestation dont il est question ici ne saurait être placée sur ce plan : l'importance accordée à l'articulation des différentes séries (pratique d'écriture / pratique sociale-historique, série proprement littéraire / séries culturelles, etc.) le montre suffisamment.

2° Ce premier travail devrait se poursuivre par l'analyse des divers développements donnés, à partir de l'opposition fondamentale matérialisme / idéalisme, à la notion de reflet en esthétique, et plus particulièrement en « critique littéraire » où son usage fut, à une certaine époque, d'une fréquence considérable. C'est cet emploi de la notion de reflet en esthétique que je conteste ici; encore une fois, non point parce que je songerais à la remplacer par quelque schéma idéaliste d'une soi-disant « création » littéraire; mais bien parce que cette notion ne me semble pas permettre la construction d'un concept opératoire, c'est-à-dire propre à rendre compte de la réalité de l'objet qu'elle se donne à étudier (le texte). Qu'on le veuille ou non, en effet, la notion de reflet est liée à une idéologie de la littérature (et sans doute de l'art en général) qui considère l'œuvre comme « œuvre » précisément, c'est-à-dire comme résultat définitif, comme effet subi (reflétant qui n'est qu'un reflété), renvoyant d'ailleurs entre autres à une cause singulière (l'auteur, son « génie », son « inspiration ») dont la résonance théologique semble assez fâcheuse. L'étude présentée ici vise au contraire à mettre en avant la notion de *texte* qui, s'il se présente bien comme produit (en particulier dans son rapport aux autres textes littéraires, sociaux-historiques — dont il est d'une manière ou d'une autre la *lecture*), manifeste en même temps dans sa texture même le processus de sa propre production (*écriture*), laquelle ne saurait être énoncée en termes d'expression ou de reflet. Pour reprendre une image célèbre dont Macherey, dans son étude sur Tolstoï (cf. *Pour une théorie de la production littéraire*, Éd. Maspero), me semble avoir dégagé très rigoureusement les ultimes possibilités opératoires, on aura beau briser le miroir en autant de morceaux qu'on voudra, jamais on ne pourra ainsi rendre compte du fait littéraire en tant que tel, c'est-à-dire du texte comme processus, comme pratique, comme production.

Je voudrais pour conclure, et en pensant à ce concept de production qu'il va nous falloir essayer de définir, insister sur trois idées qui me semblent essentielles :

1° Le texte nous est apparu comme un système *différentiel*, c'est-à-dire comme système fonctionnant à différents niveaux dans la liaison / opposition de ces différents niveaux entre eux. Cette conception a trouvé à la fois une de ses origines et sa preuve la plus manifeste dans l'intuition saussurienne des *paragrammes*, qui est en train d'être exploitée plus à fond aujourd'hui (cf. Kristeva, Jakobson). Or quel est le sens *théorique* de ce qui est en passe de devenir un *fait* littéraire ? A mon avis, il devrait être défini dans la perspective suivante : c'est qu'un texte dit toujours aussi *autre chose* que ce qu'il dit, et il le dit toujours *autrement*; la mise en évidence, à un autre niveau que celui habituellement qualifié de " contenu " (au niveau de l'analyse phonétique, par exemple, mais il est probable que la fonction paragrammatique joue à *tous* les niveaux du texte), d'un *autre* message, d'un autre sens, devrait nous permettre (et en même temps nous met dans la nécessité) de poser le problème du concept de production littéraire d'une manière vraiment *dialectique*.

> *Remarque IX* : Ce fonctionnement différentiel du texte, bien sûr, peut retentir également sur le seul niveau sémantique de celui-ci, c'est-à-dire le niveau de sa (ses) signification (s). On pourra lire à ce propos dans *l'Homme* (oct.-déc. 66) une étude particulièrement intéressante de Paul Ottino, dans laquelle, et malgré des attendus " littéraires " quelque peu surprenants (de Bossuet au symbolisme...), se trouve développée une analyse de la " pluri-signification " propre à des textes poétiques malayo-polynésiens conçus à la fois comme révélateurs d'un " dialogisme " (Kristeva) et comme porteurs de " plusieurs valeurs sémantiques différentes, voire opposées ".
> On ne peut d'ailleurs s'empêcher de penser ici à la réflexion de Lénine lisant Hegel et notant en marge de la préface à la Grande Logique " la liaison de la pensée et du langage (la langue chinoise, entre autres, et le fait qu'elle ne soit pas évoluée...), la formation des substantifs et des verbes. En allemand, les mots ont parfois des " significations opposées " (non seulement " différentes " mais *opposées*) [souligné par Lénine], " une joie pour la pensée "... [citation de Hegel par Lénine].

2° C'est dans cette perspective d'un fonctionnement différentiel du texte que l'écriture qui le fonde peut être saisie comme *opératrice* du sens (et non expressive), et que la notion de " matérialisme sémantique " peut trouver son point d'application (dans la mesure en effet où l'idée de fonctionnement différentiel du texte permet de définir à la fois son mode d'activité et son mode d'efficacité); c'est aussi dans cette perspective que peut être saisi le rapport que le texte entretient avec l'idéologie, rapport ambigu puisque, ne pouvant se passer de l'idéologie, le texte ne " traduit " pas cette idéologie, mais il la prend, il l'intègre dans une dynamique qui lui est propre et qui transforme l'idéologie, le niveau proprement idéologique n'étant précisément qu'un niveau parmi les autres, lesquels fonctionnent tous en bloc dans le texte.

> R*emarque X* : Écriture " opératrice " du sens, oui, sans doute; mais il convient de porter encore plus avant l'interrogation : le texte se donnant comme opérateur, quel est alors le statut du " sens " ? Ne pouvant plus se concevoir comme *origine* du texte (il y aurait un " sens " à exprimer dans une " œuvre "), il ne saurait non plus s'y révéler comme sa *fin* (définitive, achevée); c'est donc par rapport au *processus* de la production textuelle que ce problème doit sans doute être posé pour devenir intelligible. De toute façon, il s'agit là d'un problème capital.

3° J'ajouterai enfin, et ce dernier problème n'est pas mince, que c'est également dans cette même perspective du texte comme système différentiel, que pourrait être saisi ce qui est posé sous forme de question par Derrida dans une note à l'une de ses études sur Artaud, à savoir le statut " des rapports entre l'existence [l'existence individuelle, ce qui est habituellement signalé comme référence biographique] et le texte, entre ces deux formes de textualité et l'écriture générale dans le jeu de laquelle elles s'articulent " (*l'Écriture et la Différence*, p. 272).

Juin-novembre 1967 Jean-Louis Houdebine.

NIVEAUX SÉMANTIQUES D'UN TEXTE MODERNE
(exposé)

Définitions.

I. Je voudrais d'abord mettre en exergue à ces réflexions un passage de l'*Objet du Capital*, de Louis Althusser : " Dans tous les cas, les distinctions courantes du dehors et du dedans disparaissent, tout comme la liaison " intime " des phénomènes opposés à leur désordre visible : nous sommes en face d'une autre image, d'un quasi concept nouveau, définitivement libérés des antinomies empiristes de la subjectivité phénoménale et de l'intériorité essentielle, en face d'un système objectif réglé, en ses déterminations les plus concrètes, par les lois de son *montage* et de sa *machinerie*, par les spécifications de son concept. C'est alors que nous pouvons nous souvenir de ce terme hautement symptomatique de la " Darstellung ", le rapprocher de cette " machinerie ", et le prendre au mot, comme l'existence même de cette machinerie en ses effets : le mode d'existence de cette *mise en scène*, de ce théâtre qui est à la fois sa propre scène, son propre texte, ses propres acteurs, ce théâtre dont les spectateurs ne peuvent en être, d'occasion, spectateurs, que parce qu'ils en sont d'abord les acteurs forcés, pris dans les contraintes d'un texte et de rôles dont ils ne peuvent être les auteurs, puisque c'est, par essence, un *théâtre sans auteur*. "

II. Avant d'essayer de définir le mode de fonctionnement d'un texte particulier dans la mesure où sa pratique, pendant un temps déterminé, m'a donné la forme de pensée orientée nécessaire à la mise en scène et à la production de ce texte, je considère comme utile de rappeler certains principes généraux :

1. l'emploi du pronom " je " dans les énoncés qui vont suivre n'implique pas que celui qui parle dans cet exposé se considère comme " l'auteur " — au sens classique — de ce texte. " Je " renvoie à la situation concrète d'un locuteur qui parle après-coup

d'un ensemble pratique et théorique dont il n'est pas question de maîtriser absolument les effets;

2. par *texte*, j'entends ici non seulement l'objet saisissable par l'impression de ce qu'on appelle un livre (un roman), mais la totalité concrète à la fois comme produit déchiffrable et comme travail d'élaboration transformateur. En ce sens, la lecture et l'écriture du texte font à chaque reprise partie intégrante du texte qui, d'ailleurs, se calcule en conséquence. Il s'agit donc d'un texte ouvert donnant sur un texte généralisé;

3. par *écriture*, deux registres sont à distinguer rigoureusement :

— d'abord, et le mot est alors employé sans guillemets, l'écriture au sens courant : ce qui est effectivement écrit, l'écriture phonétique en usage dans notre culture et qui correspond à une représentation de la parole. Cette écriture est immédiatement lisible à l'intérieur d'une théorie du discours (sujet / signe / référent / concept / objet / sens / vérité), c'est-à-dire qu'elle peut être à tout moment déchiffrée de façon linéaire (objet d'échange);

— ensuite, et le mot est alors écrit avec des guillemets (" écriture ") on désigne l'effet d'ouverture du langage, son articulation, sa scansion, sa surdétermination, son *espacement* (Derrida), de telle façon qu'apparaisse toujours une pré-écriture dans l'écriture, une trace antérieure à la distinction signifiant / signifié, une retenue graphique du son dans la parole en même temps qu'une inscription organique pensant à la fois sa marque et son effacement. Il est important de rejeter ici toutes les interprétations confuses qui viseraient à présenter ce niveau comme celui d'une "écriture mentale " ou encore d'une " écriture automatique " procédant d'une parole pure dont il ne s'agirait que de capter les effets : ce contre-sens est celui du " surréalisme " qui constitue, à cet égard, une impasse théorique complète. A l'opposé de tout mentalisme, l'espace d'écriture dont il est question ici englobe celui de la représentation, c'est un théâtre sans scène ni salle — un champ non pas " magnétique " (métaphore expressive obscurantiste), mais projectif et réversif qui doit toucher dans son économie (mouvement d'objet) ce que l'on peut appeler :

4. l'*histoire textuelle* définie comme étant la durée spécifique où se joue une libre disposition des textes produits (c'est-à-dire en dehors de la bibliothèque) en prise directe avec l'action historique elle-même à ce moment déchiffrée comme texte.

5. L'ensemble de ces opérations ne constitue pas un " objet

littéraire " analysable selon des normes descriptives, mais un effet de connaissance spécifique du réel (*effet gnoséologique*), réel qui, par ailleurs, " subsiste après comme avant dans son indépendance à l'extérieur de la pensée " (Marx). *Cet effet est transformateur* dans la mesure où il s'agit alors d'un " concretum de pensée " dont la fonction n'est pas esthétique (contemplative) ou représentative (naturaliste) mais de laisser à découvert son mode d'élaboration et le travail multiple qui lui est lié. " La totalité concrète comme totalité de pensée, comme un concretum de pensée, est en réalité un produit du penser et du concevoir; en aucune manière un produit du concept pensant et s'engendrant lui-même, à l'extérieur ou au-dessus des intuitions, mais au contraire un produit du travail d'élaboration qui transforme intuitions et représentations en concepts (Marx, *Introduction à la Critique de l'Économie politique*).

6. Il faut ajouter que, s'agissant d'élaborer une pratique et une théorie matérialiste dialectique de l'écriture, nous en sommes encore aux commencements. Un concept de reflet doit être construit qui échappe à la catégorie d'*expression*, complice de celle de *création* — toutes deux résidus de la métaphysique idéaliste. Le texte ne saurait donc se présenter comme reflet simple — sans médiations —, comme une " image ". Il est un reflet, mais à l'intérieur d'un processus mouvant qui traite simultanément de sa réflexion au moment où elle se produit, c'est-à-dire qui ajoute au " temps " de la réflexion celui d'un miroir et du tain de ce miroir compris dans le texte. Double réflexion visant à détruire la conception du langage comme milieu neutre alors qu'il est la force de travail objective dissimulée par la représentation. Double réflexion destinée à insérer dans le fonctionnement du réel historique l'appareil de langage suffisamment élaboré et complexe qui puisse en appuyer les effets.

Tout ce qui précède peut être concentré dans le schéma suivant :

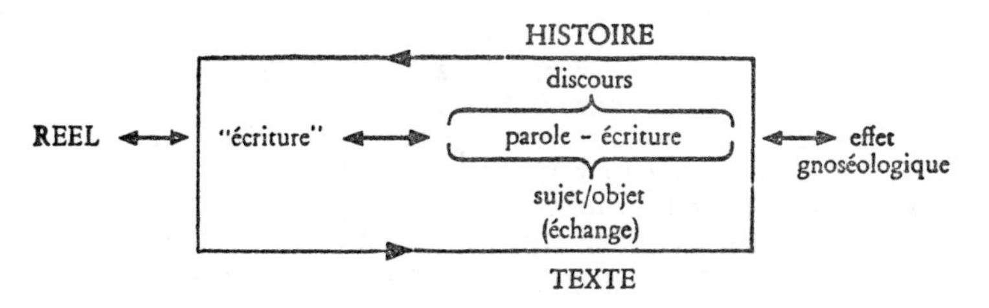

ANALYSE.

Tentons maintenant de définir le processus d'élaboration du texte ainsi que sa mise en espace : le texte " écrit ", dans sa production et sa lecture, relève de ce que Mallarmé appelait une *séance* :

> " La séance implique la confrontation d'un fragment du livre avec lui-même, ou volume — soit : le développement de la feuille. "

Cette phrase nous indique précisément la nature du passage entre le concept de livre et celui de texte (et, à l'intérieur du procès narratif, entre le roman classique et le roman moderne). Il s'agit bien d'un *développement en profondeur* où la page (la " feuille ") et ce qui vient s'y inscrire joue désormais un rôle non pas représentatif mais projectif. Chaque fragment écrit est donc incessamment confronté à l'ensemble, l'ensemble étant lui-même constamment tourné vers l'infinité des fragments possibles qui l'empêchent de se refermer. D'où les deux conséquences suivantes :
— le texte écrit est discontinu : il est formé de séquences qui ne prennent leurs significations que par leurs rapports;
— le scripteur et le lecteur de ce texte sont astreints à en devenir les acteurs.

Soit un exemple précis (le roman intitulé *Nombres*) : la première donnée touche la répartition numérique des séquences, cette distribution générative constituant en effet la matrice de base. Elle a une fonction triple :
— établir une " portée " qui délinéarise le processus textuel et le situe dans un fonctionnement à plusieurs dimensions simultanées (passage de l'écriture à " l'écriture ");
— assurer une permutation régulière (du type : 1.2.3. / 4. / 1. 2. 3. / 4. / 1. 2. 3. / 4 etc.);
— régler une transformation.
Il s'agit donc ici d'une répétition transformatrice qui permet d'atteindre, comme l'écrivait Mallarmé, *le tout successivement*.

> " — ce n'est que grâce à deux textes
> répétés que l'on peut jouir de
> toute une partie
> ou grâce
> au retournement
> du même texte
> — d'une seconde façon
> de relire
> qui permet d'avoir
> le tout
> successivement. "
>
> (Mallarmé, *Quant au livre*)

C'est ainsi qu'à la fois additionné et multiplié le procès narratif va comporter régulièrement jusqu'à cent séquences (puisque $1 + 2 + 3 + 4 = 10$ répété — c'est-à-dire élevé au *carré* — donne 100), trois surfaces textuelles à l'imparfait et une surface au présent. Les trois imparfaits correspondent à ce qu'on peut appeler un récit (niveau de " l'histoire "), le présent au commentaire (niveau du " discours ").

Immédiatement il est perceptible que cette construction dynamique englobe la scène représentative classique : il suffit de dessiner les trois faces au passé comme s'ouvrant sur une quatrième face actualisée, le tout formant un carré qui rappelle la scène habituellement théâtrale. Vous parlant, par exemple, je me situe, si je lis le texte à haute voix, sur le devant de cette scène qui n'est elle-même (et vous compris) que le moment écrit de " l'écriture " en cours. Dans le texte écrit, cette ouverture est marquée par des parenthèses. Ce qui est dit au passé vient ainsi en se renversant — en traversant un miroir — se faire redoubler et présenter dans le courant de la narration.

Le pronom " je " (dans le texte écrit) désigne ainsi en premier lieu le principe d'organisation du texte. " Nous " renvoie aux ensembles de phrases et de mots. Vers le lecteur — qui est ainsi appelé et convoqué dans l'espace du texte — le " vous " devient dominant (un " vous " pluriel) mais le lecteur est d'abord un acteur grammatical parmi d'autres dans le carré ouvert et l'élévation au carré qui est l'espace du texte. (Cette opération complète nous donne donc une mise en volume, soit un *cube*, à savoir, comme l'indique l'idéogramme chinois correspondant, *un carré debout, li-fang*).

L'espace déclenché de cette façon se répète, permute sur lui-même, se transforme et par conséquent s'annule en se constituant. Cette auto-consumation — marquée dès le début par le " motif " du feu — indique que le texte comme objet de connaissance produit en brûlant ce qu'on peut appeler un effet immanent de percée sur le réel.

III. Le point d'ancrage matérialiste du texte (qui l'empêche de se constituer comme une représentation mentaliste) est le *corps*. En effet, il ne s'agit nullement ici d'imaginaire, de psychologie ou de fantasme. Le parcours génératif (énumératif) du texte, s'il est structuré de manière délibérée, n'est aucunement " abstrait ". Rien n'est plus difficile à faire admettre que ce *matérialisme sémantique* destiné à intégrer une matière corporelle beaucoup plus vaste et différenciée que celle que " cadre " en général l'usage du discours et de l'écriture représentative (et leurs rejetons naturalistes traditionnels). C'est donc peu dire que le " personnage " disparaît de la narration ainsi que le nom propre : c'est la notion même de *propriété* et par exemple de corps propre — clos, achevé, assuré dans son identité par l'image spéculaire et la fonction exclusivement parlante impliquant un sujet limité — qui s'évanouit. Le profond et incessant travail corporel où nous sommes pris atteint tout autre chose qu'un décor; et si ce travail se dévoile à travers le sexe, le sexe, en ce point, se confond précisément avec " l'écriture " comme production et annulation, vie et mort incessantes, greffes, des organismes et des significations. D'emblée, la narration qui opère dans ce champ est donc à l'opposé de toute " copie " : elle touche les transformations du mythe et du rêve qui sont, dans notre culture, des régions où le " signe " ne pénètre pas : franges hiéroglyphiques, réserves encore mal utilisées qui doivent participer à la totalité réelle du texte. C'est donc d'un corps morcelé qu'il s'agit, d'un corps signifiant multiple, très différent de celui qui tombe sous la simple description anatomo-physique : on sort ainsi de la répétition narrative classique avec son cortège identificatoire de figures plus ou moins bien montées. A l'époque classique, l'écriture qui fonde ce matérialisme intransigeant — mais encore mécaniste — est celle de Sade, lequel définit ainsi les rapports de " l'âme " et du corps : " Ce n'est qu'un même tout, j'en conviens, mais dans lequel néanmoins les parties grossières doivent être soumises aux parties subtiles, par la même raison de l'empire qu'a la flamme, qui est matière, sur la cire qu'elle consume, qui est également matière; et voilà, comme dans nos corps, l'exemple de deux matières aux prises, dont la plus subtile domine la plus grossière. " Plus dialectiquement, nous dirons que le rapport cire / flamme est homologue de celui, réciproque et constant, corps / écriture, sexe / " écriture ", "l'écriture " n'exprimant pas le corps, mais jouant avec lui la scène globale du texte en fonction du réel non figuratif et pourtant toujours objectif, toujours plus lointainement connaissable.

IV. Nous abordons maintenant le problème de l'*intertextualité*, concept d'une importance fondamentale défini par Julia Kristeva comme " l'indice de la façon dont un texte lit l'histoire et s'insère en elle ". Dans l'exemple choisi, ce concept désigne un nombre d'opérations très élevé, puisqu'après sa mise en fonctionnement le texte se donne comme travail essentiel — outre la constitution d'un rendement scénique, rythmique et linguistique intense — de dépasser l'ordre habituel du discours. A ce niveau, l'idéologie et, en propres termes, la politique du texte commence à s'inscrire dans les rapports que l'économie de son écriture découvre et entretient avec d'autres textes. Cela signifie principalement qu'un *texte s'écrit avec des textes* et non pas seulement avec des phrases ou des mots :

> " L'ancien isolement et l'autarcie locale et nationale font place à un trafic universel, une interdépendance universelle des nations. Et ce qui est vrai de la production matérielle ne l'est pas moins des productions de l'esprit. Les œuvres spirituelles des différentes nations deviennent un bien commun. Les limitations et les particularismes nationaux deviennent de plus en plus impossibles, et les nombreuses littératures nationales et locales donnent naissance à une littérature universelle."
> (*Manifeste communiste*)

Comme le notait Engels en 1893, l'époque qui s'annonce rappelle le bouleversement du passage de l'âge féodal à l'âge capitaliste tel qu'il pouvait être réfracté par Dante. Peu de textes peuvent être en tout cas plus exemplaires pour nous que celui de la *Divine Comédie* [1], précisément dans la mesure où il arrive à organiser une scénographie qui fait se croiser et se redoubler un nombre considérable de données textuelles. Un tel texte ne " s'inspire " pas d'autres textes, il n'a pas de " sources " : il les relit, les réécrit, les redistribue dans son espace; il en découvre les jonctions, les sous-bassements à la fois formels et idéologiques qu'il fait servir à sa propre séance. Le travail intertextuel porte aussi bien sur l'aspect phonique que sur la syntaxe et la logique immanente des

1. Cf. " Dante et la traversée de l'écriture " (*Logiques*).

textes traités, sur la mise en rapports de pans textuels entiers. Pour ce travail, il n'y a pas d'œuvres fétiches closes, constituées une fois pour toutes. Il réactive le tissu des livres, il fait se couper les livres les uns par les autres et les amène à s'inscrire au-delà de leurs limites dans un texte généralisé.

Nous obtenons donc une écriture qui, réglée et transformée numériquement dans ses effets structuraux, sans cesse réincorporée et confrontée à une matière infinie — dont le scripteur et le lecteur sont en somme les habitants provisoires — s'insère dans l'histoire textuelle, niveau spécifique de l'histoire réelle. Pour soutenir cette épreuve et cette double confrontation, le texte doit atteindre, par ses rimes internes et son anagrammatisme diffus, un rendement phonique incessant qui le mette en position de concordance avec les chiffres et les marques graphiques. Ce rendement augmente proportionnellement son niveau sémantique. Un travail systématique sur les voyelles, par exemple, alternativement claires ou sombres, ouvre et ferme la signification, la tend ou la détend de façon pratiquement musculaire.

CONCLUSION.

Le texte comporte ainsi trois niveaux principaux :

1. une couche profonde : " l'écriture " comme mise en scène et englobement de la représentation (traces, marques, nombres) (nombres = " battement artériel des choses " — Artaud)
2. une couche intermédiaire : l'intertextualité, ce que nous avons appelé le corps matériel (qui relance la fonction narrative);
3. une couche superficielle : mots, rimes, phrases, séquences, " motifs " etc. (écriture) (un " motif " est un ensemble de mots actifs)

le tout formant une sorte d'accumulateur dynamique qui se génère de 1 à 3 et se déchiffre de 3 à 1.

On peut dire, par conséquent, que dans ce type de texte tout est " écrit " : la constitution du texte, sa structuration, ses niveaux de sens, ses ellipses, ses silences, ses suspensions, ses intervalles, ses jonctions, sa trame.

UN RÉCIT MYTHIQUE NOUVEAU EST ALORS MIS EN PLACE PAR UNE MATRICE DE TRANSFORMATION QUI FONCTIONNE DANS

UN PROCESSUS D'INTÉGRATION EN MOUVEMENT PERPÉTUEL. IL A DÉSORMAIS UNE TRIPLE FONCTION : TRANSLINGUISTIQUE, GNOSÉOLOGIQUE, POLITIQUE.

Philippe Sollers.

Colloque de Cluny, 1968.

Cet exposé est alors suivi d'une lecture à haute voix d'une séquence de *Nombres* (séquence 4.100).

SADE LISIBLE

... dans notre état actuel, partons toujours de ce principe : quand l'homme a soupesé tous ses frères, lorsque, d'un regard audacieux, son œil mesure ses barrières, quand, à l'exemple des Titans, il ose jusqu'au ciel porter sa main hardie, et qu'armé de ses passions, comme ceux-ci l'étaient des laves du Vésuve, il ne craint plus de déclarer la guerre à ceux qui le faisaient frémir autrefois, quand ses écarts *mêmes ne lui paraissent plus que des* erreurs *légitimées par ses études, ne doit-on pas alors lui parler avec la même énergie qu'il s'emploie lui-même à se conduire ?*

Sade, *Idée sur les romans.*

Que nous le voulions ou non, que nous soyons ou non prêts à le reconnaître, les diverses censures qu'a connues l'œuvre de Sade, ne nous sont pas totalement étrangères, et je dirai même d'une certaine façon qu'aujourd'hui encore c'est notre plus ou moins grande complicité avec ces divers modes de censure qui conditionne notre lecture de Sade, qui la rend plus ou moins possible. Il y aura bientôt deux siècles que cette œuvre fait question, deux siècles que notre culture l'écarte. C'est dire qu'il est impossible de l'aborder sans, dans le même mouvement, et d'abord, aborder le code culturel qui la refuse, sans d'abord poser que nous ne sommes que le produit de ce code, et que vraisemblablement, que nous le voulions ou non,

8. Louis Althusser ,“ La philosophie comme arme de la révolution ”, in *la Pensée*, nº 138, avril 1968.

9. La première question à poser à une discipline scientifique, étant la question de son origine. Cette discipline a-t-elle la possibilité de penser, de comprendre, les raisons historiques de son apparition dans le champs de la science ? Oui, non, dans quelle mesure ?

10. “ Linguistique et littérature ” tel était le programme du colloque organisé par *la Nouvelle Critique* à Cluny en avril 1968. Colloque au cours duquel ce texte fut lu.

nous rencontrerons en cours de lecture, et jusque dans notre volonté de déchiffrement, des complicités avec les divers types de censures contre lesquels nous sommes d'abord tenté de nous élever. Qui, avant même d'aborder une œuvre de Sade, n'est pas préparé à questionner la normalité (et la justification, l'objectivité de cette normalité) de son code, de ses codes de déchiffrement culturel, est assuré de se retrouver, à un moment ou à un autre, arrêté dans sa lecture (législative) comme assurément il l'est dans sa vie. N'oublions pas que, dans l'ordre de ce code culturel, Diderot lui-même sera accusé de se complaire dans une " physiologie sale et lubrique " (Paul Albert, *Introduction aux Œuvres de Diderot*).

Il n'est qu'à moitié étonnant de voir l'importance accordée à la biographie de Sade alors que pratiquement aucune étude critique n'a été consacrée aux références culturelles qui autorisent l'œuvre. Sade n'a pas été lu, si on l'avait lu on se serait aperçu que ce qui dans son œuvre choquait (le bon goût, la morale, la sensibilité) était souscrit par une culture précise, et devait être pris en considération non comme épiphénomène monstrueux mais comme activité d'un fait culturel. On s'est bien gardé d'aborder cela pour la bonne raison qu'il aurait fallu aborder la philosophie scientifique et matérialiste du XVIIIe siècle, philosophie que la culture bourgeoise s'emploie systématiquement à recouvrir. Il n'est que de voir comment la philosophie des lumières se trouve en France portée au crédit des déistes Rousseau et Voltaire, alors que les athées ne sont pratiquement jamais cités. Or il se trouve que justement c'est le plus virulent et le plus systématique de ces athées, d'Holbach, que Sade se reconnaît comme maître à penser. A la fin du mois de novembre 1783, du château de Vincennes où il est enfermé, Sade écrit à sa femme : " Comment voulez-vous que je puisse goûter " *la Réfutation du Système de la nature* [1] ", si vous ne m'envoyez pas en même temps que la réfutation, le livre qu'on réfute, c'est comme si vous vouliez que je juge un procès sans voir les pièces des deux parties. Vous sentez bien que c'est impossible, quoique " *Le Système* " *c'est bien réellement et bien incontestablement la base de ma philosophie* [2] et j'en suis sectateur *jusqu'au martyre* [3] s'il le fallait, il est pourtant impossible que depuis sept ans que je ne l'ai vu, je puisse me le rappeler [4] assez pour en goûter

1. Le livre dont parle Sade *la Réfutation du Système de la nature* peut être, soit celui de l'abbé Bergier publié en 1771, soit celui de Holland publié en 1773.
2. C'est nous qui soulignons.
3. C'est Sade qui souligne.
4. " Le système de la nature " de d'Holbach fut publié pour la première fois en 1770,

la réfutation, je veux bien travailler à me rendre si j'ai tort mais fournissez-m'en les moyens. Priez Vilette de me le prêter seulement 8 jours, et point de bêtise sur cela, c'en serait une que de me refuser un livre que j'ai fait lire au pape, *un livre d'or en un mot, un livre qui devrait être dans toutes les bibliothèques et dans toutes les têtes, un livre qui sape et détruit à jamais la plus dangereuse et la plus odieuse de toutes les chimères*[5], celle qui a fait le plus verser de sang sur la terre et que l'univers entier devrait se réunir à culbuter et à anéantir sans ressource, si les individus qui composent cet univers avaient la plus petite idée de leur bonheur et de leur tranquillité. » Sade reviendra sur cette demande au cours du même mois de novembre : « Il m'est impossible de goûter la réfutation du « *Système de la nature* », si vous ne m'envoyez pas « *le Système* » (lettre du 23 nov. 1783). Une autre lettre toujours datée de 1783, montre combien Sade était conscient de la valeur transgressive de sa culture philosophique, et combien cette conscience était plus cohérente que celle de ses censeurs; en juin 1783, il écrit à sa femme : « Me refuser les « *Confessions* » de Jean-Jacques est encore une excellente chose, surtout après m'avoir envoyé Lucrèce et les dialogues de Voltaire ça prouve un grand discernement, une judiciaire profonde dans vos directeurs. Hélas ! ils me font bien de l'honneur, de croire qu'un auteur déiste puisse être mauvais pour moi; je voudrais bien en être là. » On voit qu'en ce qui concerne sa culture Sade avait les idées claires, infiniment plus claires que celles de ses censeurs qui prétendaient lui interdire la lecture de Rousseau, sous le prétexte qu'il s'agissait là de livres qui lui « échauffaient la tête, et lui faisaient écrire des choses qui n'étaient pas convenables[6] ». Et, sans parler du déiste Rousseau, c'était en effet bien le cas, c'est en effet bien le cas, la philosophie matérialiste du XVIIIe siècle échauffe la tête de Sade et lui fait écrire des choses « qui ne sont pas convenables ». Reste à savoir comment nous considérerons cet « échauffement » ? Notre culture s'est débarrassée des problèmes que l'œuvre de Sade pouvait lui poser en les individualisant; pour elle l'œuvre de Sade n'a d'autre fonction que de caractériser (de signifier) un personnage monstrueux :

il connu une seconde édition toujours en 1770, puis fut réimprimé en 1771, 74, 75, 77. Selon cette lettre Sade l'aurait lu en 1776.

5. C'est nous qui soulignons.

6. « J'ai porté, mon bon ami, au bureau un envoi de livres qui n'a pas pu passer. A l'explication avec M. Le Noir, il m'a dit que l'on t'avait ôté tous tes livres parce qu'ils t'échauffaient la tête et te faisaient écrire des choses qui n'étaient pas convenables. » (Lettre de Mme de Sade à son mari, août 1782.)

le sadique. Faut-il alors penser que les têtes " échauffées " par certaines lectures ne peuvent produire que des monstres ? Sans aucun doute pour la société que nous connaissons le scepticisme et le matérialisme sont des doctrines " échauffantes " et criminelles dans la mesure où elles produisent ces monstres appelés à transformer les bases mêmes de cette société. Sans doute cette société a-t-elle tout intérêt (et de toute façon elle ne peut pas faire autrement) à incarner ces doctrines dans un type d'individu dénué des qualités sociales qu'elle reconnaît, et, déplaçant ainsi le champ d'activité de cette doctrine, de l'ordre d'un savoir producteur (et donc criminel pour la législation) à celui d'une législation (criminelle pour la production de savoir), a-t-elle alors, c'est évident, tout intérêt à réduire exemplairement (pour l'exemple) la pensée, pour elle criminelle, à un individu qu'elle peut condamner (et qui est donc dès lors condamnable). Car si nous y regardons de près, la tête échauffée de Sade est tout le contraire d'une tête folle, c'est une tête raisonneuse qui ne manque jamais de situer sa ré flexion historiquement et théoriquement (voyez l'" *Idée sur les romans* "), et qui sait dans sa démarche être plus conséquente que les législateurs qui la censurent, lui laissant lire Lucrèce et lui interdisant Rousseau.

Ainsi placée, replacée dans le contexte culturel qui la produit et auquel elle ne cesse de se référer, l'œuvre de Sade autorise une série de questions qui n'en désamorceront pas bien entendu la violence transgressive, mais permettront l'approche et la lecture d'un texte, entre tous, démystifiant. La philosophie des lumières qui lui donne naissance n'est en effet pas sans ambiguïté [7] partagée

7. Pour comprendre ce que je soulignais plus haut de la récupération bourgeoise de la philosophie scientifique du XVIIIe siècle, qu'on lise par exemple dans le livre de Cassirer, *la Philosophie des lumières* :

" On a coutume de considérer la conversion au " mécanisme ", au " matérialisme " comme le trait le plus significatif de la philosophie de la nature du XVIIIe siècle et l'on croit souvent qu'il suffit à caractériser exhaustivement son esprit, en particulier l'orientation générale de l'esprit *français* à cette époque. En vérité ce " matérialisme " tel qu'il apparaît par exemple dans le *Système de la nature* d'Holbach et dans l'homme machine de La Mettrie, ne représente qu'un phénomène isolé qui ne peut en aucune façon passer pour représentatif de cette période. Les deux ouvrages cités constituent un cas d'espèce une rechute dans l'esprit dogmatique contre lequel bataille le XVIIIe siècle par la plume de ses penseurs... " et plus loin " Dans le développement de sa pensée (celle du XVIIIe siècle), le *Système de la nature* ne joue qu'un rôle relativement mince et subordonné. Les penseurs les plus proches du cercle de d'Holbach ont rejeté les conclusions de son œuvre dans leur radicalité et en ont même combattu les prémisses. L'esprit satirique percutant de Voltaire se reconnaît à ce qu'il frappe sur-le-champ au point faible de l'ouvrage de d'Holbach. Avec lucidité et sans le moindre ménagement il met à nu la contradiction d'Holbach qui, ayant inscrit sur sa bannière la lutte contre le dogmatisme comme elle est entre d'Holbach et Rousseau, entre athées et déistes, avec pour ce qui concerne son activité et sa pratique la plus immédiate, la révolution de 89, le triomphe de la morale et du déisme rousseauiste. Notons ici en passant que le décret reconnaissant l'existence de l'Etre suprême et l'immortalité de l'âme est voté à l'unanimité par la Convention à la date du 7 mai 1794, alors que Sade termine « *la Philosophie dans le boudoir* » en 1795 (nous y reviendrons). Ces contradictions (d'Holbach, Rousseau), ne sont pas étrangères à Sade, qui reprendra tout au long de son œuvre des passages entiers du « *Système de la nature* »[8], et ne cessera de s'inscrire en opposition à Rousseau. Philippe Sollers dans un des essais les plus importants aujourd'hui publiés sur Sade et auquel il faut renvoyer, remarque justement que les deux plus importants personnages de Sade, Justine et Juliette sont : « des prénoms masculins féminisés, l'un qui évoque immanquablement le droit,

et l'intolérance, élève aussitôt sa doctrine au rang de dogme et la défend avec un zèle fanatique. Voltaire se refuse à se laisser marquer du label et du sceau de libre penseur par de tels arguments et s'élève contre l'idée de recevoir des mains d'Holbach et de ses partisans le « brevet d'athée ». Son jugement est encore plus net en ce qui concerne la présentation de l'ouvrage et sa valeur littéraire. Il la compte au nombre des œuvres appartenant au genre littéraire pour lequel il a le moins d'indulgence : le « genre ennuyeux ». De fait, outre sa longueur et sa prolixité, le texte d'Holbach est d'une raideur et d'une sécheresse remarquables. Ne vise-t-il pas du reste à exclure du spectacle de la nature, non seulement tous les éléments religieux mais encore tous les éléments esthétiques et à stériliser toutes les puissances du sentiment et de l'imagination ? » Ernest Cassirer, *la Philosophie des lumières*, Fayard. La longueur de cette citation se justifie si l'on pense qu'elle représente exemplairement le type de jugement faux qui prétend déplacer l'activité du matérialisme d'holbachien dans la culture du XVIIIe siècle. Pour ne reprendre que le « zèle fanatique » avec lequel d'Holbach défend son œuvre, il suffira de rappeler avec quel acharnement les ouvrages tels que le *Système de la nature* (voir *l'Encyclopédie*) se trouvent au XVIIIe siècle persécutés; persécutions qu'objectivement les critiques du déiste Voltaire ne faisaient que justifier.

8. Ainsi dans *la Philosophie dans le boudoir*, trouvons-nous : « S'ils veulent qu'absolument vous leur parliez d'un créateur, répondez que les choses ayant toujours été ce qu'elles sont, n'ayant jamais eu de commencement et ne devant jamais avoir de fin, il devient aussi inutile qu'impossible à l'homme de remonter à une origine imaginaire qui n'expliquerait rien et n'avancerait à rien. Dites-leur qu'il est impossible aux hommes d'avoir des idées vraies d'un être qui n'agit sur aucun de nos sens. » Alors que l'on peut lire dans le *Système de la nature* : « L'éducation du néant ou la *création*, n'est qu'un mot qui ne peut nous donner une idée de la formation de l'univers, il ne présente aucun sens auquel l'esprit puisse s'arrêter. Cette notion devient plus obscure encore quand on attribue la création ou la formation de la matière à un être spirituel c'est-à-dire à un être qui n'a aucune analogie, aucun point de contact avec elle... D'ailleurs tout le monde convient que la matière ne peut point s'anéantir totalement ou cesser d'exister; or, comment comprendra-t-on que ce qui ne peut cesser d'être, ait pu jamais commencer. Ainsi lorsqu'on demandera d'où est venue la matière, nous dirons qu'elle à toujours existé. » (p. 32 Éd. de 1821.)

la justice; l'autre qui s'élève en contrepartie... de la " *Julie ou la Nouvelle Héloïse* " de Rousseau, Rousseau l'auteur de l'Éducation, de l'Origine naturelle, du Bien, de l'Intériorité sacrée, du Discours, de l'Individualité et des Belles-Lettres dans leur achèvement admirable, bref le représentant de la Névrose elle-même (Saint-Fond répond ainsi à Saint-Preux, Clairwil à Claire) [9]... " N'oublions pas en effet que " *la Nouvelle Héloïse* " dès sa publication se présente comme un réquisitoire contre les philosophes athées, Rousseau écrit : " Julie dévote est un démon pour les philosophes [10]... ", et que le personnage de Wolmar est alors lu par tous comme un portrait psychologique du Baron d'Holbach [11]. On voit que Sade travaille, et en toute connaissance de cause, sur un lieu culturel précis qu'il entend dégager de toute ambiguïté déiste (et de toute utilisation du type Rousseau), lieu à partir duquel sa pensée se déploie. C'est que si Rousseau est là exemplaire, la pensée des " philosophes " n'est pas, elle non plus, sans contradictions de type justement morales, et qu'il convient pour Sade à la fois de mettre en avant le travail du plus radical d'entre eux (d'Holbach) et de se garder autant que possible de toute interprétation métaphysique, voire de celles que dénonce Marx lorsqu'il écrit : " L'homme qui s'attaque à l'existence de Dieu s'attaque d'abord à sa propre religiosité [12] "; Sade passe ici après ceux pour qui cette " religiosité " fait problème (Diderot, d'Holbach), et les dépasse en tirant de son athéisme les conséquences qu'historiquement aucun de ses contemporains n'avait la possibilité de suivre, de

9. Philippe Sollers, "Sade dans le texte", in *Logiques*, Coll. " Tel Quel ", Éd. du Seuil, 1968. —Les personnages de Saint-Fond et de Clairwil sont des personnages de *Juliette*. Sollers lit Clairwil comme " clair-vouloir, elle enseigne Juliette " mais ne pourrait-on pas lire Clairwil comme claire et vile, ce qui ferait intervenir, à l'intérieur de celle qui enseigne, la contradiction irréductible selon Sade (" Il est impossible de former aucun terme collectif de deux contraires, parce qu'il ne serait plus distinct à l'entendement " " *Opuscules sur le théâtre* ") du clair et de l'obscur, du haut et du bas... Le terme collectif échappe à l'entendement, mais *marque* l'activité du texte. Sade revient souvent ainsi sur les problèmes que lui pose la langue, sur les problèmes que lui pose son écriture, comme s'il se découvrait affrontant dans sa pratique ce problème de la contradiction, insoluble pour qui ne peut le penser dialectiquement. On trouve par exemple dans " *la Philosophie...* " : " La pauvreté de la langue française nous contraint à employer des mots que notre heureux gouvernement réprouve aujourd'hui avec tant de raison; nous espérons que nos lecteurs éclairés nous entendrons et ne confondront point l'absurde despotisme politique avec le très luxurieux despotisme des passions du libertinage. "

10. Rousseau, lettre à Vernes le 24 juin 1761.

11. Sur les rapports d'Holbach Rousseau, voir Pierre Naville " *D'Holbach et la philosophie scientifique au XVIIIe siècle* ", Éd. Gallimard.

12. K. Marx, *la Sainte Famille.*

comprendre. Pour reconnaître le travail opéré par Sade à partir de la philosophie scientifique du XVIIIe siècle, il faudrait reprendre celle-ci et mettre en évidence, les contradictions, pour elle, insolubles qui la déterminent, contradictions que la révolution de 89 illustre : le matérialiste mécaniste peut décrire les phénomènes historiques, il ne peut penser les forces qui produisent ces phénomènes. Ce qui, à côté de constatations du genre : " le cerveau sécrète la pensée comme le foie sécrète la bile ", le conduit à remarquer dans l'ordre de la matière : " Il s'ensuit que je ne mourrai pas tout entier, et qu'une partie de moi-même échappera à la ruine de mon existence morale, sans que je puisse toutefois me flatter d'avoir après ma mort connaissance ou notion de ce que je suis ou que j'aurais été, puisque je n'en ai aucune de l'existence précédente de toutes les parties de matières dont je suis à présent composé, lesquelles existaient aussi réellement avant que je fusse, qu'elles existeront après que je ne serai plus [13]. " Remarque exemplaire et qui se trouve exemplairement reprise et généralisée par Sade : " Ne perdez jamais de vue, dit le pape, qu'il n'y a point de destruction réelle : que la mort elle-même n'en est point une, qu'elle n'est physiquement et *philosophiquement* vue, qu'une différente modification de la matière dans laquelle le *principe actif*, ou si l'on veut, le *principe du mouvement ne cesse d'agir*, quoique d'une manière moins apparente. La naissance de l'homme n'est donc pas plus le commencement de son existence que la mort n'en est la cessation; et la mère qui l'enfante ne lui donne pas plus la vie que le meurtrier qui le tue ne lui donne la mort; l'une *produit* une espèce de matière organisée dans tel sens, l'autre donne occasion à la renaissance d'une manière différente, et tous deux créent. Rien ne naît, rien ne périt essentiellement, *tout n'est qu'action et réaction de la matière* [14]... " Remarque, principe devrais-je dire, où je veux voir, à l'intérieur des limites propres au matérialisme mécaniste, ce qui a permis à Sade de transgresser l'ordre de ces limites. La pensée, ici proprement dialectique (" Les hommes ont pensé dialectiquement longtemps avant de savoir ce qu'était la dialectique... ", Friedrich Engels, " *Anti Duhring* ") va opposer très généralement Sade à l'ordre qui ne peut pas penser la dialectique. Je veux dire que ce principe de négation de la négation, produisant (à travers ses conséquences globales, à travers sa globale mise en équation) l'œuvre de Sade, devait se trouver absolument et en tout point irréductible à l'ordre

13. Henri de Boulainvillier, *l'Essai de métaphysique dans les principes de B. de Spinoza* (1707 ?).
14. Sade, *Juliette*. C'est nous qui soulignons.

bourgeois qui conditionne le matérialisme mécaniste et la révolution de 89. Ordre qui est bien encore celui de notre culture et contre lequel aujourd'hui encore Sade ne cesse de s'inscrire. Je renvoie ici encore à l'essai de Sollers : " L'encyclopédie de Sade annule en tant que projet universel et intemporel celle des " Lumières " limitée à un type de lecture... " L'ordre que je souligne et auquel l'œuvre de Sade est absolument irréductible est bien d'abord celui de ce " type de lecture ".

Les contradictions du matérialisme mécaniste à l'ordre qui le justifie, ne sont pas bien entendu présentes dans la seule œuvre de Sade, mais la timidité même qui partout ailleurs les expose les rend pratiquement illisibles. Lorsque Diderot écrit à Sophie Volland : " Rien n'est indifférent dans un ordre de choses qu'une loi générale lie et entraîne, il semble que tout soit également important. Il n'y a point de grand, ni de petit phénomène. La constitution *Unigenitus* est aussi nécessaire que le lever et le coucher du soleil. Il est dur de s'abandonner aveuglément au torrent universel, il est impossible de lui résister. Les efforts impuissants ou victorieux sont aussi dans l'ordre. Si je crois que je vous aime librement, je me trompe. Il n'en est rien. " On voit bien tout ce qui tente là de se montrer ose à peine se dire et se rétracte sitôt dit, commandé dans sa faiblesse par l'ordre qui fera dans une autre lettre écrire au même Diderot : " J'aime encore mieux le baptême que la circoncision, cela fait moins mal [15]. " Ce qui ne s'exprime que très timidement et très marginalement chez les " philosophes " est radicalement, totalement et centralement exposé par Sade, s'institue comme seule écriture possible, comme la seule réalité de l'écriture, constitue le corpus même à partir duquel devra se marquer toute réalité. Son " *Idée sur les romans* " (notons que cette idée est au singulier) ne peut pas ne pas mettre en question la lecture de représentation fantasmatique à laquelle les romans de Sade ont été trop souvent soumis, qu'on lise plutôt : " ne perds pas de vue que le romancier est l'homme de la nature, elle l'a créé pour être son peintre ; *s'il ne devient pas l'amant de sa mère* dès que celle-ci l'a mis au monde, qu'il n'écrive jamais, nous ne le lirons point... " [16] ; nous entendons bien que Sade pose l'inceste comme seule possible condition de l'écriture romanesque, comme acte à partir duquel la lecture devient possible. Je crois qu'il est inutile de souligner ce qu'une telle démarche a de fondamentalement transgressif (et à

15. Diderot, lettre du 24 sept. 1767.
16. C'est nous qui soulignons.

plus forte raison si elle est donnée comme activité théorique). A partir de cette condition de lecture, on peut penser que tout devient possible, il faut pourtant préciser que tout ne devient possible que dans la mesure où tout devient lisible... N'oublions pas que l'œuvre de Sade est de fiction, que les " crimes " qu'on y commet sont des crimes " écrits ", et qu'il dépendra de la liberté, de la " généralité " de lecture dont dispose le lecteur pour que ces crimes se donnent comme fantasmes ou comme méthodes de déchiffrement. L'inceste est un tabou, un ordre qui non moins qu'un autre est à lire (qui dans la mesure où une société le vit comme le plus criminel des crimes, est plus que tout autre à lire), sa situation dans l'ordre qui est le nôtre étant toutefois telle, que sa lecture introduit en abîme, précipite la " dépense " de toutes les lectures possibles — lectures qui sont chacune (par rapport aux structures législatives) comme autant de " crimes ", où forcément pas un lecteur ne pourra pas ne pas se trouver concerné, c'est-à-dire soit arrêté par ce qui le concerne, trouvant là sa limite, soit produit par la lecture de ses limites.

Il faut que les structures et l'ordre de cette société " judiciaire [17] " soient puissants pour qu'aujourd'hui encore la plupart des lecteurs se trouvent à un moment ou à un autre arrêtés dans la bonne intelligence qu'ils souhaitent entretenir avec le texte, et comme forcés de reconnaître qu'une des lectures que ce texte leur propose est criminelle [18], ou insensée, ce qui dans l'ordre où nous nous déplaçons revient au même. Le passage de l'intelligence à la non intelligence du texte tenant essentiellement à ce point de rupture qu'institue en chaque lecteur la plus ou moins forte marque du savoir législatif; savoir qu'aujourd'hui encore nous avons les pires difficultés à articuler sur les contradictions qui lui sont propres et peuvent permettre d'en déchiffrer l'activité régressive. Il est bien évident que pour ce qui nous concerne ici (Sade dans l'ordre de la lecture) la psychanalyse entre autre, le texte de Freud, devrait depuis longtemps nous avoir familiarisé avec cette réalité que la structure judiciaire refoule (vit comme inconscient) et qui nous le savons s'écrit dans les prisons, dans les asiles et dans les rêves.

17. " Ce que les économistes ne perdent pas de vue, c'est que la production est plus facile sous la police moderne que sous le signe de " la loi du plus fort " par exemple. Ils oublient seulement que " la loi du plus fort " fut elle aussi un droit et qu'elle survit sous une autre forme dans leur état juridique. " K. Marx, *Fondements de la Critique de l'économie politique*, t. I.

18. Gilbert Lely, le biographe de Sade se trouve par exemple arrêté par l'aspect coprophagique de *Les 120 Journées de Sodome*.

Lorsque Sade écrit : " les mouvements les plus simples de nos corps sont pour tout homme qui les médite des énigmes aussi difficiles à deviner que la pensée ", nous pouvons bien entendu comprendre cela à partir du seul matérialiste mécaniste, toutefois si nous le situons dans le fonctionnement de l'œuvre de Sade, si nous le rapprochons de ce que nous citions tout à l'heure à propos de l'inceste, un déplacement s'opère qui arrache ce qu'une telle question doit au matérialisme proprement mécaniste pour l'introduire dans cette pensée qui questionne la normalité de ce code. " Les mouvements les plus simples de nos corps " obéissent à des structures qui ne peuvent être données comme normalité que dans la mesure où elles recoupent les structures de la législation morale; " les mouvements les plus simples de nos corps sont pour tout homme qui les médite des énigmes " dans la mesure où tout ce qui déborde la législation morale (les débordements) ne peut être pensé qu'à partir d'une remise en question de cette législation. On sait contre quelle sottise pudibonde Freud a dû lutter ! Mais qu'on m'entende bien, je ne voudrais pas laisser supposer que je considère l'œuvre de Sade comme l'illustration d'une lecture fantasmatique. La lecture de l'œuvre de Sade, comme celle de l'œuvre de Freud est de celles qui pour nous aujourd'hui " décèlent l'essence du fantasme[19] " c'est bien dire qu'elle ne se donne déjà plus comme lecture " criminelle ", mais (encore) seulement dans la mesure où elle peut être reçue hors de cet espace duel qui jusqu'à présent l'a condamnée

19. Voir à ce propos l'essai de Michel Tort, " *l'Effet Sade* " dans le numéro 28 de la revue *Tel Quel*. — Qu'on voie d'autre part comment dans *la Philosophie dans le boudoir*, par exemple, c'est la transgression du discours didactique qui, " excitant " le personnage, bloque brusquement le discours. A la fin d'une de ses leçons Dolmancé s'aperçoit que ses propos ont mis Eugénie hors d'elle-même : " Oh ! ciel ! qu'avez-vous donc cher ange ? Madame, dans quel état voilà notre élève !... *Eugénie* (se branlant) : Ah ! sacredieu ! vous me tournez la tête. " Le même Dolmancé interrompt, se trouve " forcé " d'interrompre un de ses discours : " Foutre ! je bande !... Rappelez Augustin, je vous prie. " La structure du discours transgressif, rencontrant chez le sujet la structure de l'interdit, bloque le discours, interrompt la pensée qui dès lors se répète dans la posture et dans " l'économie " transgressive, ne pouvant dialectiser et dépasser dans la " dépense " productive ce qui à ce moment la détermine et l'arrête. Nous voyons la même chose se produire pour le lecteur qui interrompt sa lecture à la simple " représentation " naturaliste de ce qu'il lit (les postures) ne pouvant plus dès lors penser dialectiquement les diverses articulations du texte. Le livre comprenant ainsi dans sa fiction ce qui peut " arrêter " sa lecture, et la lecture possible de cet " arrêté ". La leçon, et l'explication de tout cela se trouvant en une note finale du premier texte écrit par Sade " *Dialogue entre un prêtre et un moribond* " : Le moribond sonna, les femmes entrèrent, et le prédicant devint dans leurs bras un homme *corrompu par la nature, pour n'avoir pas su expliquer ce que c'était que la nature corrompue.* "

au mode représentatif (représentation / réalité = lecture), dans la mesure où elle peut être reçue hors de cet espace duel qui jusqu'à présent a condamné le lecteur à se vivre sous le mode représentatif du Sujet (transcendental). Les problèmes que l'œuvre de Sade pose à la législation morale nous pourrons les découvrir d'une façon plus ou moins précise sous les mille formes qu'une société utilise pour résoudre (sans les poser) les contradictions qu'elle produit (mythes, religions, etc.). Et là encore ce n'est pas un hasard si Sade (comme le fera Freud) revient et cite si souvent les religions archaïques et les vieux mythes [20]. L'œuvre de Sade est dans l'ordre de notre culture une de ces contradictions " monumentales " qui sont à lire et à rendre productives par tous ceux qui entendent comprendre quel possible avenir cette culture leur réserve, à quel champ d'activité la dialectique de ces contradictions oblige.

*

" *La Philosophie dans le boudoir* " est un des ouvrages les plus systématiques de Sade, beaucoup moins violent (" monstrueux ") que ses grands romans (*Justine*, *Juliette*, *Les 120 journées...*) ce petit livre reprend le premier écrit de Sade " *Dialogue entre un prêtre et un moribond* " dans la mesure où il est, avec le " *Dialogue* ", le seul livre dialogué de toute l'œuvre de Sade, et surtout dans la mesure ou comme le " *Dialogue* " il joue d'un savoir qui entend enseigner avant de convaincre (ce qui n'est pas toujours la tactique des romans). Le titre, si nous nous y arrêtons, indique bien le lieu du projet sadien : Philosophie DANS le boudoir. Au XVIIIe siècle " philosophe" est entendu comme philosophe matérialiste; ce qui se retire donc ici dans le boudoir, c'est ce que la pensée du siècle ne peut enseigner en public, et qui va être enseigné dans le privé. Nous devons bien entendre en effet : la philosophie matérialiste dans le boudoir — ou encore les effets, dans ce qu'on nomme le privé, de la philosophie matérialiste — ou encore, non plus effet de surface mais conséquence, activité totalisante de la philosophie matérialiste. N'oublions pas que le livre est écrit au moment où la révolution de 1789 s'inquiète des structures morales de la nation et rétablit l'ordre déiste. Dans le cadre du bien public la philosophie ne peut plus dès lors " tout dire ", et c'est d'un lieu retiré et comme

20. " Parcourons-nous des nations qui, plus féroces encore, ne se satisfirent qu'en immolant des enfants... Dans les républiques de la Grèce, on examinait soigneusement tous les enfants qui arrivaient au monde, et si l'on ne les trouvait pas conformes de manière à pouvoir défendre un jour la république, ils étaient aussitôt immolés... Les anciens législateurs n'avaient aucun scrupule de dévouer les enfants à la mort... Aristote conseillait l'avortement... " " *la Philosophie...* "

“ boudant ” la juridiction révolutionnaire et rousseauiste qu’elle va diffuser ses leçons.

En épigraphe à l’édition de 1795 de *la Philosophie*... on pouvait lire : “ la mère en prescrira la lecture à sa fille ”, ce qui, étant donné l’usage que l’élève des philosophes (Eugénie) fait de sa mère à la fin du livre, donne une assez vaste dimension à la leçon, et souligne une fois de plus le double jeu du texte de Sade et la complexité de sa méthode. Cette méthode qu’il faudrait montrer en fonctionnement à travers toute l’œuvre de Sade, tient d’abord par le rapprochement de textes dont seule la totalité (la multiplication si l’on veut) est à lire. De cela *la Philosophie*... offre plusieurs exemples, entre autre ce “ La mère en prescrira la lecture à sa fille ” mis en rapport, en équation avec l’usage qu’Eugénie est censée faire de sa mère à la fin du livre; rapport, multiplication, qui rend impossible toute vraisemblabilisation du récit comme description d’une réalité à lui extérieure, et oblige la lecture à se généraliser, déportant et faisant jouer d’un texte sur l’autre ce qu’elle entend, ***multipliant*** d’un texte sur l’autre ses effets.

Sur le plan de la seule construction du livre, nous trouvons ainsi dans *la Philosophie*... : le dialogue proprement didactique (l’élève — Eugénie — reçoit une leçon qui va de l’explication de vocabulaire à l’explication de texte avant d’introduire à la démarche culturelle et philosophique) — la mise en application du dialogue, plus essentiellement théâtrale et qui oblige l’auteur à doubler son texte d’indication de mise en scène (“ Pour faire comprendre à Eugénie ce dont il s’agit, il socratise Augustin lui-même ”), ces indications sont en italiques — les interventions de l’auteur qui se manifestent en note comme référence d’ordre culturel (“ Voyez Suétone et Dion Cassius de Nicée ”) ou encore d’ordre d’indication textuelle (“ Cet article se trouvant traité plus loin avec étendue on s’est contenté de jeter seulement ici quelques bases du système que l’on développera plus loin ”) — sans oublier le célèbre et très important “ *Français encore un effort si vous voulez être républicain* ” qui compte près de soixante dix pages de *la Philosophie*.., et qui est donné à l’intérieur du livre comme une brochure achetée par Dolmancé au palais de l’Égalité, brochure qui est donc censée ne pas faire partie de la fiction du dialogue et qui doit répondre, de l’extérieur de la fiction didactique, à la question que de l’intérieur Eugénie pose : “ Je voudrais savoir si les mœurs sont vraiment nécessaires dans un gouvernement, si leur influence est de quelque poids sur le génie de la nation ? ” La situation de ce discours “ *Français encore un effort*... ” comme extérieur à la fiction est des plus importantes,

elle soulève ce que j'ai déjà souligné plusieurs fois, à savoir la façon dont le texte de Sade se trouve volontairement déterminé par, et destiné au texte historique (la lecture se réalise en multipliant chacun des textes qui lui sont proposés sans oublier la réalité historique qui détermine ces textes). Une lecture un tant soit peu attentive de *la Philosophie...* ne peut pas ne pas nous convaincre de cela. Il est en effet plus qu'improbable qu'au moment ou fut écrite " *la Philosophie...* ", et à plus forte raison au moment où elle fut publiée, il est en effet plus qu'improbable qu'on ait pu trouver à acheter une brochure telle que celle que Dolmancé donne à lire au Chevalier. Et c'est sans doute justement l'impossibilité de faire alors lire une telle brochure qui décida Sade à la titrer " *Français encore un effort si vous voulez être républicain* " (on voit le jeu opéré de la fiction à la réalité, la fiction doit agir sur la réalité, la transformer pour devenir réelle, mais avant même cette transformation elle est déjà plus réelle que la réalité puisqu'elle marque sa volonté de transformation " encore un effort ", alors que sans elle la réalité sera arrêtée et dès lors tout à fait fictive). Il faut en effet savoir que dès le 7 mai 1794, la République française se déclare déiste, d'abord dans un rapport présenté par Robespierre au comité de Salut public " *Sur les rapports des idées religieuses et morales avec les principes républicains...* " et où on peut lire : " Qui donc t'a donné la mission d'annoncer au peuple que la divinité n'existe pas ô toi qui te passionnes pour cette aride doctrine, et qui ne te passionnes jamais pour la patrie ? Quel avantage trouves-tu à persuader à l'homme qu'une force aveugle préside à ses destinées et frappe au hasard le crime et la vertu; que son âme n'est qu'un souffle léger qui s'éteint au porte du tombeau ? " et plus loin " Je ne conçois pas du moins comment la nature aurait pu suggérer à l'homme des fictions plus utiles que toutes les réalités; et si l'existence de Dieu, si l'immortalité de l'âme n'étaient que des songes, elles seraient encore la plus belle de toutes les conceptions de l'esprit humain. Je n'ai pas besoin d'observer qu'il ne s'agit pas ici de faire le procès à aucune opinion philosophique en particulier, ni de contester que tel philosophe peut être vertueux, quelles que soient ses opinions, et même en dépit d'elles, par la force d'un naturel heureux et d'une raison supérieure. Il s'agit de considérer seulement l'athéisme comme natonal, et lié à un système de conspiration contre la République."
Ces propos qui visent évidemment les philosophes matérialistes (" tel philosophe peut être vertueux... " pourrait désigner d'Holbach) n'ont pas dû laisser Sade indifférent, et si l'on sait qu'ils furent suivis d'un décret que la Convention vota à l'unanimité,

et dont le premier paragraphe déclare : " Le peuple français reconnaît l'existence de l'être suprême et l'immortalité de l'âme ", on comprend que Sade demande aux Français de faire un effort s'ils veulent être républicains — effort qui leur permettra d'écarter les consolations de cette " puérile religion ". Qu'on compare les deux discours celui de Robespierre et celui de Sade, toute la rigueur est chez Sade qui écrit : " Anéantissez donc à jamais tout ce qui peut détruire un jour votre ouvrage... Encore un effort; puisque vous travaillez à détruire tous les préjugés, n'en laissez subsister aucun, s'il n'en faut qu'un seul pour les ramener tous. Combien devons-nous être plus certains de leur retour si celui que vous laissez vivre est positivement le berceau de tous les autres. " Phrases prophétiques quant à la destinée de Robespierre et à celle de la révolution. La complexité des discours sadiens qui composent *la Philosophie...* est là illustrée à son niveau le plus élémentaire, et montre clairement que la phrase que nous avons citée à propos du " *Système de la nature* " de d'Holbach : " j'en suis sectateur jusqu'au martyre s'il le fallait " fut par Sade prise très au sérieux.

Une théorie est au travail dans l'œuvre de Sade qui à quelque niveau que ce soit ne laisse jamais passer une occasion de revenir sur ce qui pourrait la trahir (rousseauisme, déisme républicain). Cette théorie qui peut être entendue comme une conséquence en extension systématique de la pensée matérialiste du XVIIIe siècle, demande à être lue à partir de cette multiplicité de textes qu'elle fait fonctionner. N'en lire qu'un seul ce n'est pas lire Sade, Sade alors est illisible. Ne lire que le texte de fiction, de posture = névrose. Ne lire que le texte didactique, refuser ou ne pas pouvoir lire le texte de fiction = névrose. La lecture de Sade passe de l'un à l'autre sans jamais se laisser prendre au piège culturel qui consiste à réduire chaque texte à une unité et à additionner les points. Sade n'est lisible que pour une lecture qui pense l'articulation multiplicative des contradictions textuelles et qui se pense dans l'ordre de ces contradictions. Non pas lisible par tous sans doute, et Sade ne nous l'envoie pas dire (" tant pis pour ceux qui ne savent saisir que le mal dans les opinions philosophiques, susceptibles de se corrompre à tout, qui sait s'ils ne se gangrèneraient peut-être pas aux lectures de Sénèque et de Charron ! Ce n'est point à eux que je parle : je ne m'adresse qu'à des gens capables de m'entendre, et ceux-là me liront sans danger "). Dire de Sade qu'il est lisible, c'est bien entendu dire qu'il est *encore* à lire, et par tous.

Marcelin Pleynet.

LE RÉFLEXE DE RÉDUCTION[1]

Tout écrivain qui, par le fait même d'écrir n'est pas conduit à penser : je suis la révolution.. en réalité n'écrit pas.

Maurice Blanchot.

L'article de Pingaud est un exemple de l'aplatissement " synthétique " auquel peut être soumise une recherche complexe lorsqu'elle est traitée sans préparation et dans un but exclusivement polémique. Comme d'habitude, la méthode est simple : citations tronquées, amalgames, dramatisation accélérée, sommation d'avoir à choisir entre deux positions dites " contradictoires ", condamnation sans appel. Le travail de *Tel Quel*, qui s'étend sur plus de sept ans à partir de commencements étroitement esthétiques — travail qui demanderait une lecture minutieuse des textes, de leur progression et de leurs relations — se voit ramené à quelques slogans superficiels, à une série de " bonds " incohérents, à une " escalade " (nous laissons à Pingaud la responsabilité de cette métaphore militaire) faisant défiler le " nouveau roman ", Saussure, Lacan, Lénine, dans une sorte de mimodrame intellectuel aux numéros hâtifs et improvisés. Ce que devient, dans ces conditions, le travail théorique et pratique d'un groupe — et non pas seulement de tel ou tel — apparaît dérisoire et, pire que simpliste, banal. Mais contentons-nous de relever les points d'incompréhension majeurs :

UN TRAVAIL MÉCONNU.

1. La " déclaration " de 1960 — année de fondation de *Tel Quel* — est en effet un exemple d'ambiguïté esthétique. Cette position

1. Voir dans *la Quinzaine*, janvier 1968 : *Où va Tel Quel ?* l'article de Bernard Pingaud.

ayant été très vite abandonnée, après une série de crises intérieures au comité de rédaction de la revue, il est par conséquent inutile d'y revenir. Ce qu'on peut remarquer aujourd'hui c'est l'*efficacité* qu'a eue, initialement, cette position. Dès le départ, l'accent est mis sur la pratique immanente du texte, sur la rupture avec les justifications extra-littéraires de la littérature. Attitude qui amènera assez vite *Tel Quel* à réactiver une théorie de la " méthode formelle " en corrélation ultérieure avec les travaux des formalistes russes. Cette période se caractérise par la constitution d'un *champ textuel* spécifique, c'est-à-dire par l'accumulation et la mise en avant systématique de textes jusque-là considérés comme marginaux (Artaud, Bataille, Ponge) et par l'étude critique de leurs fondements théoriques. Le travail porte aussi bien sur la " poésie " que sur le " roman " ou " l'essai ". L'aboutissement de cette activité — outre une publication intense de textes — sera, entre autres, la constitution (par T. Todorov) du recueil *Théorie de la littérature* où sont révélés au public français les écrits jusque-là totalement inconnus de l'avant-garde révolutionnaire — futuriste et scientifique — soviétique dans les années 1920-1930.

2. La " contestation ", que Pingaud aperçoit simplement en 1964 à propos de Robbe-Grillet, se produit en fait beaucoup plus tôt dans la mesure où le concept d'écriture comme représentation et principalement comme *expression* est récusé dans ses implications métaphysiques. Il nous faut à ce moment surmonter à la fois les résidus de la théorie surréaliste qui, voulant présenter d'abord le " fonctionnement réel de la pensée ", reste prise au piège d'un classicisme et d'un baroquisme superficiels; les confusions de la littérature soi-disant " engagée " qui n'est ni littéraire (incompréhension de la série historique visant à dégager la pratique spécifique du texte) ni engagée (persistance, en elle, du discours naturaliste bourgeois du XIXe siècle), et enfin, après une phase de soutien assez brève, l'idéologie positiviste du " nouveau roman " qui oscille entre une survivance psychologiste (" courant de conscience ") et un " descriptionnisme " décorativement structural. A ce moment, en effet, la linguistique est pour nous d'un puissant secours. Nous commençons — et cela à partir de notre propre pratique qui ne répond à aucune des classifications précédentes — à poser la nécessité d'une attitude *double* :

— production de nouveaux organismes formels — faire sortir la " poésie ", par exemple, de son enlisement " oraculaire " pour l'ouvrir à son tracé projectif, à sa combinatoire rythmique désacralisée; faire sortir la narration de son " copiage " pseudoréaliste ou imaginaire pour l'amener à une exploration en profondeur du fonctionnement et des permutations de la langue, — et théorisation de cette production.

Il faut ici se reporter aux textes et aux livres, aussi bien aux écrits « poétiques » caractérisés par une rythmique *autre*, littérale, non-métaphorique et cependant mythique (Pleynet), par une scansion antilinéaire (Denis Roche), un geste d'effacement permanent (Risset), qu'aux recherches de « fiction » tendant à mettre en cause tout « sujet » du langage par le traitement systématique du pronom (Baudry), la pratique énergétique de la graphie comme force de consumation (Rottenberg), le « roman » devenant ainsi une « autobiographie » multi-dimensionnelle (Thibaudeau) ou un fonctionnement de séries signifiantes parallèles (Ricardou). Les catégories d' « œuvres » et d' « auteur » deviennent ainsi de plus en plus périmées par rapport à cette production visant à faire de l'écriture un acte soutenu RÉEL, non plus « automatique » mais organique, DANS UN TEXTE QUI DÉBORDE INCESSAMMENT LES CADRES QU'IL RECONNAÎT. La « réalité » n'est plus, ainsi, l'éternel morceau préexistant à découper dans tel ou tel sens, mais LE PROCÈS DE GÉNÉRATION QUI TRANSFORME. De ce procès, nous tentons, par de multiples actes critiques (Dante, Sade, Lautréamont, Mallarmé, Joyce, Artaud, Bataille) de dégager à la fois l'historicité et, en somme, l'espace particulier.

Le modèle linguistique présente alors provisoirement cet avantage de faire ressortir les erreurs parfois extrêmement grossières des pratiques que nous sommes amenés à critiquer. Ainsi, la confusion opérée par Sartre entre *signifié* et *référent* (l'une des principales sources de contresens) en régression nette, par son côté mécaniste et instrumental, sur la découverte surréaliste indiquant la nécessité « *de se reporter d'un bond à la naissance du signifiant* » (Breton). Les futuristes russes, proches à la fois de la linguistique structurale commençante et de la révolution politique en cours, avaient comme programme de « faire de chacun un possesseur actif du langage ». Pour reprendre cette formule de Tretiakov, le langage est pour nous une « pratique modifiable et modifiante » dont nous commençons, à l'intérieur de la série « littéraire », à étudier les effets transformatifs non pas « *liés par un signe d'égalité et d'addition mais par un signe dynamique de corrélation et d'intégration* » (Tynianov). « *Les formalistes se caractérisent par un lien étroit avec la littérature contemporaine et par un rapprochement de la critique et de la science (à l'inverse des symbolistes qui rapprochaient la science de la critique, et des anciens historiens de la littérature qui, pour la plupart, se tenaient à l'écart de l'actualité*) " (Eikhenbaum, 1925). Le besoin se fait ainsi de plus en plus sentir, pour ébranler l'obscurantisme traditionnellement attaché à la " littérature ", de mener de front une recherche scientifique (expansion considérable de la sémiologie) et les processus producteurs (renouvellement des techniques formelles, mais aussi, et *surtout*, exposition de la pensée qui surgit d'une méditation de *l'écriture*).

Qu'est-ce que l'écriture ?

Cette pensée, naturellement, ne tombe pas du ciel. Il est étonnant de constater que Pingaud ne voit pas, ou ne veut pas voir, l'aspect profondément *historique* de ce qui a lieu ici d'essentiel. C'est-à-dire, à l'intérieur même de notre culture, la *coupure* marquée par la fin du XIXe siècle et sur laquelle nous n'avons cessé d'insister. Les concepts de texte, d'intertextualité, d'écriture sont explicitement à la base d'une mutation dans notre civilisation, et les noms que nous citons de façon répétée : Lautréamont, Mallarmé, Marx, Freud, en sont les symptômes massifs et, à notre avis, encore à venir. Il est donc absurde d'écrire que, pour nous, " Lacan vient à la rescousse de Saussure " et que la problématique de " l'inconscient structuré comme un langage " aurait été importée par " analogie " dans notre recherche. Comment ignorer, quarante-trois ans après le *Manifeste du Surréalisme* les rapports qu'entretient le langage avec l'inconscient ? L'importance de Lacan vient du fait que sa culture est réelle et contemporaine au milieu d'une inculture souvent pénible des psychanalystes. C'est cette méconnaissance que nous dénonçons comme " idéologie " — et principalement en ce qui touche les rapports de la théorie analytique avec l'écriture (incapacité du discours psychanalytique d'aborder le procès de production du texte poétique). En fait, le retard répétitif qui se montre ici dans notre société a pour cause, nous semble-t-il, a *non-lecture* des textes subversifs produits dans cette société depuis cent ans (Mallarmé : " *l'acte d'écrire se scruta jusqu'en l'origine* ") et l'impossibilité, pour notre " culture ", de se penser historiquement. Le Cercle linguistique de Prague le remarquait déjà :" *A l'avenir, l'histoire de la littérature ne doit plus être conçue comme le commentaire décousu de l'évolution des phénomènes extra-littéraires, mais comme une série ininterrompue, bien que soutenue par l'évolution de la société comme un fleuve l'est par son lit.* " En ce sens, nous ne réclamons pas autre chose que la lecture systématique (non métaphysique) d'une " succession dialectique de formes ", la " forme " étant " *comprise comme le véritable fond se modifiant sans cesse en rapport avec les œuvres du passé* " (Eikhenbaum). Comme le rappelaient Jakobson et Tynianov : " *L'histoire de la littérature est intimement liée aux séries historiques ; chacune de ces séries comporte un faisceau complexe de lois structurales qui lui est propre.* " Le dégagement de ces lois, on en trouve les traces dans presque tous les numéros de *Tel Quel*, étant entendu que ce travail exige une conception historique conséquente de la spécificité de l'écriture textuelle.

Un contresens.

Jakobson, réfutant en 1965 l'attitude brouillonne et irresponsable de Chklovski dans le passé, notait : " *On aurait tort d'identifier la découverte, voire l'essence de la pensée " formaliste ", aux platitudes galvaudées sur le secret professionnel de l'art, qui serait de faire voir les choses en les désautomatisant et en les rendant surprenantes* (" *ostranénie* ") *tandis qu'en fait il s'agit dans le langage poétique d'un changement essentiel du rapport entre le signifiant et le signifié, ainsi qu'entre le signe et le concept.* "

Cette remarque nous amène au niveau fondamental du débat, à savoir l'accusation portée par Pingaud contre nous : notre " idéologie ", outre un " analogisme " continuel (mais toute pensée mécaniste voit dans la dialectique un analogisme), serait celle du " refus du signifié ". Nous nous obstinerions à éliminer le signifié pour laisser finalement " face à face " le signifiant et le référent. Après avoir nié qu'il puisse y avoir une science de l'écriture dont l'écriture serait à son tour la science, après avoir passé pudiquement sur le matérialisme dialectique — dont, après les travaux d'Althusser, par exemple, il est impossible d'ignorer la dimension de lecture active —, après avoir aplati la profondeur idéologique des textes théoriques produits, Pingaud en arrive donc à nous créditer d'une erreur somme toute élémentaire. Voyons. Nous laissons " face à face " l'écriture et le " monde " ? Nous ne cessons d'étudier le procès de *transformation* qui les définit. Nous ne remettons pas en question la rhétorique bourgeoise, nous " jouons " avec une écriture apprise sans la modifier ? Nous n'arrêtons pas de recevoir la qualification *d'illisible*. Encore une fois, Pingaud prend le produit pour la production, l'objet pour l'acte, l'apparence figée pour le travail producteur. Car le reproche d'illisibilité s'adresse non seulement aux transformations (d'ailleurs nécessaires) de l'aspect verbal (signifiant) mais encore, et peut-être surtout, aux écritures opérant sur le *signifié* (le concept) *pris comme signifiant*. Autrement dit, la grammaticalité d'un texte peut être à peu près " normale " (par exemple, chez Bataille) et exposer pourtant une écriture subversive, et inversement, une forme peut être apparemment perturbatrice et couvrir une écriture naturaliste (comme il arrive souvent chez Beckett). Voilà d'ailleurs pourquoi *nous ne sommes pas* " formalistes ". Comme l'écrivait Barthes, à propos d'un de nos livres : " *Le parleur (l'éveillé) imaginé (ici) ne vit pas au milieu des choses (ni, bien sûr au milieu des " mots " comme signifiants, car il ne s'agit pas ici d'un verbalisme dérisoire) mais* au milieu des signifiés (*puisque précisément le signifié n'est plus le référent*)... *pour lui, avec lui, les côtés du langage (comme on dit les limites d'un monde) ne sont pas ceux de la nature (des choses) comme c'était le cas dans la poésie romantique, offerte à une critique thématique, mais ceux de cet envers du sens que constituent les associations ou chaînes de signifiés... Il s'ensuit naturellement qu'il n'y a pas rupture de substance entre le livre et le monde, puisque le " monde " n'est pas directement une collection de choses, mais un champ de signifiés : mots et choses circulent donc entre eux de plain-pied, comme les unités d'un même discours, les particules d'une même matière*[2]. "

Ce serait donc justement au moment même où le signifié est distingué du référent, c'est-à-dire au moment où il est enfin traité scripturalement, que Pingaud en constaterait le " refus " et la " disparition " ? Comment ne pas voir qu'il prend lui aussi le signifié pour le référent selon un contresens passé à l'état de réflexe ?

La grammatologie.

Mais allons plus loin. Il est symptomatique qu'un texte ne soit pas cité dans l'article de Pingaud, un texte qui éclaire ces dernières années et les modifie radicalement : *De la Grammatologie*, de Jacques Derrida. Il est vrai que le travail accompli par Derrida est si impressionnant que la manière dont il a été reçu, soi-disant reconnu

2. Roland Barthes : " Drame, Poème, Roman ", *Critique*, juillet 1965 (repris ici-même).

et plus généralement méconnu, mériterait une étude à part. Disons simplement ici qu'aucune pensée ne peut plus ne pas se situer par rapport à cet événement. Eh bien, lorsque Pingaud écrit que " l'écriture quoi qu'on fasse est toujours une forme d'expression ", qu'elle " vient après coup ", que ce qu'elle " produit au jour du langage était déjà là ", que " son expérience n'a rien de scientifique " que " toute écriture traduit ", etc., nous en concluons qu'il n'a pas lu Derrida (dont *Tel Quel* a fortement souligné les écrits) et qu'il méconnaît complètement le concept d'*écriture* tel que Derrida le produit et que nous essayons par ailleurs de le présenter à travers l'expérience " littéraire " (où ce concept, et la " percée " qu'il entraîne est, précise la *Grammatologie*, " plus sûre et plus pénétrante qu'ailleurs "). Rapidement : que met en lumière la théorie de l'écriture telle que la pense Derrida en se servant de concepts *nouveaux* comme ceux de " trace ", de " gramme ", " d'espacement " ? Que le modèle linguistique (signifiant / signifié — référent) a une histoire et que cette histoire est précisément celle de la méconnaissance " platonicienne " de l'écriture. Qu'il " faut qu'il y ait un signifié transcendantal pour que la différence entre signifié et signifiant soit quelque part absolue et insurmontable ". Que le " mouvement du langage " est cela même qui fait que " le signifié fonctionne toujours déjà comme un signifiant ". On le voit : traiter de l'action de l'écriture à l'intérieur d'un modèle nécessaire mais inadéquat (la linguistique, science de la *parole*) oblige à accentuer, pour faire comprendre que l'écriture *n'est pas* représentation, une *dissymétrie* signifiant-signifié (ce qui peut amener des formules du genre " primat du signifiant "). La " disparition " porte donc non pas sur le signifié — on a vu qu'au contraire il s'agissait de faire apparaître le signifié comme signifiant — mais sur le *signifié transcendantal*, fétiche de l'idéalisme phénoménologique qui croit toujours à un texte vrai et dernier, à un *sens* originaire, idéologie de l'écriture comme " vérité ". Pingaud nous reproche donc simplement de n'être pas idéalistes. Et du même coup, il ne voit pas qu'une seule médiation nous préoccupe dans ce grand procès d'écriture que nous essayons de dégager avec les moyens de notre société, aujourd'hui, *là ou elle en est :* l'histoire. Proposer une phraséologie " révolutionnaire " est à la portée de n'importe qui. Mais participer à la révolution de la pensée qui s'écrit en sachant qu'écriture et révolution sont précisément homologues en ceci qu'elles exercent une force transformative " muette ", cela est beaucoup plus difficile, cela exige une certaine ampleur de déchiffrement et de production déchiffrante incessante. Que nous soyons " bourgeois " ne change rien, *en ce point*, à l'affaire. En effet, on retrouve dans la conclusion de Pingaud la proposition d'une vieille alternative, d'ailleurs typiquement sartrienne : ce n'est plus le démon de l'analogie mais celui de la castration. *Ou bien*, il faudrait être " révolutionnaire " sans " littérature ", *ou bien*, puisque la littérature est " bourgeoise ", toute action dans ce sens est, par définition, à l'extérieur de la révolution. C'est là un problème de " mauvaise conscience " qui n'est pas le nôtre. Avoir à " choisir " entre une activité uniquement " militante " et une défense non révolutionnaire de ce que Pingaud, parce qu'il en méconnaît la force historique, appelle la " sacro-sainte écriture ", c'est là encore une de ces simplifications réductrices que nous refusons. L'écriture, pour nous, l'activité textuelle, est justement ce qui dénonce toute sanctification et toute sacralisation, et d'abord, faut-il le dire, celle de " l'écriture " au sens esthétique du terme. Pour éviter ce malentendu, ce contresens, nous disons en effet que la pensée qui nous préoccupe, outre le " jeu " qu'elle suppose, est inévitablement reliée au processus de connaissance scientifique et de transformation sociale tel qu'il n'est pas d'autre possibilité que d'en appuyer les effets. Transformation qui n'est pas une " force brute " à l'œuvre mais *aussi* un changement de *lecture* appelé par l'histoire et la science à bouleverser un jour jusqu'aux concepts d' " histoire " et de " science ". Une " avant-garde " est efficace en définitive moins par ses déclarations ou ses innovations " formelles " que par son travail : c'est ce travail, et sa réflexion, qui devraient amener Pingaud, comme, il est vrai, beaucoup d'autres, à relire *Tel Quel*[3].

Philippe Sollers.

3. Voici donc une bibliographie :

LIVRES : Barthes : *Essais Critiques*, *Critique et Vérité* ; Baudry : *les Images*, *Personnes* ; Boulez : *Relevés d'Apprentis* ; Daix : *Nouvelle Critique et Art Moderne* ; Derrida : *l'Écriture et la Différence* ; Faye : *Analogues*, *le Récit hunique* ; Genette : *Figures* ; Pleynet : *Comme*, *Lautréamont par lui-même* ; Ricardou : *Problèmes du nouveau roman*, *la Prise de Constantinople* ; Denis Roche : *les Idées Centésimales de Miss Élanize*, *Éros Énergumène* ; Maurice Roche : *Compact* ; Rottenberg : *le Livre Partagé* ; Sanguineti : *Capriccio Italiano* ; Sollers : *Drame*, *Logiques*, *Nombres* ; Thibaudeau : *Ouverture*, *Imaginez la nuit* ; Théorie de la Littérature (textes réunis par T. Todorov).

REVUE : Nº 17 (avec Michel Foucault); 20, sur Artaud (avec Jacques Derrida); 23, sur Dante; 26 (Jakobson, Derrida); 28, sur Sade (Klossowski, Barthes, Sollers, Damisch, Tort); 29 (Genet, Jakobson, Sollers, Faye, Kristeva, Sanguineti), 30 (sur Joyce, avec une traduction inédite de *Finnegan's Wake*).

TABLE

IMP. BUSSIÈRE A SAINT-AMAND (CHER).
D.L. 4e TRIM. 1980. N° 5708 (1929).

COLLECTION « TEL QUEL »

Roland Barthes, *Essais critiques*
Critique et Vérité
S/Z
Sade, Fourier, Loyola
Le Plaisir du texte
Fragments d'un discours amoureux

Jean-Louis Baudry, *Les Images*
Personnes
La « Création »

Pierre Boulez, *Relevés d'apprenti*
Par volonté et par hasard
Entretien avec Célestin Deliège

Pierre Daix, *Nouvelle Critique et Art moderne*

Jacques Derrida, *L'Écriture et la Différence*
La Dissémination

Jean Pierre Faye, *Analogues*
Le Récit hunique

Gérard Genette, *Figures I*
Figures II

Allen Ginsberg, *OM...*

Jacques Henric, *Archées*
Chasses

Julia Kristeva, *Recherches pour une sémanalyse*
La Révolution du langage poétique
Polylogue
Pouvoirs de l'horreur

Maria-Antonietta Macciocchi, *Pour Gramsci*

Marcelin Pleynet, *Paysages en deux*
suivi de *Les Lignes de la prose*
Comme
Stanze
L'Enseignement de la peinture
Art et Littérature

Jean Ricardou, *Problèmes du nouveau roman*
Pour une théorie du nouveau roman

Jacqueline Risset, *Jeu*

Denis Roche, *Récits complets*
Les Idées centésimales de Miss Elanize
Éros Énergumène
Le Mécrit

Maurice Roche, *Compact*
Circus
Codex
Opéra Bouffe
Maladie-Mélodie

Pierre Rottenberg, *Le Livre partagé*

Edoardo Sanguineti, *Capriccio italiano*
Le Noble Jeu de l'oye
(traduits par Jean Thibaudeau)

Guy Scarpetta, *Scène*

Jean-Louis Schefer, *Scénographie d'un tableau*

Daniel Sibony, *Le Nom et le Corps*

Philippe Sollers, *L'Intermédiaire*
Drame
Logiques
Nombres
Lois
H
Sur le matérialisme

Jean Thibaudeau, *Ouverture*
Imaginez la nuit

Mai 1968 en France précédé de
Printemps rouge par Philippe Sollers

La Traversée des signes, ouvrage collectif

Théorie de la littérature
Textes des formalistes russes
(traduit par T. Todorov)

Giuseppe Ungaretti, *A partir du désert*
(traduit par P. Jaccottet)

Collection Points

1. Histoire du surréalisme, *par Maurice Nadeau*
2. Une théorie scientifique de la culture *par Bronislaw Malinowski*
3. Malraux, Camus, Sartre, Bernanos, *par Emmanuel Mounier*
4. L'Homme unidimensionnel, *par Herbert Marcuse* (épuisé)
5. Écrits I, *par Jacques Lacan*
6. Le Phénomène humain, *par Pierre Teilhard de Chardin*
7. Les Cols blancs, *par C. Wright Mills*
8. Stendhal, Flaubert, *par Jean-Pierre Richard*
9. La Nature dé-naturée, *par Jean Dorst*
10. Mythologies, *par Roland Barthes*
11. Le Nouveau Théâtre américain, *par Franck Jotterand*
12. Morphologie du conte, *par Vladimir Propp*
13. L'Action sociale, *par Guy Rocher*
14. L'Organisation sociale, *par Guy Rocher*
15. Le Changement social, *par Guy Rocher*
16. Les Étapes de la croissance économique, *par W. W. Rostow*
17. Essais de linguistique générale, *par Roman Jakobson* (épuisé)
18. La Philosophie critique de l'histoire, *par Raymond Aron*
19. Essais de sociologie, *par Marcel Mauss*
20. La Part maudite, *par Georges Bataille* (épuisé)
21. Écrits II, *par Jacques Lacan*
22. Éros et Civilisation, *par Herbert Marcuse* (épuisé)
23. Histoire du roman français depuis 1918
    par Claude-Edmonde Magny
24. L'Écriture et l'Expérience des limites, *par Philippe Sollers*
25. La Charte d'Athènes, *par Le Corbusier*
26. Peau noire, Masques blancs, *par Frantz Fanon*
27. Anthropologie, *par Edward Sapir*
28. Le Phénomène bureaucratique, *par Michel Crozier*
29. Vers une civilisation du loisir ?, *par Joffre Dumazedier*
30. Pour une bibliothèque scientifique, *par François Russo* (épuisé)
31. Lecture de Brecht, *par Bernard Dort*
32. Ville et Révolution, *par Anatole Kopp*
33. Mise en scène de Phèdre, *par Jean-Louis Barrault*
34. Les Stars, *par Edgar Morin*
35. Le Degré zéro de l'écriture, *suivi de* Nouveaux Essais critiques
    par Roland Barthes
36. Libérer l'avenir, *par Ivan Illich*
37. Structure et Fonction dans la société primitive
    par A. R. Radcliffe-Brown
38. Les Droits de l'écrivain, *par Alexandre Soljénitsyne*
39. Le Retour du tragique, *par Jean-Marie Domenach*
41. La Concurrence capitaliste
    par Jean Cartell et P.-Y. Cossé (épuisé)
42. Mise en scène d'Othello, *par Constantin Stanislavski*

91. L'Unité de l'homme, *par le Centre Royaumont*
1. Le primate et l'homme, *par E. Morin et M. Piattelli-Palmarini*
92. L'Unité de l'homme, *par le Centre Royaumont*
2. Le cerveau humain, *par E. Morin et M. Piattelli-Palmarini*
93. L'Unité de l'homme, *par le Centre Royaumont*
3. Pour une anthropologie fondamentale
par E. Morin et M. Piattelli-Palmarini
94. Pensées, *par Blaise Pascal*
95. L'Exil intérieur, *par Roland Jaccard*
96. Semeiotiké, recherches pour une sémanalyse, *par Julia Kristeva*
97. Sur Racine, *par Roland Barthes*
98. Structures syntaxiques, *par Noam Chomsky*
99. Le Psychiatre, son « fou » et la psychanalyse, *par Maud Mannoni*
100. L'Écriture et la Différence, *par Jacques Derrida*
101. Le Pouvoir africain, *par Jean Ziegler*
102. Une logique de la communication
par P. Watzlawick, J. Helmick Beavin, Don D. Jackson
103. Sémantique de la poésie, *par T. Todorov, W. Empson*
J. Cohen, G. Hartman et F. Rigolot
104. De la France, *par Maria-Antonietta Macciocchi*
105. Small is beautiful, *par E. F. Schumacher*
106. Figures II, *par Gérard Genette*
107. L'Œuvre ouverte, *par Umberto Eco*
108. L'Urbanisme, *par Françoise Choay*
109. Le Paradigme perdu, *par Edgar Morin*
110. Dictionnaire encyclopédique des sciences du langage
par Oswald Ducrot et Tzvetan Todorov
111. L'Évangile au risque de la psychanalyse
par Françoise Dolto
112. Un enfant dans l'asile, *par Jean Sandretto*
113. Recherche de Proust, *collectif*
114. La Question homosexuelle, *par Marc Oraison*
115. De la psychose paranoïaque dans ses rapports
avec la personnalité, *par Jacques Lacan*
116. Sade, Fourier, Loyola, *par Roland Barthes*
117. Une société sans école, *par Ivan Illich*
118. Mauvaises Pensées d'un travailleur social,
par J. M. Geng
119. Albert Camus, *par Herbert R. Lottman*
120. Poétique de la prose, *par Tzvetan Todorov*
121. Théorie d'ensemble, *par Tel Quel*

Collection Points

SÉRIE ROMAN

R1. Le Tambour, *par Günter Grass*
R2. Le Dernier des Justes, *par André Schwarz-Bart*
R3. Le Guépard, *par G. T. di Lampedusa*
R4. La Côte sauvage, *par Jean-René Huguenin*
R5. Acid Test, *par Tom Wolf*
R6. Je vivrai l'amour des autres, *par Jean Cayrol*
R7. Les Cahiers de Malte Laurids Brigge
par Rainer Maria Rilke
R8. Moha le fou, Moha le sage, *par Tahar Ben Jelloun*
R9. L'Horloger du Cherche-Midi, *par Luc Estang*
R10. Le Baron perché, *par Italo Calvino*
R11. Les Bienheureux de La Désolation, *par Hervé Bazin*
R12. Salut Galarneau !, *par Jacques Godbout*
R13. Cela s'appelle l'aurore, *par Emmanuel Roblès*
R14. Les Désarrois de l'élève Törless, *par Robert Musil*
R15. Pluie et Vent sur Télumée Miracle,
par Simone Schwarz-Bart
R16. La Traque, *par Herbert Lieberman*
R17. L'Imprécateur, *par René-Victor Pilhes*
R18. Cent Ans de solitude, *par Gabriel Garcia Marquez*
R19. Moi d'abord, *par Katherine Pancol*
R20. Un jour, *par Maurice Genevoix*
R21. Un pas d'homme, *par Marie Susini*
R22. La Grimace, *par Heinrich Böll*
R23. L'Age du tendre, *par Marie Chaix*
R24. Une tempête, *par Aimé Césaire*
R25. Moustiques, *par William Faulkner*
R26. La Fantaisie du voyageur, *par François-Régis Bastide*

Collection Points

SÉRIE POLITIQUE

1. La Démocratie, *par Georges Burdeau*
2. L'Afrique noire est mal partie, *par René Dumont*
3. Communisme, Anarchie et Personnalisme, *par E. Mounier*
4. Que faire ?, *par Lénine*
5. Machiavel, *par Georges Mounin*
6. Dans trente ans la Chine, *par Robert Guillain*
7. Citations du président Mao Tsé-toung
8. Pour une réforme de l'entreprise, *par François Bloch-Lainé*
9. Les Socialistes, *par André Philip*
10. Hô Chi-minh, *par Jean Lacouture*
11. Histoire de la Révolution russe, 1. Février, *par Trotsky*
12. Histoire de la Révolution russe, 2. Octobre, *par Trotsky*
13. Réflexions sur l'histoire d'aujourd'hui, *par Tibor Mende*
14. Histoire du syndicalisme britannique, *par Henry Pelling*
15. Trois Encycliques sociales, *de Jean XXIII et Paul VI*
16. Bilan de l'URSS, 1917-1967, *par J.-P. Nettl*
17. Mahomet, *par Maxime Rodinson*
18. Citations du président de Gaulle, *par Jean Lacouture*
19. Les Sans-Culottes, *par Albert Soboul*
20. Les Libertés à l'abandon, *par Roger Errera*
21. Qu'est-ce que la politique ?, *par Julien Freund*
22. Citations de Fidel Castro *par Henri de la Vega et Raphaël Sorin*
23. Les lycéens gardent la parole, *par les CAL*
24. Les Communistes français, *par Annie Kriegel*
25. La CGT, *par André Barjonet*
26. Les 20 Amériques latines, t. 1, *par Marcel Niedergang*
27. Les 20 Amériques latines, t. 2, *par Marcel Niedergang*
28. Les 20 Amériques latines, t. 3, *par Marcel Niedergang*
29. Introduction à une politique de l'homme, *par Edgar Morin*
30. Le Nouveau Christianisme, *par H. de Saint-Simon*
31. Le PSU, *par Michel Rocard*
32. La Nouvelle Classe ouvrière, *par Serge Mallet*
33. Réforme et Révolution, *par André Gorz*
34. L'État SS, *par Eugen Kogon*
35. L'État, *par Georges Burdeau*
36. Cuba est-il socialiste ?, *par René Dumont*
37. Les Paysans dans la lutte des classes, *par Bernard Lambert*
38. La Pensée de Karl Marx, *par Jean-Yves Calvez*
39. La Pensée politique arabe contemporaine *par Anouar Abdel-Malek*
40. Pour le nouveau parti socialiste, *par Alain Savary*
41. Autogestion, *par Daniel Chauvey*

42. Un socialisme du possible, *par François Mitterrand*
43. La CFDT, *ouvrage collectif*
44. Paris libre 1871, *par Jacques Rougerie*
45. Les Nouveaux Intellectuels, *par F. Bon et M.-A. Burnier*
46. Les Origines du gauchisme, *par Richard Gombin*
47. La Société bloquée, *par Michel Crozier*
48. Classe ouvrière et Révolution,
par F. Bon et M.-A. Burnier
49. Histoire des démocraties populaires,
1. L'ère de Staline, *par François Fejtö*
50. Histoire des démocraties populaires,
2. Après Staline, *par François Fejtö*
51. La Faute à Voltaire, *par Nelcya Delanoë*
52. Géographie de la faim, *par Josué de Castro*
53. Le Système totalitaire, *par Hannah Arendt*
54. Le Communisme utopique, *par Alain Touraine*
55. Japon, troisième grand, *par Robert Guillain*
56. Les Partis politiques dans la France d'aujourd'hui
par François Borella
57. Pour un nouveau contrat social, *par Edgar Faure*
58. Le Marché commun contre l'Europe,
par Bernard Jaumont, Daniel Lenègre et Michel Rocard
59. Le Métier de militant, *par Daniel Mothé*
60. Chine-URSS, *par François Fejtö*
61. Critique de la division du travail, *par André Gorz*
62. La Civilisation au carrefour, *par Radovan Richta*
63. Les Cinq Communismes, *par Gilles Martinet*
64. Bilan et Perspectives, *par Léon Trotsky*
65. Pour une sociologie politique, t. 1, *par J.-P. Cot et J.-P. Mounier*
66. Pour une sociologie politique, t. 2, *par J.-P. Cot et J.-P. Mounier*
67. L'Utopie ou la Mort, *par René Dumont*
68. Fascisme et Dictature, *par Nicos Poulantzas*
69. Mao Tsé-toung et la Construction du socialisme,
textes inédits traduits et présentés par Hu Chi-hsi
70. Autocritique, *par Edgar Morin*
71. Nouveau Guide du militant, *par Denis Langlois*
72. Les Syndicats en France, t. 1, *par Jean-Daniel Reynaud*
73. Les Syndicats en France, t. 2. Textes et documents,
par Jean-Daniel Reynaud
74. Force ouvrière, *par Alain Bergounioux*
75. De l'aide à la recolonisation, *par Tibor Mende*
76. Le Patronat, histoire, structure, stratégie du CNPF,
par Bernard Brizay
77. Lettres à une étudiante, *par Alain Touraine*
78. Sur la France, *par Stanley Hoffmann*
79. La Cuisinière et le Mangeur d'hommes,
par André Glucksmann
80. L'Age de l'autogestion, *par Pierre Rosanvallon*

81. Les Classes sociales dans le capitalisme aujourd'hui, *par Nicos Poulantzas*
82. Regards froids sur la Chine, *ouvrage collectif*
83. Théorie politique, *par Saint-Just*
84. La Crise des dictatures, *par Nicos Poulantzas*
85. Les Dégâts du progrès, *par la CFDT*
86. Les Sommets de l'État, *par Pierre Birnbaum*
87. Du contrat social, *par Jean-Jacques Rousseau*
88. L'Enfant et la Raison d'État, *par Philippe Meyer*
89. Écologie et Politique, *par A. Gorz/M. Bosquet*
90. Les Racines du libéralisme, *par Pierre-François Moreau*
91. Syndicat libre en URSS, *par le Comité international contre la répression*
92. L'Informatisation de la société, *par Simon Nora et Alain Minc*
93. Manuel de l'animateur social, *par Saul Alinsky*
94. Mémoires d'un révolutionnaire, *par Victor Serge*
95. Les Partis politiques dans l'Europe des Neuf *par François Borella*
96. Le Libéralisme, *par Georges Burdeau*
97. Parler vrai, *par Michel Rocard*
98. Mythes révolutionnaires du Tiers Monde, *par Gérard Chaliand*
99. Qu'est-ce que la social-démocratie ? *par la revue « Faire »*
100. La Démocratie et les Partis politiques, *par Moisei Ostrogorsky*
101. Le Socialisme et les Intellectuels, *par Jan Waclav Makhaïski*
102. Crise et Avenir de la classe ouvrière, *par la revue « Faire »*
103. Reconstruire l'espoir, *par Edmond Maire*
104. Le Tertiaire éclaté, *par la CFDT*
105. Le Reflux américain, *par la revue « Faire »*
106. Les Pollueurs, *par Anne Guérin-Henni*
107. Qui a peur du tiers monde ? *par J.-Y. Carfantan et C. Condamines*

Collection Points

SÉRIE SCIENCES

dirigée par Jean-Marc Lévy-Leblond